AGRESSOR

Andy McNab

AGRESSOR

the house of books

Oorspronkelijke titel
Aggressor
Uitgave
Bantam Press, Londen
Copyright © 2005 by Andy McNab
Copyright voor het Nederlandse taalgebied © 2006 by The House of Books,
Vianen/Antwerpen

Vertaling
Piet Dal
Omslagontwerp
Studio Jan de Boer BNO, Amsterdam
Omslagdia's
Laurence Monneret/Laurence Dutton/Getty Images
Foto auteur
© Robin Matthews, by arrangement with Transworld Publishers, a division of
the Random House Group Ltd.
Opmaak binnenwerk
ZetSpiegel, Best

ISBN 90 443 1669 9
D/2006/8899/156
NUR 332

Deel een

I

Maandag, 5 april 1993

Met ons drieën hingen we aan de bovenkant van de Bradley PRI, een gepantserd personeelsvoertuig op rupsbanden, die over de omgewoelde grond hotste en botste. Uitlaatgassen werden uit de achterste grille geblazen en verstikten ons bijna, maar ze waren tenminste warm. De dagen mochten hier dan heet zijn, de nachten waren ijskoud.

Mijn rechterhand zat om een ijskoude handgreep bij de toren geklemd. Met de linker hield ik de schouderriem van mijn rugzak vast. We hadden bijna vijfduizend kilometer gevlogen om deze spullen te gebruiken en als er iets beschadigd raakte, was er geen vervanging. Het hele karwei zou moeten worden afgeblazen en ik zou behoorlijk in de stront zitten.

Nightsun zoeklichten op de vier PRI's beschenen de voorgevel van de gebouwen die het doelwit waren. De andere drie moesten de aandacht afleiden, de onze was de enige die een SAS-team van drie man transporteerde. Dat wil zeggen, als we ons konden blijven vasthouden aan het ding.

Toen onze bestuurder scherp naar links draaide richting achterkant van het doelwit, sneed onze Nightsun door de nachtelijke hemel als in een scène uit de tijd van de slag om Engeland.

Charlie was deze keer de teamleider en om dat te bewijzen, droeg hij een headset. Die was verbonden met de communicatiedoos buiten op de PRI, waardoor hij met de bemanning kon praten. Zijn mond bewoog, maar ik had geen flauw idee wat hij zei. Daar zorgden het geraas van de motor en het geratel van de rupsbanden wel voor. Hij was klaar, zette de headset af en gooide hem op de grille. Hij gaf Halve Reet en mij een klap en schreeuwde dat we ons klaar moesten houden.

Enkele tellen later remde de PRI af en kwam tot stilstand, voor ons het teken om eraf te springen. We klauterden langs de zijkanten naar beneden en zorgen ervoor dat onze rugzakken nergens tegenaan sloegen.

De PRI draaide om zijn eigen as, waarbij modder van de rupsbanden regende, en reed toen terug zoals we waren gekomen.

Ik voegde me bij Charlie en Halve Reet achter een paar auto's. Ze waren een vanzelfsprekende plaats om dekking te zoeken, maar we zouden hier maar een paar minuten zijn en als de Nightsuns hun werk hadden gedaan zou iedereen die de omgeving vanuit het gebouw gadesloeg, toch zijn nachtzicht kwijt zijn.

We drukten ons tegen de grond, keken, luisterden en namen de omgeving op.

Onze PRI knarste nu met zijn makkers langs de andere kant van het gebouw. Nightsuns beschenen de voorkant van het doelwit. En nu ze zich op een veilige afstand van onze trommelvliezen bevonden, begonnen de luidsprekers die op elk voertuig waren gemonteerd een vreselijk hoog en schel geluid uit te braken. Het leek alsof er konijntjes werden geslacht. Ze deden dat al dagenlang. Ik wist niet wat voor uitwerking het had op de mensen in het gebouw, maar ik werd er gek van.

We waren ongeveer vijftig meter van de achterkant van het gebouw. Ik keek op Baby-G: nog een uur of zes tot het eerste licht. Ik controleerde de pleister over mijn oordopje en voelde of de twee keelmicrofoons nog op hun plaats zaten.

Charlie was met zijn eigen communicatie bezig. Toen hij klaar was met tikken op zijn oordopje, drukte hij met zijn duim op de zendknop aan de draad die vastzat aan de kraag van zijn zwarte corduroy bomberjack. Hij sprak gedempt en langzaam. 'Dit is team alfa. Kunnen we gaan? Over.' Britten hadden al erg veel moeite met zijn zware Yorkshire accent; de hemel mocht dus weten wat de Amerikanen aan de andere kant ervan zouden maken.

Hij sprak met een P3 die op zo'n vijfentwintigduizend voet boven ons hoofd cirkelde. Het toestel was afgeladen met apparatuur voor het maken van warmtebeelden om ons te waarschuwen als er gevaar dreigde terwijl we bezig waren. Ze hadden daarboven ook een onnoemelijk sterke infraroodschijnwerper. Ik controleerde of het vierkante stukje lichtgevende tape nog op mijn schouder zat. De IR-bundel was onzichtbaar voor het blote oog, maar de reflectie van onze vierkantjes zou op hun camera zichtbaar zijn als een zwerende duim. Als er gevaar voor ons dreigde en figuren uit het doelwit kwamen rennen, zou de P3 de QRF (*Quick Reaction Force*) naar de juiste plaats kunnen leiden.

Het antwoord van de P3 klonk ook in mijn oordopje. 'Ja, het is een vrije zone, team alfa, vrije zone.'

Charlie nam niet de moeite met zijn stem te antwoorden; hij drukte gewoon twee keer op de zendknop. Toen kwam hij naast me liggen en bracht zijn mond vlak bij mijn oor. 'Als ik het niet haal, wil je dan iets voor me doen?'

Ik keek hem aan en knikte. Toen stelde ik geluidloos de vraag: 'Wat?'

Ik voelde de warmte van zijn ademhaling tegen de zijkant van mijn gezicht. 'Zorg ervoor dat Hazel die drie piek krijgt die je me schuldig bent. Die maakt deel uit van mijn nalatenschap.'

Hij schonk me een grijns waarmee hij auditie had kunnen doen bij de Black and White Minstrels. Jaren geleden had hij me dat stomme broodje ham voorgeschoten, maar zoals hij erover bleef zaniken, zou je denken dat hij mijn hypotheek had afbetaald.

Hij rolde weg en begon te kruipen. Hij wist dat ik achter hem kwam en dat Halve Reet de achterhoede vormde. Halve Reet had ook persoonlijke communicatie, maar hij had zijn oordopje in de zak van zijn jack gestopt. Hij zou onze ogen en oren vormen, terwijl Charlie en ik bezig waren met het doelwit.

Het kruipen was nat en modderig, en mijn jeans en fleecejack waren al gauw doorweekt. Ik begon te wensen dat ik handschoenen had aangetrokken en een paar extra lagen kleding.

Net als de andere twee hield ik mijn ogen gericht op de gedeelten van het doel die de P3 niet kon bereiken: alles wat achter de ramen lag. De konijnengeluiden en de zoeklichten zouden de aandacht van de bewoners op de voorkant van het doelwit gericht moeten houden tot wij klaar waren, maar bij de geringste beweging zouden wij verstarren en hopen dat we niet waren gezien of gehoord.

'Je hebt dertig tot doel, team alfa.' De P3 probeerde behulpzaam te zijn.

Een zaklamp flikkerde achter het gordijn van een raam op de eerste verdieping. Hij was naar binnen gericht, niet naar buiten op ons. Hij vormde geen bedreiging.

We gingen verder en zes minuten van langzaam kruipen later waren we waar we moesten zijn.

2

De afgebladderde, witte buitenkant van houtwerk was pas de eerste van drie lagen. De bouwtekeningen gaven aan dat er waarschijnlijk nog twee achter zaten. Eén was van teerpapier om vocht tegen te houden en voor extra isolatie te zorgen en dan was er de binnenmuur die een afwerking zou hebben van muurverf of behang of beide. Geen ervan zou een probleem vormen voor de geavanceerde spullen die wij bij ons hadden.

Volgens plan waren we naar een punt tussen twee ramen op de begane grond gekropen. Een meterkast met het formaat van een kolenhok stond tegen de muur. Het was een ideale plaats voor het spul dat wij wilden achterlaten.

Met afschermende vingers over het glas van zijn mini-Maglite opende Charlie de meterkast met een vierkante loper en wierp er een snelle blik in.

Halve Reet had zijn pistool in de hand; hij hield zijn ogen op de ramen gericht en zijn oren op de rest van de omgeving. Een paar jaar geleden was een bil van hem weggeschoten en nu vroeg ik me af of dat inhield dat zijn reet ook half zo koud was als de mijne. Zijn vrouw wilde dat hij een implantaat kreeg, zodat hij de kinderen geen angst aanjoeg als hij met ze ging zwemmen, maar dat zat niet in de verzekering en hij weigerde om ervoor te betalen. 'Ik zit te krap in de kontzak,' was zijn standaardgrap. 'Of liever te krap in mijn halve kontzak...' Niemand die er ooit om lachte. Maar het was ook niet echt grappig en dat was hij evenmin.

We wisten dat iedereen in de verschillende CP's (commandoposten ten behoeve van tactische operaties) zou zitten te kijken naar de thermische en IR-beelden van onze bezigheden die door de P3 naar beneden werden gestraald. We wilden er zeker van zijn dat we goed werk leverden; bemoei je niet met de besten was de boodschap die we wilden doorgeven – hoewel het op dit moment het laatste was waar ieder van ons zich druk over maakte; persoonlijk wilde ik het karwei gewoon klaren en hier levend uitkomen. Dit was mijn laatste klus voordat ik het Regiment gedag zei. Het zou wel het toppunt van ironie zijn als ik nu werd omgelegd of gewond raakte.

Ik haalde de rugzak van mijn rug. In de verte schreeuwde een stem in het gebouw iets, maar daar besteedden we geen aandacht aan. We zouden alleen reageren als iemand schreeuwde dat ze ons hadden gezien; anders zouden we elke vijf minuten moeten stoppen en opnieuw beginnen. Je moet gewoon doorgaan tot je weet dat het goed mis is. Daarvoor was Halve Reet meegekomen.

Charlie had uitgedokterd waar hij het apparaat wilde bevestigen. Hij drukte vlak boven de grond een duimnagel in het hout en knikte naar mij. Ik haalde een metalen piramide van bijna twintig centimeter hoog uit mijn rugzak. Op de plaats van de top zat een gat en aan elk van de vier hoeken zat een bevestigingslip.

Bij de lichtstraal van Charlies Maglite plaatste ik de piramide zo dat het gat recht voor het merkteken van zijn nagel zat en hield hem daar, terwijl hij een accuschroevendraaier op de eerste bevestigingslip zette. Heel langzaam, heel voorzichtig draaide de spil van de schroevendraaier. Het kostte bijna twee minuten om de schroef vast te draaien. Tegen de tijd dat de eerste drie erin zaten, voelde ik mijn handen bijna niet meer.

Binnen schreeuwde een andere stem. Hij klonk dichterbij, maar had het niet over ons. Hij was aan het klagen over het konijnengejank en ik kon het hem niet kwalijk nemen.

Het zweet op mijn rug begon af te koelen en ik kon de vingers van de wind over mijn nek naar beneden voelen kruipen. Eindelijk had Charlie de laatste lip vastgeschroefd en ik gaf het apparaat een rukje naar links en rechts om te voelen of alles vastzat. Hij was de monteur en ik de olielap. Hij moest nu de rest doen.

Hij haalde een boor met een lengte van een halve meter en een diameter van zeven millimeter uit zijn rugzak en stopte die voorzichtig in het gat van de piramide, zonder iets te merken van wat er om hem heen gebeurde.

Hij blies op zijn vingers om ze te warmen en duwde de boor er toen verder in tot de punt net het hout van de buitenmuur raakte. Dit gereedschap was niets voor een rouwdouwer als ik, dus moest ik er afblijven. Hier waren een fijn gevoel en een vaste hand voor nodig. Charlie was de allerbeste. Hij zei altijd dat hij hersenchirurg zou zijn geworden als hij niet in dit soort werk verzeild was geraakt. Misschien was het geen grap; ik had hem ooit een weddenschap zien winnen door van een biljet van vijf pond met een scheermesje twee biljetten te maken. In Hereford noemden ze hem de president-directeur van MVI (methode van inbraak). Er was geen beveiligingssysteem dat hij niet kon kraken. En als dat er wel was, zou hij er echt niet van wakker liggen. Dan zou hij de zaak door mij laten opblazen.

Vervolgens kwam er een stroomdraad tevoorschijn die was verbonden met een lithiumbatterij in zijn rugzak. Charlie verbond die met de piramide. Het duurde even en toen pakten de klauwen in de piramide de boor die vervolgens zo langzaam begon te draaien dat hij bijna niet leek te bewegen. Het enige geluid was een nauwelijks hoorbaar laag gezoem.

We konden nu niets anders doen dan wachten, terwijl de boor zich stil, langzaam en methodisch door tweeënhalve centimeter hout, een vel teerpapier en ongeveer een halve centimeter pleisterwerk begon te werken. Ik schoof tegen de muur aan om een zo klein mogelijk doelwit te vormen als iemand uit het raam keek. Mijn rechterhand trok mijn fleecejack omhoog en bleef rusten op de kolf van het pistool in de platte holster aan mijn riem. Mijn linkerhand trok de dichtgeritste voorkant over mijn neus voor de warmte.

Dit apparaat werkte met dezelfde technologie die ze ook in de neurochirurgie gebruikten; als je door een schedel boort, dan is het nuttig om dat te doen met iets dat stopt wanneer het voelt dat het bij het hersenvlies is. Ons apparaat deed hetzelfde wanneer het op het punt stond door de laatste laag verf of papier te breken. En om geen sporen na te laten verzamelde het automatisch slijpsel en stof van het boren.

Charlie koppelde de stroomdraad los en trok de boor eruit. Toen pakte hij een staaf van fiberglas met een lampje aan het uiteinde. Hij schoof die door de piramide om er extra zeker van te zijn dat hij niet door het stucwerk ging breken. Alles leek in orde te zijn. Hij verwijderde de fiberstaaf, bracht de boor weer op zijn plaats en sloot de stroom aan. Het zachte gezoem keerde terug.

De boor bewoog sneller toen hij bij het teerpapier kwam en vertraagde weer toen hij op het pleisterwerk stootte. Charlie stopte hem weer en herhaalde de procedure met de fiberoptiek.

Ik keek naar Halve Reet. Hij lag op zijn rug, met zijn voeten naar de muur. Zijn pistool steunde op zijn borst en was op de ramen van de eerste verdieping gericht. Zijn reet – of wat ervan over was – moest bevroren zijn. Ik dacht aan de Amerikanen in de CP's die koffie zaten te drinken en sigaren rookten, terwijl ze onze vorderingen in het oog hielden. De meesten van hen vroegen zich waarschijnlijk af waarom we verdomme niet opschoten.

Het duurde bijna een uur voordat de boor voor de derde en laatste keer stopte met draaien. Charlie deed de truc met de fiberoptiek weer en stak zijn duim naar ons op. Hij borg de boor op, zette de schroevendraaier op de eerste lip en liet die tegen de klok in draaien.

Toen hij de piramide had losgemaakt, haalde Charlie de microfoon tevoorschijn. Die was ook bevestigd aan een kabel met fiberoptiek, zodat hij in de juiste positie kon worden gebracht.

Ik borg alle spullen stuk voor stuk zorgvuldig op in mijn rugzak. Het had geen zin om haast en geluid te maken.

Met een breed gebaar verbond Charlie de microfoon met de lithium-batterij en legde een antennedraad van een meter op de grond.

Zodra de stroom werd ingeschakeld, klonk er een gepiep in mijn oordopje. Het signaal werd naar de CP's gestraald en dan naar ons teruggekaatst. Wij hoefden dus geen radiocontact te maken om te controleren of we goed werk hadden geleverd.

Ik hoorde de microfoon schuren toen Charlie hem voorzichtig in het pas geboorde gat duwde. Hij stopte af en toe, trok hem een fractie terug en duwde hem dan weer verder. Toen hij dichterbij het membraan kwam, kon ik een vrouw tegen haar kinderen horen mompelen en ik hoorde een man kreunen van pijn. Het moest de man zijn die bij de eerste aanval een kogel in zijn buik had gekregen.

Het was bijna tijd om te vertrekken. Charlie sloot de kast en deed hem op slot, terwijl ik de draad begroef en de aarde erover gladstreek. Hij bescheen de omgeving snel met zijn afgeschermde Maglite en we wisten een paar voetafdrukken uit. Toen begonnen we terug te kruipen naar ons RV met de Bradley.

Stemmen weergalmden in mijn oordopje; een man mompelde Bijbelteksten; een kind jengelde en vroeg om een slok water.

Wij hadden ons werk gedaan.

Nu was het tijd om onze speeltjes aan de Amerikanen te overhandigen.

3
Twee weken later

De konijntjes krijsten de hele nacht. Slapen was voor ons bijna onmoge-lijk – en wij zaten op zeshonderd meter van de actie. De hemel mocht we-ten hoe het moest zijn geweest voor het honderdtal mannen, vrouwen en kinderen die de volle laag kregen van het niet-aflatende gekrijs dat was opgenomen op een eindeloze band en duizend keer versterkt werd afge-draaid door de luidsprekers op de PRI's.

Het was nog donker. Ik ritste mijn slaapzak net genoeg open om mijn arm in de kou te steken. Ik draaide mijn pols voor mijn gezicht en drukte op het lichtknopje van de Baby-G. Het was 05:38.

'Dag eenenvijftig van de belegering van de berg Carmel.' Ik trapte te-gen de zak naast me. 'Welkom bij weer een dag in het paradijs.'

Anthony bewoog. 'Draaien ze nog steeds diezelfde stomme rotplaat?' Het was vreemd om hem in volmaakt Oxford Engels te horen vloeken.

'Hoezo? Heb je een verzoekje?'

'Ja.' Zijn hoofd werd zichtbaar. 'Haal me hier verdomme uit.'

'Ik geloof niet dat ik dat nummer ken.'

Er werd niet om gelachen.

'Hoe laat is het?'

'Halfzes, maat. Koffie?'

Hij kreunde en draaide zich om. Tony was niet gewend aan oncomfor-tabel slapen. Hij hoorde thuis in zijn lab waar hij in een pas gesteven wit-te jas reageerbuisjes boven bunsenbranders draaide, en niet in het veld met kerels als ik en tanden die zolang niet waren gepoetst dat er mos op groeide en sokken die aanvoelden als karton.

'De kranten noemden het gisteren de belegering van Mount Apoca-lypse,' zei Anthony. 'Lijkt meer op lammeren naar de slachtbank.' Het kwam recht uit zijn hart. Hij was niet blij met wat er hier gebeurde.

Zodra we de afluisterapparatuur hadden geïnstalleerd, had niemand nog belangstelling gehad voor de Britten die naar Waco waren gestuurd om te 'observeren en adviseren'. Wij waren boventallig. Na een drie da-gen durend overleg met Hereford dat had overlegd met het ministerie van

Buitenlandse Zaken dat had gesproken met de ambassade in Washington die met Joost-mocht-weten wie allemaal had gepraat, waren Charlie en Halve Reet teruggevlogen naar Engeland. Ik kreeg te horen dat ik moest blijven om een oogje op Tony te houden. De Amerikanen wilden misschien nog gebruikmaken van de trukendoos die hij had meegebracht.

Ik draaide opzij, stak ons kleine campinggasstel aan en strekte een hand uit naar de ketel. Op het gebied van huiselijke gemakken hadden we het daarmee wel gehad. Er was geen tandenborstel te zien, wat waarschijnlijk de reden was dat de yanks op afstand bleven.

Ik keek door een van de kogelgaten in de zijwand van de veewagen die de laatste vijf dagen ons thuis was geweest. De duisternis van de Texaanse prairie werd kriskras doorsneden door zoeklichtbundels. De PRI's reden met wild op en neer gaande Nightsuns in kringen om de gebouwen, als indianen om een wagentrein. De lui van psychologische operaties – psyops – maakten het leven voor de mensen die binnen opgesloten zaten, nog steeds tot een hel. De media hadden gelijk. We zaten vast op de set van *Apocalypse Now*.

Het complex, zoals de FBI-agenten de verblijfplaats van de Branch Davidians noemden, bestond uit een samenraapsel van houten gebouwen, twee woonblokken van drie verdiepingen en een grote rechthoekige watertoren. In elke andere taal zou het zijn omschreven als een religieuze gemeenschap, maar dat zou de FBI niet goed zijn uitgekomen. Het laatste wat ze wilden, was deze operatie een geur van godsdienstvervolging meegeven, vandaar 'het complex'.

Er geldt een tiendagenregel bij belegeringen; als je de zaak dan niet hebt opgelost, wordt het echt een rotzooi. Die termijn was al vijf keer verstreken. Er moest gauw iets gebeuren. De overheid pakte de zaak niet echt slim aan; en met elke nieuwe dag die verstreek, kwam de zaak er een stuk slechter voor te staan.

Het snerpende, misselijkmakende gejammer stopte ineens. De stilte was oorverdovend. Ik gluurde door het kogelgat. Drie of vier PRI's stonden op een kluitje bij de parkeerplaats. Uit informatie van oud-leden van de sekte was opgemaakt dat er niet overdreven veel opslagruimte in de gebouwen was en dat velen hun bezittingen bewaarden in de kofferbak van hun auto.

De eerste PRI schoot vooruit, ploegde door het hek en bleef rechtdoor gaan. Ik stootte Tony nog een keer aan. 'Verrek zeg, moet je dat zien.'

Tony ging zitten.

'Ze vermorzelen alle auto's en bussen.'

'Waarom proberen ze dat verdomme te doen?'

'Om vrienden te maken en mensen te beïnvloeden, neem ik aan.'

We keken naar de vernielwedstrijd terwijl het water stond te koken.

4

Zodra het laatste voertuig was platgewalst, verspreidden de PRI's zich weer. Ze begonnen rondjes te draaien met de schone was van de Davidians tussen hun rupsbanden. Bijna meteen dreunde het beestachtige gegil weer uit hun luidsprekers.

Buiten onze veewagen liepen mensen van en naar de rij douchehokjes, toiletten en etenswagens die stonden opgesteld op ons gedeelte van het tentdorp van dertig hectare. Een leger kon marcheren op een lege maag, maar de Amerikaanse politie kwam aanrijden in een verlengde limousine en kreeg overuren betaald.

De catering had geen tekort aan monden. BBE's (Bijzondere Bijstands-eenheden), FBI-eenheden voor de redding van gijzelaars, federale mar-shals, plaatselijke sheriffs, het was ervan vergeven. Niet minder dan vier CP's lagen rond het complex. Alfa CP lag pal naast onze wagen; de an-dere drie hadden hun eigen commandostructuur en voor zover we kon-den nagaan, gingen ze allemaal hun eigen gang. Er waren meer opper-hoofden dan indianen op deze prairie, dat was zeker, en niemand leek de algehele leiding te hebben. Om het nog erger te maken wilden ze die lei-ding allemaal en jan en alleman hunkerde er kennelijk naar om het groot-ste en lelijkste militaire speelgoed te laten aanrukken waarop de hand kon worden gelegd.

Deze operatie had alle elementen van een bendeoorlog met zware wa-pens en er was evenveel publiek als bij een rockfestival om er getuige van te zijn. Massa's Airstreams van glimmend aluminium, uitgeschoven Wine-bago's en gewone pick-ups stonden in een lange rij langs de weg aan de andere kant van de afzetting. De ramptoeristen kwamen van heinde en ver voor een leuk dagje uit, zaten op hun dak met een verrekijker in de knuisten en genoten van de lol. Er was zelfs een kermis en het ene stal-letje na het andere, waar alles werd verkocht van hotdogs en camping-gasstellen tot T-shirts met het opschrift *Davidians-BATF: 4-0* (BATF: *Bureau of Alcohol, Tobacco, and Firearms*).

Dit was beslist op meer dan één manier een land van cowboys. Waco lag ongeveer honderdzestig kilometer ten zuiden van Dallas en herbergde het museum van de Texas Rangers. Iedereen die ik op de kermis had gezien, leek een Stetson te dragen. Afgezien van de Ku Klux Klan. Die waren drie dagen geleden op het toneel verschenen om de FBI hulp aan te bieden bij het binnendringen en omleggen van al die drugs slikkende en sektarische kinderverkrachters.

Tony en ik lieten ons weer zakken en dronken onze koffie, terwijl ik de ketel opzette voor de volgende ronde. Het was het hoogtepunt van de dag.

Even klonk gedempt gepraat en gelach buiten de wagen. Ik rook sigaretten. Het spannen van wapens en het geluid van klittenband van kogelvrije vesten duidden op de wisseling van de wacht. Volgens mij waren er minstens driehonderd politiemensen ter plaatse met evenveel voertuigen. De meesten waren gekleed in battledress en droegen genoeg wapens om een kleine invasie af te slaan.

Ik wist ook dat de Combat Applications Group – Delta Force – hier ergens een eenheid had. Delta was opgericht met dezelfde squadronstructuur en uitgangspunten als de Special Air Service in de jaren zeventig. Ze deden waarschijnlijk hetzelfde als wij, zaten vast in de buurt van een van de CP's, kregen geen barst te horen en sliepen in een armzalige veewagen. Dat hoopte ik tenminste.

We wisten allemaal dat het illegaal was als militairen in actie kwamen tegen Amerikaanse burgers. De Posse Comitatus-wet verbood binnenlands politioneel optreden en 'binnenlands' omvatte ook een driemijlszone van territoriale wateren. Er was maar één uitzondering op de regel: president Clinton had een presidentieel besluit getekend dat politiemensen toestond bij operaties tegen drugstransporten militaire voertuigen en militair personeel te gebruiken om gewapende tegenstand te bestrijden. Met andere woorden, BATF en FBI hadden een vrijkaartje en te oordelen naar de Abrams-tank die aan de overkant van de weg geparkeerd stond, zag het ernaar uit dat ze dat kaartje bij de eerste de beste gelegenheid wilden uitspelen.

David Koresh en zijn Bijbelse medestrijders konden onmogelijk hebben geweten waarmee ze zich inlieten toen ze weerstand boden aan de eerste aanval van het BATF nu bijna twee maanden geleden.

5

Het water kookte. Ik deed een lepeltje Nescafé in twee mokken en goot er water bij. Je viel hier bijna over de cateringwagens, maar ik had geen zin om aan te schuiven in de rij voor het ontbijt nu de nachtdienst erop zat. Bovendien betekende het dat we ons in de kou moesten wagen en dat stelde ik liever even uit tot de zon opkwam.

Ik hield Tony's beker vast, terwijl hij heen en weer draaide en de rits probeerde te openen. Hij wreef in zijn ogen en tastte bij het licht van de brander naar zijn bril. Hij was een geschikte peer, vond ik. Hij was in de dertig, met een neus die eruitzag alsof zijn voorouders van het Paaseiland kwamen. Zijn haar was bruin en geknipt alsof hij de gekke professor wilde lijken. Hij had ofwel geen idee hoe hij eruitzag of, wat waarschijnlijker was, het kon hem niet schelen, want zijn hoofd zat zo vol met chemische formules dat hij vaak niet scheen te weten welke dag het was.

Het DERA (*Defence Evaluation and Research Agency*) had zo'n negenduizend slimme jongens in dienst en Tony was daar één van. Je vroeg deze kerels niet in welk van de ongeveer tachtig instituten in heel Engeland ze werkten, maar gezien de reden van zijn aanwezigheid hier was ik er vrij zeker van dat hij geen volslagen vreemde zou zijn in de laboratoria voor bacteriologische oorlogsvoering van Porton Down in Wiltshire.

Ik had op andere bollebozen zoals hem gepast en hun hand vastgehouden in een vijandige omgeving of ze begeleid in gebouwen waar geen van ons eigenlijk had horen te komen en ik liet ze meestal gewoon doen wat ze moesten doen. Hoe minder ik wist, hoe minder rottigheid me kon overkomen als het fout liep. Dit soort karweitjes had vaak als weerslag dat je achteraf alsnog een trap onder je ballen kreeg. Maar één ding hield me de hele tijd bezig: Tony en zijn maten hadden hersens die even groot waren als een heteluchtballon en worstelden hun hele leven met de geheimen van het universum – dus hoe was het mogelijk dat ze niet eens een fatsoenlijke mok koffie konden maken?

De RAF had samen met ons een container naar Fort Hood gevlogen die vervolgens op een vrachtwagen hierheen was vervoerd en Tony had daar de sleutels van. Hij leek behoorlijk pacifistisch, dus bevatte die container misschien alleen genoeg feeënstof om iedereen het gebouw uit te laten dansen, maar ik betwijfelde het. De FBI was blij geweest met de spionageapparaatjes van Charlie, maar wat er in Tony's hoofd zat, wilden ze echt hebben. Zijn vak was geavanceerde gassen; hij leek elke molecuul op de planeet intiem te kennen. Bovendien wist hij ze zo precies te mengen dat ze je doodden, verlamden of alleen maar uitschakelden tot je alleen nog maar kon kruipen.

Een uitbarsting van geschreeuwde opdrachten kwam uit de commandotent van Alfa CP. Speciaal agent Jim D., 'noem me maar Buster', Bastendorf was aan het warmdraaien voor zijn dagelijkse kletsvergadering met de nieuwe wachtcommandanten en zoals gebruikelijk klonk het allemaal als een scheldpartij.

Bastendorf had echt graag dat iedereen hem Buster noemde, maar binnen de kortste keren hadden we hem de bijnaam Dove Bastaard gegeven wat te lang was en dus werd afgekort tot Bastaard.

Bastaard was een Texaan en dat hield in dat alles – zijn schouders, armen, handen en vooral zijn buik – groter was dan nodig. Het zou hem geen kwaad hebben gedaan als hij na de kerst was afgebleven van de T-bones van een kilo. Zijn haar was heel kort geknipt en hij had een stevig opgestreken Kaiser-Wilhelmsnor. Hij bleef de uiteinden opdraaien, alsof ze laten hangen een teken van zwakte zou zijn. Jawel, Jim D. Bastendorf wist precies wat zijn missie was: schop onder de kont, klap op de kop, oplossen dat probleem.

Alles was voor deze man een strijd; elke minuut van elke dag was een gevecht dat gewonnen moest worden. Zijn kaken waren constant in de weer met pruimtabak. Elk kwartier fluimde hij een mondvol dikke, zwarte, met speeksel vermengde troep in een bak van polystyreen, viste een blikje uit zijn achterzak voor een andere pluk tabak en het hele proces begon weer opnieuw.

Zijn probleem met ons begon met Tony's accent. Wanneer Tony een vraag stelde of iets probeerde aan te dragen, keek hij hem gewoon nietszeggend aan en duidde hem aan als 'die nichterige Brit in de veewagen' die 'het verschil niet kent tussen stront en schoenpoets'. Ik was die andere Britse verspilling van ruimte die steeds van die vervloekt stomme kolerevragen stelde: 'Hoe staat het hiermee? Hoe staat het daarmee? Denk je echt dat je die lui eruit krijgt door ze vierentwintig uur per dag wakker te houden?'

Als het erop aankwam, had hij geen idee wat wij hier uitvoerden. Onze opdracht was kort en duidelijk. Zolang we bij hem uit de buurt bleven, steeds de juiste, blauwe pasjes om onze nek hadden hangen en zijn mening deelden dat we allemaal hulpeloos hadden lopen stuntelen tot hij als de Vijfde Cavalerie over de heuvel was komen galopperen, kon het hem niets schelen, ook al bleven we hier voor eeuwig – wat mij goed uitkwam, want mij kon het ook niets schelen. Als Bastaard niet wilde luisteren, was het niet mijn probleem. De watertoevoer van de Davidians was afgesloten en vroeger of later zouden ze honger en dorst krijgen of zich gaan vervelen. Uiteindelijk zouden ze naar buiten komen, dus liet ik de ketel op het vuur staan voor Tony en mij tot de witte vlaggen tevoorschijn begonnen te komen.

Bastaard brulde van het lachen. Mensen schreeuwden bevelen om naar de commandopost te komen. Er ging iets gebeuren.

'Bekken dicht, verdomme,' dreunde Bastaard. 'Opletten – de show begint!'

Ik ritste mijn slaapzak open en ging staan. Er was een ander geluid hoorbaar boven het gegil van de konijntjes en het geknars van rupsbanden. Bastaard had een schakelaar omgezet, zodat zijn makkers konden meeluisteren naar het gesprek tussen de onderhandelaars en de Bijbelfanaten.

Een kind van hooguit vijf jaar zat aan de telefoon in het complex. Ik kon op de achtergrond gedempt gehuil horen. 'Gaan jullie mij vermoorden?' vroeg haar stemmetje.

6

De onderhandelaar zat kilometers ver weg op een basis van de Amerikaanse luchtmacht. Hij sprak vriendelijk, terwijl de jongens van Bastaard in de commandotent joelden en floten. 'Nee, lieverd, niemand komt jou vermoorden.'

'Echt? De tanks staan nog steeds buiten...'

'De tanks zullen je geen kwaad doen, lieverd.'

In het complex nam een andere, mannelijke, stem het over. 'Waarom laten uw mannen hun broek zakken voor onze vrouwen?' Hij was goed kwaad. 'Er zijn hierbinnen fatsoenlijke vrouwen; u weet dat het zo niet hoort. Waarom zouden we u vertrouwen?'

Bastaard brulde: 'Het werd tijd dat die wijven een paar eersteklas konten zagen!'

Zo te horen waren de jongens op zijn hand. Ik durfde te wedden dat ze met hun blote billen naar de luidspreker stonden.

Ik wisselde een blik met Tony die in zijn koffie had zitten staren. We luisterden allebei naar de onderhandelaar die daarop een redelijk antwoord probeerde te geven. 'U weet hoe die lui zijn; u kent de mannen die in helikopters vliegen of in tanks rijden, ze hebben niet hetzelfde denkpatroon als wij. Ik zal proberen er iets aan te doen, goed?'

Bastaard lachte bulderend. 'Krijg de kolere, krijg jij ook maar de kolere, meneer Denkpatroon! Blijf maar kletsen en laat het echte werk over aan de grote jongens.'

Er volgde een nieuwe uitbarsting van applaus. Ik kon me voorstellen hoe de grote jongens hun broek weer lieten zakken en met hun billen naar de luidspreker zwaaiden.

Ik nam een slokje van mijn koffie. Wat de onderhandelaar ook zei, het zag er niet goed uit voor Koresh en zijn mensen. Het BATF had zijn uitnodiging om binnen te komen en de huizen te inspecteren op illegale wapens en wat ze verder nog dachten dat de Davidians achter de hand hadden, naast zich neergelegd en was in plaats daarvan aan een groots opgezette gewapende operatie begonnen.

Misschien was het een samenloop van omstandigheden, maar toevallig begon het BATF in Washington aan geloofwaardigheid in te boeten en het was de tijd waarin de budgetten werden verdeeld. Ze wilden kennelijk iets laten zien – ze hadden de media uitgenodigd en logeplaatsen gegeven. Ze lieten zelfs hun eigen camera's draaien voor het geval dat de nieuwsjagers iets van de actie misten.

De Branch Davidians moesten hebben geweten dat er iets ging gebeuren toen ze filmploegen hun apparatuur zagen opstellen. Hun vermoedens werden waarschijnlijk bevestigd toen helikopters achter het complex begonnen rond te vliegen, deels om hun aandacht weg te trekken van de veewagens vol gewapende BATF-agenten die op weg waren naar de voordeur en deels voor het Amerikaanse publiek dat nu hun belastingdollars op het scherm kon zien.

De Davidians schoten terug, wat volgens de Amerikaanse wet hun recht was. Ze belden zelfs 911 om de politie te vertellen dat ze werden aangevallen en smeekten om hulp.

Het vuurgevecht duurde een uur, het langste vuurgevecht uit de Amerikaanse politiegeschiedenis. Aan het eind van dat uur waren vier BATF-agenten dood en zestien anderen gewond. Als het kleine broertje een trap onder zijn achterste krijgt, komt grote broer helpen. De FBI nam het over. Vanaf dat moment waren de Branch Davidians tot ondergang gedoemd. Dit was een film die geen gelukkig einde zou krijgen.

Tony nipte van zijn koffie en keek me verdrietig aan, terwijl hij naar het vervolg van het gesprek luisterde.

De Davidians wilden water...

De onderhandelaars zeiden dat ze wilden helpen, maar daar niet voor konden zorgen. Ze stonden machteloos.

Mensen begonnen hier van dorst om te komen...

Het was mogelijk dat de FBI iets zou kunnen doen als enkele Davidians naar buiten kwamen en zich overgaven als teken van goede wil. Hoe klonk dat?

Tony snapte er helemaal niets van. Het geluid van de PRI's stond hem niet aan en het geschreeuw van de politielui stond hem niet aan. En hij vond het helemaal niet leuk zo dicht bij dingen te zijn die konden ploffen. Hij zou er alles voor hebben gegeven om nu in zijn lab te zitten en lachgas naar Roland Rat te blazen of wat voor stomme dingen ze daar ook deden. Hij schonk me een dappere glimlach. 'Weer een dag, hè?'

'Zo is het maar net, makker.' Voor hem probeerde ik vrolijk te klinken. 'Je kunt je maar beter geen zorgen maken over wat je niet kunt veranderen. Daar krijg je koppijn van.'

Tony draaide zijn hoofd om en staarde zonder iets te zien door de zijwand van de wagen, terwijl Bastendorfs publiek bleef genieten van de show.

7

Het kon me niet echt schelen welke kant dit opging. Ik wilde alleen graag terug naar Hereford en het squadron. Over een paar maanden zou ik het Regiment verlaten en ik moest nog een paar dingen regelen. Niet dat ik veel hoefde te organiseren. De Firma (de SIS, of *Secret Intelligence Service*) zou alles voor me doen: bankrekeningen openen, mijn leven op de rails zetten.

Islamitische fundamentalisten waren in Algerije aan het slachten geweest sinds de militairen in 1992 de macht hadden gegrepen. Ze waren een felle terroristische campagne gestart tegen een breed spectrum van burgerdoelen waaronder niet-religieuze oppositieleiders, journalisten, kunstenaars, academici en buitenlanders – vooral buitenlanders die werkzaam waren in de olie-industrie.

Er kwam een baan vrij voor de bewaking van oliemensen en boorinstallaties; het leverde drie keer meer op dan wat ik kreeg, dus hoefde er niet veel te worden nagedacht. Waarom pas over vijf jaar uit het Regiment stappen en dan hetzelfde werk gaan doen? Waarom niet meteen beginnen? Over vijf jaar moest ik toch afzwaaien, of ik het leuk vond of niet. Het leger had mijn billen afgeveegd sinds ik me als zestienjarige had aangemeld. Ze hadden per keer maar drie velletjes gebruikt – eentje omhoog, eentje omlaag, eentje om te poetsen – maar toch had ik me afgevraagd hoe het zou zijn om op eigen benen te staan. En nu hoefde ik me geen zorgen te maken.

Ik had mijn ontslag aangevraagd en werd een week later benaderd door de Firma. Ik wist nog steeds niet precies waarom, maar dat deed er niet toe. Het betekende dat ik geen belastingpapieren hoefde in te vullen of huur moest betalen. En ik zou er gauw genoeg achter komen waarvoor ze me wilden hebben.

Ik wilde net voorstellen om naar de kantine te wandelen en te kijken of de rij was verdwenen, toen er uit de richting van het complex een reeks harde klappen klonk.

'*Wat zijn jullie aan het doen? Jullie vallen de kinderen aan. Denk aan de kinderen.*'

De stem van de onderhandelaar klonk meteen eentonig. Bastaard en zijn mannen stopten hun gedoe om te luisteren. 'Open niet het vuur. Dit is geen aanval. We zullen het gebouw niet binnendringen. Ik herhaal, open niet het vuur. Dit is geen aanval.'

De verbinding werd verbroken. Bijna meteen begonnen de luidsprekers op de pantservoertuigen op dezelfde eentonige manier als de onderhandelaar te blèren: 'Deze fase is voorbij, vuur geen wapens af. Dit is geen aanval. Dit is geen aanval, vuur geen wapens af.'

Tony en ik zetten onze mokken neer en renden naar de achterkant van de veewagen voor een beter overzicht. Drie genietanks met rupsbanden, gepantserde monsters met een grote stormram aan de voorkant reden grommend rond het complex. Een duwde recht door de muur als een vinger door nat papier.

Zoeklichten en Nightsuns zetten het doelwit trillend in het licht. Een andere genietank beukte zijn ram in de verste hoek van het gebouw en stopte.

'O mijn god, o mijn god...' Tony kon de woorden niet snel genoeg uit zijn mond krijgen. De zoeklichten dansten nog steeds op en neer als derwisjen, toen de derde genietank half door een muur verdween.

'Dit is geen aanval,' dreunde de luidspreker. 'Open niet het vuur.'

Tony kon zijn ogen niet geloven. 'Als dit geen aanval is, wat is het verdomme dan wel? Kijk, Nick, kijk...'

Ik keek, net als bijna tweehonderd politiemensen die op het dak van elk voertuig stonden in een poging alles beter te zien. Sommigen lieten zelfs hun camera flitsen om wat kiekjes te maken voor de mensen thuis.

Tony klauterde over de klep van de wagen als een stuntelig kind. Hij kwam op de grond terecht en begon naar Alfa CP te rennen.

Ik volgde hem. Het bouwsel werd overeind gehouden door lucht die in opblaasbare buizen werd geblazen. Tegen de buitenkant stond een kuchende generator. Omdat dit een Amerikaanse commandopost was, had die ook airconditioning. Warme lucht sloeg ons in het gezicht. Er hing een sterke geur van koffie. Het was een rookvrije ruimte en er hingen borden om dat aan te geven. Het was altijd goed om te zien dat in een oorlogszone aandacht werd besteed aan gezondheid en veiligheid.

Elke tafel boog door onder tv-monitors en computers. Kabels liepen over de grond. Radiotelefonisten zaten sprakeloos over hun toestel gebogen. Iedereen zat aan de schermen gekluisterd.

Op de monitors was het doelwit van alle kanten te zien, uitgezonderd de achterkant. De twee schermen die de achterkant in beeld hadden gebracht, waren nu zwart en flikkerden. Twee schermen vertoonden luchtopnames van P3's die nog steeds met hun camera's op vijfentwintigduizend voet rondcirkelden. De IR- en warmtebeelden leken op zwart-witnegatieven.

Helder wit licht toonde de hitte uit de uitlaat van de genietank aan de achterkant van het gebouw en daarna witte vlammen toen de bestuurder schakelde voordat hij in de muur ramde.

Bastaard stond voor de schermen en hij vond het prachtig. 'Pak ze!' gilde hij naar het scherm. Hij mompelde een paar opmerkingen tegen zijn kornuiten en fluimde een sappige pruim in zijn bak. De mannen om hem heen juichten.

'Ja, mammie!'

Dertig seconden later reed het voertuig achteruit.

'Hé, Koresh, hoe vind je die nieuwe luchtverfrisser?'

'Je komt er nog wel achter dat de reet van die tank meer stinkt dan die van ons!'

Ik keek naar Tony. 'Gas?'

'Ze zijn aan het inspuiten als muggen.'

Het geduld van de FBI was op. Ze gingen ze vergassen en ze dan opvangen als ze hoestend en proestend met vocht dat uit elke opening druppelde, naar buiten strompelden. De volgende halte zou de achterkant van een gevangenwagen of een ambulance zijn en dan recht naar de EHBO voordat ze werden gearresteerd.

'Goed nieuws.' Ik grijnsde naar Tony. 'Dan is er een vliegtuig voor jou en mij naar huis.'

Maar Tony glimlachte niet. Hij beende op Bastaard af. 'Wat voor gas gebruiken jullie?'

Bastaard bleef gewoon naar de schermen staren. Hij haalde zijn schouders op. 'Weet ik niet, knul. Gewoon gas, denk ik.'

Tony keek opgewonden door de ruimte en zocht een soort morele steun. Hij kreeg die niet. Een paar van Bastendorfs mannen begonnen te grijnzen, omdat ze lol verwachtten. Tony wees naar de monitors toen een andere genietank met geweld het complex opreed. 'Hebben ze gasmaskers in die tank? Hoe staat het met de kinderen? In die beperkte ruimte betekent het hun dood! Waarom komen ze nog niet naar buiten?'

Bastaard besteedde geen aandacht aan hem. Buiten klonk de symfonie van geslachte diertjes weer en boorde een andere genietank zich in het gebouw. Hij bleef ongeveer twintig seconden staan en werkte zich toen los. Een andere mug die zijn gif inspoot.

Bastaard stond bewegingloos naar de schermen te kijken.

Tony greep zijn schouder en draaide hem met een ruk om, zodat hun gezichten centimeters van elkaar af waren. 'Hieraan gaan ze dood, begrijp je dat dan niet?' Zijn stem klonk verstikt van emotie. 'Ze gaan allemaal dood!'

Bastaard grijnsde. 'Het is jouw feestje niet, knul. Donder op, ik heb werk te doen.'

Niemand zei iets.

Ik stond in de deuropening. Het begon een beetje licht te worden en het zicht was verbeterd.

Een gejuich steeg op uit de toeschouwers langs de afzetting.

Ik keek over het terrein en het kwartje viel.

Waar waren de ambulances om de gewonden te behandelen? Waar waren de ontvangstgroepen om de gevangenen te registreren? Waar waren de gevangenwagens om ze weg te brengen? Waarom stonden al deze kerels naar de aanval te kijken in plaats van eraan deel te nemen?

8

Ik draaide me weer om. Bastaard had het kookpunt bereikt. 'Donder op hier, nicht! Wat voeren jullie Britten hier trouwens uit, verdomme?'

Bastaard hief zijn kolenschop van een rechterhand op en duwde tegen Tony's gezicht. Tony was niet geschikt voor een harde slaapplaats en hij was ook niet gebouwd op het incasseren van een pak slaag. Hij wankelde achteruit en viel op een van de radiotelefonisten. De kerel stond op, maar was niet van plan te helpen. Dit was een zaak van de baas.

Ik deed drie snelle stappen en stelde me tussen hen op. Het werd stil in de commandotent en die stilte werd gevuld door de konijntjes en het gedreun van de genietanks. Bastaard hoefde niets te zeggen. Zijn bedoelingen stonden duidelijk op zijn gezicht te lezen. Tony lag languit op de tafel van de radiotelefonist en gleed naar de grond.

'Ik zal hem meenemen. Het spijt me, hij is er niet aan gewend dit soort dingen te zien. Ik zal hem naar buiten brengen.' Ik stak verzoenend mijn hand op.

Maar Bastaard voelde zich te geagiteerd om te kunnen kalmeren. Hij prikte tegen mijn borst. 'Wie ben jij trouwens, verdomme? Weer zo'n nichterige Brit?'

Ik was hier om op het talent te passen. Ik week niet terug. Tony's schouders wreven tegen mijn benen toen hij probeerde op te staan.

Ik stak mijn hand uit en raakte het jasje van Bastaard. Zijn borst was keihard; de rotzak had een kogelvrij vest aan. Ik wierp een blik naar rechts en links om een indruk te krijgen van de steun waarop hij kon rekenen. Meer dan genoeg leek het antwoord te zijn.

Ik kon dit op geen enkele manier winnen. Bastaard was een heel grote jongen en zijn maten zouden komen aanstormen op het moment dat ik iets begon. Als wij tweeën een rekening te vereffenen hadden, dan was het niet vandaag.

'We vertrekken nu.' Mijn ogen keken hem strak aan. 'Dit is niets voor hem.'

Een van de kerels in de tent kwam aanlopen en legde een hand op de schouder van Bastaard. 'Het is het niet waard, Buster. Deze kerels zijn hierheen gestuurd om te helpen. Speciale betrekkingen en zo...'

De kaak van Bastaard kwam naar voren toen hij mijn blik beantwoordde en zijn mogelijkheden afwoog. Zijn ogen bleven ook mij strak aankijken. Toen draaide hij zich zonder een woord te zeggen op zijn hakken om.

Ik leidde Tony de tent uit, maar hij kwam niet gewillig. Hij wilde nog steeds antwoorden hebben.

Het licht was goed genoeg om de Amerikaanse vlag te zien wapperen aan de antenne van een van de genietanks die over het complex rondreed. Het was niet de enige Stars and Stripes. Ik vroeg me af of iemand van hen de veel grotere vlag aan de mast van de Davidians had gezien.

De pantservoertuigen hadden de grond rond het doel zo erg omgewoeld, dat het op de Somme leek. Afval uit geplette kliko's werd verspreid door de aanwakkerende wind.

Met mijn arm om Tony's schouders bracht ik hem terug naar de wagen. Maar hij wilde niet. 'Ik moet iets controleren.'

'Wat kunnen we doen? Er is...'

Tony rukte zich los en begon te rennen. De stalen container die de RAF hierheen had getransporteerd, stond zo'n tweehonderd meter verderop.

Ik rende achter hem aan. Het kon geen kwaad en bracht hem zelfs tweehonderd meter verder uit de buurt van Alfa CP.

Toen we container naderden, zag ik dat die onder zijn eigen gewicht vijf centimeter de grond in was gezakt. Van dichterbij kon ik zien dat de twee achterdeuren een kwartcirkel in de zacht grond hadden gekerfd toen ze waren opengetrokken. Het hangslot was opengebroken.

Tony hyperventileerde bijna van woede. 'Ze hadden het recht niet, Nick. Je kende de afspraak. Ze mochten het pas pakken na overleg. In godsnaam, Nick, wat zijn ze aan het doen?'

Ik keek naar binnen. Verschillende van de olievaten ontbraken. Het gas daarin stond onder zo'n hoge druk, had Tony me verteld, dat het vast was. Wanneer de verzegeling werd verbroken, viel het uiteen in fijne deeltjes die onder druk in een gebouw konden worden gepompt.

Hij leunde tegen de container alsof hij een stomp in zijn maag had gehad. Ik had het nog niet gemerkt, maar het beestengegil was gestopt. De enige geluiden waren het geratel van de rupsbanden en Nancy Sinatra die zong: 'These Boots Are Made For Walking.'

De wind kwam in vlagen over de prairie toen ik de deuren van de container sloot.

Er steeg weer een instemmend gebrul van de toeschouwers op. Tony's ogen volgden een uitbarsting van activiteit bij een stel 4x4's op de weg buiten de afzetting. Met kijkers voor de ogen beefden de spanningzoekers van opwinding, terwijl ze op hun verse ontbijtbroodjes kauwden. Over een uur of twee zou de kermis weer opengaan en de kraampjes zouden meer T-shirts verkopen met de tekst: *Davidians-BATF: 4-0*. Maar tegen die tijd zou de score al lang zijn achterhaald.

Ik leunde naast Tony tegen de container. Politiemannen in kogelvrij vest met een M16 over de schouder liepen rond met een kop koffie en een loempia, en wilden een goed uitzicht hebben.

Tony schudde ongelovig zijn hoofd. Er welden tranen op in zijn ogen. 'Ze gaan daarbinnen dood, Nick. Ze zullen niet naar buiten komen. Sommige kinderen zijn waarschijnlijk al dood. We moeten er een eind aan maken. Wie moeten we spreken? Wie moeten we bellen? Dit is gekkenwerk!'

Ik draaide mijn hoofd om. 'We gaan nergens een eind aan maken, makker. Kijk naar dat stelletje.' De lui in battledress namen meer foto's en juichten bij elk woord van Nancy. 'Je geeft een dood paard de zweep, makker.'

De tranen begonnen over zijn wangen te rollen. 'Wat? Waar heb je het over?'

'Wat denk je verdomme dat er gebeurt? Kijk naar die karren.' Ik wees naar de genietanks die over het complex raasden. 'En Joost mag weten wat er aan de achterkant gebeurt. Waarom denk je dat de kabels zijn doorgeknipt? Er is een agenda, makker. Ze willen de zielenpoten dood hebben.'

Zijn mond viel open. Tony had niet het Rambo-denkpatroon van de lui in de helikopters en de tanks. Hij vond speeltjes voor ze uit, maar ik kon zien dat hij er niet aan gewend was om mee te doen aan het spel.

'Luister, de mensen hier op de grond nemen de beslissingen niet. Daarvoor verdienen ze veel te weinig. Ze hebben gewoon plezier in de uitvoering. Lui veel hogerop willen dat ze eraan gaan, makker. En je kunt er jouw laatste dollar om verwedden dat ze dat gas van jou niet zouden hebben aangeraakt als Engeland niet had gezegd dat het mocht. Ze hebben jou alleen op een zijspoor gerangeerd, nu ze jouw spullen hebben.'

'Maar de vrouwen en kinderen daarbinnen. Ze zijn ze aan het vermoorden! Iemand moet iets doen!'

Ik legde mijn hand op zijn schouder om het op en neer wippen te stoppen. Ik wilde er ook voor zorgen dat hij niet weer wegrende en probeerde iets te doen waar ik hem niet uit zou kunnen halen. 'Luister. Vanaf het allereerste begin zijn Koresh en de rest afgeschilderd als de discipelen van de duivel. Denk in de trant van Bastaard. Het is een zwart-witte wereld en zij daarginds zijn de booswichten.'

Tony legde zijn hoofd in zijn handen en zijn schouders begonnen te schokken.

'Ik ga een ketel opzetten.' Ik liet hem los en klopte op zijn schouder. 'Koffie?'

Wat viel er verder te zeggen?

9

Tegen elf uur begon het aardig heet te worden op mijn uitkijkpost bovenop de veewagen. Ik had een paar mokken koffie voor Tony gezet,
maar de laatste keer dat ik keek had hij nog geen enkele ervan aangeraakt. Hij zat nog steeds met zijn reet in de modder en met zijn rug tegen
de container.

Ik trok mijn jasje uit en rolde de mouwen van mijn trui op. De wind
was aangewakkerd en blies zaadjes door het hittewaas tussen ons en het
doel. Zoals de zaken er hier voorstonden, zou het me niet hebben verbaasd als ik Clint Eastwood had zien komen aanrijden.

Er was nog steeds niemand uit de gebouwen gekomen. Ofwel ze waren
allemaal omgekomen door het gas, of ze hadden liever zelfmoord gepleegd dan zich over te geven, of ze werden door Koresh binnengehou-
den. Ik vroeg me af wat er aan de achterkant had plaatsgevonden. Ik had
niets gezien, maar ik herkende automatisch geweervuur als ik het hoorde. Onze jongens, hun jongens of allebei? Wie zou het zeggen. Als zij elkaar op dit tijdstip van de dag wilden omleggen, moesten ze dat zelf weten. Ik wilde alleen dat het voorbij was, zodat we onze koffers konden
pakken om naar huis te gaan. Misschien zou ik onderweg wel een T-shirt
kopen.

Ik keek achterom naar de container en naar Tony. Hij zat er nog steeds
en ging ook nog altijd op in zijn eigen wereldje. Door het doordringende
gebulder van de motor van een genietank ging mijn aandacht weer naar
het complex. Hij maakte een andere opening in het gebouw en deze keer
had de monotone stem Nancy Sinatra vervangen. 'Dit is geen aanval.
Open niet het vuur.' Ze schenen te denken dat als ze de boodschap maar
vaak genoeg herhaalden, we er allemaal in zouden gaan geloven.

De dagdienst van de politie en de federale marshals was uren geleden begonnen, maar de jongens van de nachtdienst waren blijven rondhangen om de finale mee te maken en ze begonnen zich nu een beetje te
vervelen. Als Tony gelijk had, waren de meeste Davidians dood. Dus
waarom deelde de FBI geen maskers uit aan groepen agenten die binnen

konden gaan zoeken naar overlevenden? Ik had niet veel sympathie voor de volwassenen, maar de kinderen hadden hier niet om gevraagd.

Er klonk een boze kreet uit de buurt van de commandotent. Ik sprong overeind om een beter zicht te hebben.

Tony en Bastaard stonden tegenover elkaar. Tony sprong bijna omhoog naar Bastaards gezicht en duwde hem terug met zijn handen, toen de FBI-man hem probeerde te passeren. Er had zich een groep verzameld. Maar ik wist dat niemand tussenbeide zou komen. De lichaamstaal van Bastaard verkondigde dat hij dit varkentje zelf wel zou wassen.

10

Ik sprong van de wagen af en rende naar ze toe. Tony zorgde er vandaag wel voor dat ik mijn geld moest verdienen. Ik duwde me door de verzamelde menigte.

'Tony, kalmeer, makker. Niks aan de hand.'

Zijn hoofd bewoog niet. Zijn rode en opgezwollen ogen waren strak op Bastaard gericht.

'Er is van alles aan de hand.' Hij wees met een vinger naar de gebouwen. 'Weet je wat er daarginds gebeurt? *Nou, weet je dat?'*

Ik wilde antwoord geven, toen het tot me doordrong dat hij het niet tegen mij had. 'Ze zullen een afschuwelijke dood zijn gestorven. Dat gas is hetzelfde spul dat ze bij executies van ter dood veroordeelden gebruiken. Wist je dat?'

Bastaard had helemaal geen zin om te antwoorden, maar Tony gaf hem de kans ook niet. 'Weet je waarom ze mannen vastbinden voordat ze op de knop drukken?'

Bastaard knipperde niet eens met zijn ogen, maar alle anderen keken naar Tony voor het antwoord.

'Omdat de spieren zo vreselijk samentrekken, dat elk botje in het lichaam van het slachtoffer breekt. *En dat gebeurt nu met de vrouwen en kinderen daarbinnen!'*

De ogen van Bastaard staarden Tony uitdrukkingloos aan. 'Hé, we zijn hier allemaal alleen maar om de klus te klaren. Wat is jouw kolereprobleem?'

Tony deed een stap naar hem toe. 'Ik zal je vertellen wat mijn probleem is. De ruimte is te klein. Jullie vermoorden ze!'

Bastaard deed geen moeite meer om de glimlach in toom te houden die zich over zijn gezicht verspreidde. Hij wendde zich tot mij en toen hij sprak, was het zo kalm, dat het bijna beangstigend was. 'Vertel jouw nichterige vriend dat we hier te maken hebben met een stel erg slechte lui. Het zijn religieuze fanatici die een enorme voorraad...'

'Fanatici? Dat meisje dat we hoorden kan niet ouder dan vijf jaar zijn geweest!' Druppels speeksel vlogen uit Tony's mond. 'Wat zijn jullie aan het doen? Wat gebeurt er? Dit is krankzinnig! Dit is moord!'

Bastaard keek op hem neer en veegde over zijn gezicht. 'Moord? Nou, dan mag je hier even over nadenken, mietje. Het is jouw koleregas, dus ik neem aan dat jij daardoor medeplichtig wordt.'

Tony zette verbijsterd een stap achteruit.

Bastaard genoot ervan. 'Dat blijft wel even achter in je keel steken, hè?' Hij keek op om het ogenblik met de omstanders te delen. 'Hé, net als dat gas van jou.'

Dat was voor Tony de druppel. Hij bewoog zijn hand naar achteren en balde hem tot een vuist, maar Bastaard was te snel voor hem. Zijn eigen vuist sloeg tegen Tony's borst. Toen hij uithaalde voor een volgende stomp, stapte ik achter hem, greep zijn arm en trok waardoor die doorzwaaide. Hij draaide ter plekke een halve slag rond.

Bastaard nam snel een gevechtshouding aan, terwijl ik gewoon bleef staan in plaats van te vervolgen met een paar stompen om hem neer te halen. Het was de juiste handelwijze. Tenslotte had hij mij niet aangevallen. Hij had wel gezichtsverlies geleden en moest zich dus laten gelden. Dat mocht, ik had er begrip voor, ik kon er zelf alleen niet aan meedoen. Hij was een grote man en als een van die vuisten raak sloeg, zou ik een van die niet-bestaande ambulances nodig hebben. Maar het was te laat om me daar nu zorgen over te maken.

Bastaard kwam op me af op het moment dat er van een van de voertuigen een half geschrokken, half opgetogen schreeuw klonk. 'Brand! Brand!'

Bastaard draaide zijn hoofd om. Ik greep Tony. 'Pak je spullen bij elkaar, we smeren 'm!'

Vier of vijf rookkolommen begonnen uit het complex op te stijgen toen wij wegrenden. Zelfs als er een brandweerploeg ter plaatse was geweest, dan zou de combinatie van de hitte van de dag, de wind en het gas – dat nu zou zijn opgedroogd tot een fijn poeder – de kans om de brand te blussen nihil hebben gemaakt.

Alsof hij erop had gewacht, sprong een politieman van zijn wagen, rende een paar meter naar het complex en draaide zich toen naar de toeschouwers. Hij ontvouwde een BATF-vlag. 'Het is een potkachel!' riep hij half lachend. 'Zet hem open en laat de klootzakken branden!'

Hij zwaaide met de vlag en massa's mannen joelden en schreeuwden. Op de achtergrond hoorde ik een draaiorgel. De kermis kwam op toeren.

Deel twee

I

Noosa, Queensland
Donderdag, 21 april 2005

De zon was de bovenkant van mijn voet aan het verbranden, maar het duurde lang voordat ik het merkte. Het zand waarnaar ik zat te staren, was gewoon te verblindend wit, de zee te schitterend blauw.

Ik trok hem terug onder de tafel en boog me voorover om het laatste restje van mijn milkshake op te zuigen. Ik maakte uit principe altijd een slurpend geluid als ik aan het onderste gedeelte kwam. Niet dat iemand in de Surfers' Club het erg scheen te vinden. Ze hadden het te druk met opprikken en naar binnen schuiven van net zo'n mammoetlunch als Silky en ik net soldaat hadden gemaakt.

Terwijl ik wachtte tot ze terug zou komen met een paar ijsjes, nam ik een laatste slurp en ging het uitzicht weer bewonderen. Zon, zee, zand en duizenden kilometers wildernis achter me; het was zonder meer goed geweest om hierheen te komen.

Ze keerde terug met twee hoorntjes waarvan de inhoud al over haar handen druppelde. Ik kreeg het ijsje met chocolade.

'Ik kan niet geloven dat je eigenlijk door Amerika wilde trekken.' Silky likte tuttifrutti van haar vrije hand. 'Ik zag George Bush net op de tv. Hij zegt dat Syrië en Iran de volgende op de lijst zijn. Ik begrijp die man niet. Wat heeft hij?'

Ze kwam uit Berlijn. Ik kende haar nu drie maanden en haar accent deed me nog steeds denken aan de zwart-wit oorlogsfilms waar ik als kind naar keek.

'Ik bedoel, waarom praat hij niet gewoon met ze?' Ze duwde haar schouderlange haren achter haar oor, zodat het niet over haar gezicht viel toen ze zich vooroverboog om aandacht te schenken aan haar hoorntje. 'Ik ben in Syrië geweest – het zijn aardige mensen.'

'Eigen schuld; had je maar niet naar de tv moeten kijken.' Ik ging rechtop zitten. 'Ik lees zelfs geen kranten meer. Het is allemaal lulkoek. En als je zo'n uitzicht hebt,' ik knikte in de richting van de aanrollende golven, 'wat heb je dan nog meer nodig?'

Haar hoofd ging opzij en haar blauwe ogen keken me over de zonnebril doordringend aan. 'Moet je me dat na afgelopen nacht nog steeds vragen?'

Ik grinnikte. 'De oceaan zal hier morgen nog wel zijn. Maar geldt dat ook voor Silky? Met jullie hippies weet je maar nooit.'

Ze trok een wenkbrauw op. 'Alleen omdat George Bush zijn lijst steeds uitbreidt, hoef jij die van jou nog niet in te korten, Nick.'

'Zo ben ik. Alleen handbagage.'

Silky knikte nadenkend, liet de rest van haar ijsje op haar bord vallen en veegde haar handen af.

'Bush mag zijn droom hebben.' Ik keek weer naar de zee. Een stel surfers maakte gebruik van een volmaakte golf. 'Ik heb de mijne.'

En zo was het. Een rondrit maken door Australië in een camper met een vrije-valuitrusting achterin en een backpacker die meeliftte. Het enige dat dagelijks voor wat druk zorgde, was dat ik moest besluiten of ik het risico wilde lopen eruit te zien als een idioot op een surfplank of dat ik iets ging doen waarin ik behoorlijk goed was en dat was uit vliegtuigen springen. De enige verplichte kleding bestond uit T-shirt, korte broek en slippers – en de verzameling vriendschapsarmbanden die ik de afgelopen maanden om mijn pols had verzameld. Geld was geen probleem. Als het opraakte, reed ik gewoon naar een andere *boogie* (bijeenkomst van vrije-valspringers) en pakte parachutes in. Ik betreurde geen moment dat ik plan A – een fiets kopen en een rondrit door de States maken – had laten vallen. Eén blik op de weersvoorspelling van CNN voor de maand november in Washington was genoeg geweest.

Silky keek op haar horloge. 'We kunnen beter gaan rijden als we er vanavond nog willen zijn.'

'Je wilt nog steeds mee?'

'Natuurlijk. Ik wil jouw vrienden ontmoeten.' Ze stond op en trok haar afgeknipte Levi's recht. 'En wij hippies slaan nooit een gratis bed af.'

Ik voelde me best lekker bij het zien van al die mannen die zich omdraaiden toen zij met haar hand over haar lange gebruinde benen streek, terwijl we naar de parkeerplaats liepen. Ze had mijn lessen over zanddiscipline ter harte genomen. Ik had het spul het liefst op het strand, waar het thuishoorde, en niet in voertuigen en tenten.

De zon brandde fel op mijn hoofd en schouders en ik wist wat er ging komen. Het was zo heet als een oven in de vierkante, mosterdkleurige VW-combi uit de jaren tachtig. De kerel van wie ik hem in Sydney had gekocht had er gratis een zilverkleurig raamscherm bij gedaan, dat ik bij mijn weten nog nooit had gebruikt.

Silky controleerde een laatste keer of ze geen zand mee naar binnen nam en gooide een badhanddoek over het gloeiend hete PVC.

'Het zal koeler aanvoelen als we rijden,' zei ik.

'Wat?' pruilde ze. 'De camper of wij?'

De luchtgekoelde wagen tufte langzaam de parkeerplaats af en door de drukke straten van het plaatsje. Hij zag eruit alsof hij een paar keer de planeet rond was geweest, laat staan een continent. Ik hoopte dat hij de handdoek niet in de ring zou gooien voordat ik terug was in Sydney, de dikke laag dode vliegen van de voorruit had gehaald en hem aan een andere sukkel had verkocht.

Ten zuiden van Brisbane pakten we de snelweg en algauw reed ik op de automatische piloot. Met de ellebogen op het stuur staarde ik naar het lange, rechte lint van asfalt door het glinsterende hittewaas. Silky zocht een cassette in de schoenendoos tussen ons in. Er waren niet veel hele meer; ze had de doos op een middag op de stoel laten staan en de meeste waren zo ver gesmolten dat ze eruitzagen alsof ze op een doek van Salvador Dalí thuishoorden.

De Libertines klonken uit de krakende luidsprekers in de portieren en concurreerden al snel met het geluid van de wind door de zijraampjes.

Silky leunde achterover op haar stoel en liet haar in sandalen gestoken voeten op het dashboard rusten. Na een paar liedjes draaide ze zich naar mij toe en zei: 'Wij passen goed bij elkaar, vind je niet?'

Ik wist niet hoe ze daarop kwam, maar ze had gelijk. Naar deze plaats komen en haar ontmoeten was een van de beste dingen geweest die ik ooit had gedaan.

George laten stikken was geen moeilijke beslissing geweest. Ik had nooit ontdekt voor welke afdeling van de CIA of het Pentagon hij werkte en het kon me ook echt geen barst meer schelen.

Op een ochtend was ik opgestaan, had al mijn eigendommen in twee goedkope weekendtassen en een rugzak gepakt en was naar het kantoor gegaan. Ik had George de waarheid verteld. Ik had er genoeg van; ik was mentaal kapot. Ik ging tegenover hem voor zijn bureau zitten en wachtte op een van zijn gebruikelijke, vernietigende opmerkingen. 'Ik heb je nodig tot je wordt gedood of ik iemand vind die beter is, en je bent nog niet dood.' Maar dat gebeurde niet. In plaats daarvan kreeg ik: 'Zorg dat je morgen vertrokken bent, jongen.' De oorlog zou zonder mij doorgaan.

Toen ik voor de laatste keer het gebouw uitliep om mijn tassen te gaan ophalen in een appartement waarheen ik nooit zou terugkeren, voelde ik alleen maar opluchting. Toen dacht ik: Verdomme, George had iets meer zijn best kunnen doen om mij te houden.

Op het dak klonk een geluid als van een dronken kolenkit die aan het tapdansen was en ik ging langzamer rijden; ik wist precies wat het was. Silky sprong eruit en ging op de treeplank staan. Haar surfplank zat weer los en de wind kreeg er vat op. Het maakte niet uit hoeveel extra spinnen ik voor haar kocht, ze beweerde steevast dat twee genoeg was. Ze vond niet dat de noodzaak om drie of vier keer per dag te stoppen afbreuk deed aan haar opvatting.

Ze sprong weer naar binnen, trok met een klap het portier dicht en glimlachte naar mij. We reden verder en zij begon op de maat van de muziek weer op haar dijen te slaan. Het hippiegedoe was gewoon een geintje. We hadden elkaar ontmoet bij een boogie vlak buiten Sydney. Ze was achter in de twintig en had de laatste zes of zeven jaar rondgetrokken, in bars gewerkt, fruit geplukt en gelift. Het was begonnen als een jaartje ertussenuit en toen was ze vergeten naar huis terug te keren. 'De stranden zijn hier beter dan in Berlijn.' Ze had gelachen. 'Ik wed dat jou hetzelfde is overkomen.'

Ze was met mij naar het noorden gelift. Waarom niet? Het was maar een paar duizend kilometer extra in de magische tocht met onbekende bestemming die zij haar leven noemde. Ik hoopte daar zelf nu ook wat van te beleven.

Silky stopte met op haar dijen slaan en zocht op de achterbank naar water. Ze klom weer terug naast me, trok haar handdoek recht en gaf mij de fles aan. 'Wie is die Charlie precies?' Met de Libertines en het windgeruis op volle kracht moest ze schreeuwen.

'Tindall? Ik ken hem al jaren. We hebben samen gewerkt.'

Ze hield met haar vrije hand haar haren naar achteren, terwijl ze een slok nam. 'Wat deden jullie? Ik dacht dat jij in een garage werkte en niet op een boerderij.'

'Dat doet hij tegenwoordig. Wij hebben allerlei dingen gedaan – een beetje vrije val, dat soort dingen.'

'Springt hij nog? Gaan we dat nu doen?' Ze wees met haar duim naar de Raider-parachute met vijf cellen op de achterbank.

'Geen idee. Ik wilde hem gewoon zien, terwijl ik hier ben. Je weet hoe dat gaat. Je bent een poos echt goed bevriend met iemand en dan zie of hoor je jaren niets meer van hem. Wil niet zeggen dat hij minder een kameraad is geworden.' Ik pakte de kaart die tussen ons in lag en gooide die naar haar. 'We moeten hem alleen eerst vinden.'

Vier uur van lange rechte wegen en een tankstop later naderden we een stadje dat meer als een tongbreker klonk dan een plaats op de kaart. De aanwijzingen die Charlie me had gemaild, brachten ons voorbij een winkel met een zinken dak en drie gezadelde paarden aan een reling. We namen meteen na een blauwe brievenbus die was gemaakt van een melkbus die op zijn kant aan een paal was gespijkerd, het pad links. Na een paar bochten begonnen door het hittewaas in de verte een lukrake verzameling rode zinken daken en een watertoren vorm aan te nemen. We waren bij Charlies boerderij beland. Nou ja, die van zijn schoonzoon, maar de hele familie had eraan bijgedragen. Ze hadden allemaal hun huis verkocht en waren met hun hele hebben en houden naar Australië verhuisd. Zodra Charlie de magische leeftijd van vijfenvijftig had bereikt, was hij met open armen verwelkomd door Gods eigen land – zolang hij maar een particuliere ziekteverzekering afsloot en geen Australisch pensioen verwachtte. Zijn eigen pensioen was gaan uitkeren toen hij was afgezwaaid uit het leger, hoewel het niet echt genoeg was om hem te voorzien van kaviaar en champagne. Charlie was een officiersaanstelling aangeboden en hij had die aangenomen. Als officier kon hij vijftien jaar langer in het leger blijven in plaats van met veertig te worden afgedankt.

We reden bijna een kilometer over het pad met afrasteringen aan weerszijden. Ongeveer honderd meter van het huis werden we ingehaald door een vrouw op een paard die zwaaide als een gek. Ik kon niet veel van haar gezicht zien onder haar baseballpet, alleen die brede glimlach. Ik ging langzamer rijden, maar ze wenkte ons verder. Ze stopte bij een hek en we reden verder over het pad.

'Wie was dat?' Silky klonk niet jaloers. Een eeuwige reizigster kon dat niet zijn.

'Waarschijnlijk Julie, de dochter. De laatste keer dat ik haar zag, was ze zo'n zeventien jaar met een gezicht vol pukkels. Dat moet ruim vijftien jaar geleden zijn geweest.

We stopten bij het huis naast een verweerde LandCruiser en een pick-up die betere tijden had gekend.

Charlie stond op de veranda om ons te verwelkomen, een grote man in een groen T-shirt. Met zijn korte, donkerrode haar was hij bezig een behoorlijk goede imitatie weg te geven van een verkeerslicht. Ik kon zien dat Silky niet al te nadrukkelijk naar de grijze sokken probeerde te kijken die hij met alle geweld in zijn sandalen wilde dragen. 'Maak je daar geen zorgen over,' zei ik. 'Dat is Brits.'

Hazel kwam naar buiten en stak een arm door die van haar man. Ze was min of meer hetzelfde gekleed als hij, alleen had ze blote voeten. Samen liepen ze de trap af en de zon in om ons te begroeten.

Charlie liep tegen de zestig, maar zag er nog even fit uit als een jonge hond; hij had geen onsje vet te veel en dat rode haar droeg op de een of andere manier bij aan het gezonde buitenuiterlijk. De zon was niet vriendelijk voor hem geweest; zijn huid zag er eerder verbrand dan gebruind uit. Hij stak een hand uit die klein was in verhouding tot de rest van hem. Hij was zeker niet kleiner geworden met de jaren; nog steeds was hij vijf tot zeven centimeter groter dan ik, maar zijn greep was niet zo krachtig als die ooit was geweest. 'Alles goed, knul? Blij dat je bent gekomen.' Hij bleef me aankijken om er zeker van te zijn dat ik het wist.

We stopten met schudden en Hazel nam het over. Ik sloeg een arm om Silky's schouder en stelde haar voor.

'Mijn naam wordt eigenlijk uitgesproken als Silk-e,' verbeterde ze me. 'Maar Nick noemt me Silky. Misschien is het gemakkelijker als jullie dat ook doen om hem niet in de war te brengen.'

Hazel had nog hetzelfde lange, donkerbruine haar en de erg lichte, ongebruinde huid. Haar ogen hadden lachrimpeltjes vertoond toen ze jonger was; ik herinnerde me hoe ze had gestraald achter de toonbank van Dixons in het winkelcentrum, waar ze haar personeelskorting altijd met plezier had gegund aan elke kerel van het Regiment die binnen kwam lopen. Ze stonden nu ouder en wijzer. Misschien ook wel verdrietiger.

Hazel begon ons het huis in te voeren. 'Weet je zeker dat jullie niet langer dan één nacht kunnen blijven?'

'Nee, we moeten verder. Er is een boogie in Melbourne op de negende.'

Silky pakte Charlies arm toen we bij de trap naar de veranda kwamen. 'Spring je nog steeds met een parachute? Nick zei dat jullie dat vroeger deden.'

'Nee.' Hij keek me vragend aan. 'Niet meer.'

2

'Terwijl zij zich aan het opfrissen is, knul... wat weet zij van het werk, afgezien van het parachutespringen?'

Het was een vraag die Charlie moest stellen. Hij wilde geen flater slaan.

'Niets. Ze denkt dat ik uitdeuker ben.'

'Met een baas die je een jaar vrijaf geeft? Of heb je haar verteld dat je met pensioen bent? Ze heeft kennelijk een beetje een zwak voor de oudjes.'

Ik beantwoordde zijn grijns op het moment dat Hazel de woonkamer weer in kwam met een blad met een kan jus d'orange en glazen.

'Ik hoop dat hij je geen paard probeert te verkopen, Nick?'

Een paar Duitse noten dreven de trap af toen Silky zich onder de douche ontspande.

'Nee, hij zit me door te zagen dat ik zijn voorbeeld moet volgen.'

'Maar jij bent te jong om met pensioen te gaan...'

'Ik bedoelde om een prachtige meid aan de haak te slaan zoals hij heeft gedaan.'

Hazel glimlachte toen ze het blad neerzette. 'Heeft hij je verteld van het heerlijke leven dat we nu hebben?'

'Nog niet, maar ik weet zeker dat het alleen maar een kwestie van tijd is!'

Hazel ging in de weer als een moederkloek en rangschikte alles keurig op de koffietafel. Ten slotte schonk ze drie glazen vol en we klonken in een onuitgesproken toast.

Ik wees uit het raam. 'Was dat Julie die ik zag rijden?'

Hazels gezicht klaarde op. 'Ze komt er snel aan. Ze belde om te zeggen dat ze jou had gezien.'

'Die twee – die zijn zo...' Charlie wilde zijn vingers kruisen om aan te geven hoe dicht moeder en dochter bij elkaar stonden, maar het lukte hem niet. Zijn wijsvinger leek een eigen leven te leiden. In plaats daarvan deed hij met duim en pink een telefoon na. 'En als ze niet bij elkaar zijn, zitten ze de hele tijd te bellen. En Hazel stuurt de kinderen elke dag na school e-mailtjes.'

'Onderhoud plegen, schat.' Hazel keek me aan. 'Als je niet de hele tijd het dak controleert, kan bij de volgende storm... Ben je het niet met me eens, Nick?'

Ik keek naar de gezinsfoto's op het dressoir; de gebruikelijke verzameling, een paar in zwart-wit, een paar in kleur en een mengelmoes van zilveren en houten lijstjes. Trouwfoto's met kapsels uit de jaren zeventig; dan hun twee kinderen, Julie en Steven op alle leeftijden: grote oren, zonder tanden; jeugdpuistjes... Dan de foto's van Julies huwelijk en haar eigen kinderen; zo te zien hadden ze er een stuk of vier. De lucht hier was kennelijk niet alleen goed voor het fokken van paarden.

Mijn blik viel op een foto van een jonge man met een baret van de lichte infanterie en in uitgaansuniform nummer twee die met de Union Jack op de achtergrond trots in de camera keek. Stevens promotieparade moest rond 1990 zijn geweest, omdat Charlie en ik nog bij het Regiment hadden gezeten; volgens mij was hij zo trots als een pauw geweest, toen hij het me vertelde. Toen wist ik niet veel van hem, behalve dat hij zeventien was geweest en het evenbeeld van zijn vader.

'Hoe gaat het met jullie knul? Zit hij nog in het leger?'

De ogen van Hazel gingen naar de grond.

Ik vroeg me af wat ik had gezegd en toen zag ik het: er waren geen andere foto's van hem.

Charlie boog voorover en pakte Hazels hand. 'Hij is in Kosovo gesneuveld,' zei hij zacht. 'In vierennegentig. Hij was net bevorderd tot korporaal.'

Hij sloeg een arm om zijn vrouw. Ik leunde achterover in mijn stoel en wist niet wat ik moest zeggen om hun ellende niet nog erger te maken.

'Maak je daar geen zorgen over, knul, je kon het niet weten. We hebben het nogal binnenskamers gehouden. We wilden niet dat de ontbijttelevisie langskwam om ons te filmen terwijl we door ons fotoalbum bladerden.'

Hazel keek op en glimlachte dapper. Ze was de afgelopen tien jaar het ergste waarschijnlijk te boven gekomen, maar het moest een nachtmerrie zijn geweest.

Silky kwam ruikend naar zeep en shampoo naar binnen en maakte een eind aan het ogenblik. Ze had een lichtblauwe katoenen broek aangetrokken met een wit topje en haar natte haren waren naar achteren gekamd.

Er viel een ongemakkelijke stilte. Hazel ging in de weer om nog een glas jus d'orange te vullen. 'Ik durf te wedden dat je je nu een stuk beter voelt.'

'De douche of het zingen?' Silky glimlachte en kwam naast me zitten. Wat ze ook wilde gaan zeggen, het werd overstemd door het getoeter van een autoclaxon.

Hazel keek opgelucht. 'Julie.'

Een paar tellen later ontplofte een bom van voetstappen en jonge stemmen in het huis en weergalmden kreten en geroep op de houten vloeren.

De deur vloog open en vier jongens met opstaande stekeltjes en een gebruinde huid stormden de kamer in. De twee oudsten van een jaar of zeven, acht kwamen naar mij toe en staken hun hand uit. 'Jij bent Nick, hè?' Ze spraken met een sterk accent. Hun twee jongere broertjes renden weer naar buiten.

Ik boog voorover en schudde hun hand. 'En dit is Silky.'

'Wat een grappige naam.'

'Je moet het eigenlijk als Silk-e uitspreken. Nick noemt me Silky, omdat hij niet erg goed is met moeilijke woorden.'

Silky was dol op kinderen. Haar oudere zus bleef foto's van haar jongens, een tweeling van zeven, naar de postbus van Silky in Sydney sturen. Telkens als we ergens langer dan een paar dagen stopten, liet ze haar post doorsturen en moest ik bij haar komen zitten om te luisteren naar de laatste avonturen van Karl en Rudolf.

'Waar kom jij vandaan, Silky? Je praat grappig.'

'Grappiger dan Nick? Ik kom uit Duitsland. Dat is heel ver weg.'

Julie en haar man Alan kwamen naar binnen met Charlie en de jongste twee die aan zijn benen hingen. We spraken de juiste woorden bij het handen schudden. Alans handen waren groot en ruw. Hij was een buitenman in hart en nieren en maakte zich niet bijzonder druk om de bezoekers.

Charlie nam de leiding. 'Goed! Dan kan ik maar beter de barbecue gaan aansteken, hè? Wie komt me helpen?'

Het was kennelijk het standaard startsein. Alle kinderen sprongen op en neer van pret en renden naar buiten.

3

Twee uur later zat iedereen vol met kip, rundvlees, garnalen en bier. Silky zat met Julie en Hazel op de bank te kletsen alsof ze elkaar hun hele leven al kenden. Alan zocht een dvd uit voor de jongens die languit op kussens op de grond lagen. Hij zette hem aan en misschien omdat hij voelde dat Charlie en ik behoefte hadden aan wat tijd voor onszelf, ging hij erbij zitten om ook te kijken.

'Waarom spring je niet meer?'

Charlie stond samen met mij bij de koffiepot op het dressoir. We waren er nog niet klaar voor, want we hadden allebei nog een blikje. 'Was niet eerlijk tegenover Hazel. Haar zenuwen hadden al genoeg te lijden gehad.'

Silky voegde zich bij ons met drie lege koppen. Ze knikte onder het inschenken naar de foto's. 'Heb jij in het leger gezeten, Charlie?'

'Ja.'

'Je bent niets veranderd, hè? Moet je zien!'

Charlie keek glimlachend naar de foto van zijn zoon. 'Ik heb wat meer rimpels – en wat minder haar.'

Ik wierp een blik op Hazel. Ze glimlachte naar Charlie, omdat hij zo aardig was. Silky schonk de kopjes vol en keerde zonder iets te merken terug naar de andere twee.

Charlie hief zijn blikje op om met mij te toasten. 'Op de goede oude tijd.' We tikten met de blikjes tegen elkaar en hij nam een slok. 'Hoe staat het met Silky? Plannen?'

'Nee, ik laat haar alleen in mijn bed slapen tot ik een betere vind.'

Hij trok zijn wenkbrauwen op om mijn smakeloze grap. 'Dan ben je een stomkop. Ze lijkt me echt een aardig meisje. Maak er het beste van zolang het kan, knul.' Hij keek naar de bank en toen weer naar mij. 'Kom je mee om de zon te zien ondergaan of niet?'

Hij had niet duidelijker kunnen maken dat hij over iets wilde praten. Hij pakte twee nieuwe blikjes en ik volgde hem de veranda op.

Hij leunde tegen de balustrade. Een paar honderd meter verderop wierp een groep paarden stof op in de paddock. Charlie ging op een bank zitten en wees mij een schommelstoel ertegenover. Wat hij ook in gedachten had, hij leek nog niet klaar om erover te beginnen. Mijn ogen volgden zijn blik naar een paard dat alleen in een hoek stond te grazen.

'Zal ik je wat zeggen, Charlie? Jij was de man die ik uitkoos. Dat heb ik je nooit verteld, hè?'

De sergeant-majoor van de opleiding gaf altijd één advies aan de soldaten die hun insigne kregen. 'Als je bij jouw squadron komt, houd dan je mond, kijk en luister. Dan kies je de man uit die volgens jou de ideale SAS-soldaat is. Laat hem niet weten dat je hem hebt uitgekozen, maar sla hem gade en leer. Er zullen bij operaties momenten zijn dat je niet weet hoe je moet handelen of reageren. Dan vraag je je af wat jouw man zou doen.'

Charlie was in het begin de man geweest die ik had uitgekozen, maar al heel gauw werd hij nog belangrijker voor mij. In gedachten verleende ik hem de grootste eer die een soldaat een ander kon betonen. Ik kon oprecht zeggen dat ik hem overal zou zijn gevolgd.

Hij nam nog een slok en zette zijn blikje op de balustrade. 'Dat weet ik, knul. Ik zag dat je me in de gaten hield. Heb je veel geleerd?'

'Dat denk ik wel. Op de laatste dag van dat karwei in Waco moest ik trouwens ook aan jou denken. Vloer ik de vent of niet. Ik weet dat ik de juiste beslissing heb genomen.'

'Ik weet niet zeker of iedereen in Waco dat wel deed.' Charlie draaide zijn hoofd om en keek me aan. 'Herinner jij je die jonge kerel van DERA nog, de gasman? Hij pleegde een jaar later zelfmoord.'

Ik had het niet gehoord. Ik had het Regiment toen al verlaten. 'Hij heette Anthony. Aardige vent.'

Hij leunde achterover. 'Goede mannen kapotgemaakt door het systeem. Dat is niet nieuw.' Hij pakte met een trillende hand zijn bier op, alsof de emotie van het moment hem te pakken kreeg. 'Weet je, ik viel ervoor toen ik een jonge vent was. Ik geloofde echt in al die onzin over koningin en vaderland. Wij waren de braveriken, zij de slechteriken. Het kostte me zevenendertig jaar soldaatje spelen om te beseffen wat voor een hoop lariekoek het was. Misschien had jij het eerder door? Ben je er daarom uitgestapt?'

Charlie zou niet weten wat ik na mijn vertrek had gedaan en hij zou er nooit naar vragen. Hij wist dat ik het hem zou vertellen, als ik het hem wilde laten weten.

'Zo'n beetje.'

Hij keek weer naar het eenzame paard in de hoek van de wei. 'Wist je dat ik in Noord-Ierland zat, toen mijn jongen in Londonderry patrouilleerde?'

Ik knikte. Een paar lui hadden zoons bij de infanterie die op hetzelfde moment aan de overkant van het water waren ingezet.

Hij liet een spottend lachje horen. 'Ik hield mezelf voor de gek dat elke kerel van de Provisional IRA die wij omlegden, er eentje minder was die op mijn jongen kon schieten. Ik had zo'n beetje het idee dat ik op hem lette. Maar wij pakten de zaak niet voor de volle honderd procent aan, nietwaar? Wij schakelden alleen de ASU's (actieve service units) uit die volgens Thatcher en Major het vredesproces frustreerden.' Zijn ogen werden spleetjes. 'Eigenlijk waren we Adams en MacGuinness aan het beschermen, zodat ze geheime besprekingen konden houden met onze regeringen, die bleven beweren: 'Wij onderhandelen niet met terroristen.' Er bleken goede slechteriken te zijn en slechte slechteriken, iets waar ik nog niet eerder bij had stilgestaan.'

Ik haalde mijn schouders op. Niemand had het ooit officieel toegegeven, maar wij hadden allemaal geweten wat er speelde. Elimineer degenen die elke vooruitgang tegenhouden en hoop dan dat de rest achter onze jongens Adams en MacGuinness gaat aanlopen. 'Misschien werkte het. We kregen een soort vrede.'

'Zal wel. Het enige dat telde bij al dat rondrennen en werken, was dat ik dan geen tijd meer had om te gaan zitten piekeren over Steven.'

Hij keek naar het paard en ging een moment helemaal op in zijn eigen wereld. 'En daarna... nadat hij was gesneuveld... het kon me niet schelen hoe ze het deden, als ze me maar bezighielden.'

Ik hief het blikje op. 'Moet zwaar zijn geweest, maat.' Ik aarzelde. 'Ik heb zelf ook zoiets meegemaakt...' Mijn stem stierf weer weg, omdat ik niet zeker wist wat ik hierna ging zeggen. In elk geval schonk Charlie me die iets vorsende blik die je in de ogen van getroffen personen ziet, als mensen zeggen: 'Ik weet precies hoe jij je moet voelen,' terwijl ze er totaal geen idee van hadden. Ik haalde mijn schouders op. 'Ze was niet mijn eigen kind, maar verdomme, het voelde wel zo. Als het nog meer pijn had gedaan, had ik het niet kunnen verdragen.'

Charlie verschoof op zijn zitplaats. 'Wat was ze? Stiefdochter?'

'De dochter van Kev Brown – ken je hem nog, hij zat bij het achtste.'

Charlie probeerde het, maar kon zich hem niet herinneren.

'Marsha en hij benoemden me tot voogd in hun testament.'

'O ja, daar heb ik van gehoord. Verrek, ik wist niet dat jij dat was.' Zijn stem werd zachter. 'Wat is er met haar gebeurd?'

'Ze werd twee jaar geleden in Londen vermoord.' Ik staarde naar het blikje. 'Ze was vijftien. Ik bracht haar naar huis in de States en begroef haar daar. En daarna, nou ja, toen begroef ik mezelf, zo'n beetje als jij.'

Charlie knikte traag. 'En dan ontwaak je op een dag en vraag je je af waar het verdomme allemaal om gaat...'

'Zoiets. Ik heb altijd net gedaan alsof het me geen barst kon schelen, maar verdorie, ik hield van haar, weet je. Toen ik haar verloor, ging ik echt kapot. Het volgende wat ik wist, was dat ik aan het stuur van een camper zat met lang haar en een pols vol met deze dingen.' Ik rammelde met de vriendschapsarmbanden.

Charlie glimlachte. 'Ik neem aan dat iedereen het verwerkt op de best mogelijke manier. Weet je wat ik met Kerstmis van Julie heb gekregen? Slippers. Stomme slippers! Sinds de dood van Steven is dat de manier waarop zij en haar moeder het willen hebben. Ze willen in een luchtbel leven. Alles leuk en lief en Stevens vrolijke gezicht op een foto. Dat is waar het hier allemaal om gaat. Het is Hazels eigen onafhankelijke ecosysteem, een stom soort Project Paradijs voor gelukkiger tijden.'

Hij nam nog een slok bier en keek me recht aan. 'Hierheen komen was het stomste wat ik had kunnen doen, knul. Ik heb veel te veel tijd. Mensen zien me en denken dat ik een stukje van het paradijs heb, maar ik word hartstikke gek. Als je in beweging blijft, bezig blijft, heb je geen tijd om na te denken. Maar nu denk ik de helft van de dag aan hem. Het is hetzelfde gevoel dat ik aan de overkant had, dat ik er had moeten zijn, dat ik op hem had moeten passen. Ik weet dat ik niets had kunnen doen, maar dat houdt de gedachten niet tegen, hè?'

Hij schonk me een bedroefde glimlach en knikte naar de paddock. 'Zie je die ene in de hoek, de vos? Hij was ooit een dekhengst. Op zijn hoogtepunt dekte hij drie of vier merries per dag en de rest van de tijd trapte hij staldeuren kapot. Tegenwoordig maakt hij helemaal geen gebruik meer van zijn gereedschap. Te afgepeigerd. Het enige verschil tussen hem en mij is dat ik niet de hele dag gras eet en schijt, maar die vervloekte gombomen snoei en naar de ondergaande zon zit te kijken. Weet je wat ik het best voor hem kan doen?' Zijn kaak verstrakte. 'Een geweer tegen zijn hoofd zetten, verdomme, en hem uit zijn lijden verlossen.'

Ik waagde een glimlach. 'Of slippers voor hem kopen, maat.'

'Ja, of slippers voor hem kopen. Maar sommige lui lossen het zelf op, hè? Kerels als Anthony. Ik dacht vroeger altijd dat ze het af lieten weten en een laffe uitweg kozen, maar daar ben ik niet zo zeker meer van. Misschien zijn zíj juist wel slim.'

Ik wist niet waar hij naartoe wilde en kreeg niet de kans erachter te komen. Julie duwde de deur open en kwam haastig naar buiten lopen met een kind aan elke hand. Ze had een blik vol afschuw op haar gezicht die helemaal niet paste bij de vrolijke toon van haar stem. 'Dat was een stomme film – kom, we gaan. Het is trouwens bedtijd.' Binnen was iets gebeurd dat niet zo leuk was en ze probeerde er luchtig over te doen. Ze liep het trapje met ze af, toen haar moeder in de deuropening verscheen. Hazel zag er ontdaan uit.

Charlie stond op en zette een paar stappen in haar richting. Toen gebaarde hij met zijn hoofd naar mij om te gaan kijken.

Ik trok de hordeur open en liep naar binnen. Silky en Alan stonden voor de televisie. Dit was geen kinder-dvd. Het scherm was vol schokkende, indringende beelden. Ik hoorde gegil en het geratel van automatische wapens.

Silky keek mij aan. 'Het is ergens in de buurt van Rusland. Een belegering. Ze schieten op kinderen.'

Het beeld ging over naar soldaten die toegang probeerden te krijgen tot een groot, betonnen kantoorgebouw. De tekstbalk onder het beeld vertelde ons dat terroristen naar schatting driehonderd mensen gegijzeld hielden. De stad Kazbegi lag in het noorden van Georgië, bij de grens met Rusland. Men dacht dat veel van de gijzelaars vrouwen en kinderen waren.

Ik zag hoe een kleine groep soldaten hun AK's in het wilde weg door de ramen afvuurden en hoe anderen met mokers een toegang probeerden te maken.

De camera draaide naar een pantservoertuig dat tegen een deur beukte. Gegil vulde de luidsprekers van de tv.

Vrouwen en kinderen struikelden het gebouw uit om terecht te komen in een hevig kruisvuur. Zwarte rook kolkte door gebroken glas naar buiten. Ergens anders zag ik gezichten die vol paniek tegen de ruiten werden gedrukt.

Soldaten gebaarden wild om ze daar weg te krijgen, maar dat gebeurde niet. Ze stonden vastgenageld aan hun plaats.

Het beeld keerde terug naar een verslaggeefster die dekking had gezocht achter een pantservoertuig. Haar mooie donkere ogen waren zo groot als schoteltjes, terwijl ze informatie uit de chaos destilleerde en doorgaf. Overal om haar heen leek een half leger pistolen en geweren te richten en af te schieten. Ik stond te kijken naar een stel Georgiërs die er een grote rotzooi van maakten.

Terwijl aanvalshelikopters ratelend overkwamen, schreeuwde ze met een Oost-Europees accent en een Amerikaanse tongval in haar microfoon dat het gebouw een regionaal regeringskantoor was; er werd een volkstelling gehouden en daarom waren er zoveel mensen binnen. Er werd aangenomen dat de aanval was gepleegd door een militante islamitische groepering die protesteerde tegen de Kaspische pijpleiding. De hemel mocht weten hoe CNN daar zo snel iemand had gekregen, maar ze waren er. De balk onder het beeld gaf aan dat het dodental nu op dertig stond.

Silky drukte haar handen tegen haar gezicht. 'O, mijn god, die arme kinderen!'

Een soldaat rende door het beeld. In zijn armen droeg hij het slappe lichaam van een kind met verbrande en smeulende kleren.

Er was een ontploffing in het gebouw. De camera trilde toen een korte flits de ramen op de eerste verdieping deed oplichten. Glas werd naar buiten geblazen en toen kolkte rook uit de openingen.

Ik kon geschreeuwde bevelen horen, maar de chaos bleef. Het gebruikelijke verhaal: meer opperhoofden dan indianen.

Enkele soldaten die erin waren geslaagd naar binnen te komen, sprongen door een raam op de begane grond weer naar buiten. Bij een dansten vlammen op zijn uniform.

De camera zoomde in op een colonne civiele en militaire ambulances die over een weg aan kwamen rijden. De twee helikopters ratelden nog steeds in de lucht.

Twee met bloed overdekte vrouwen stormden het gebouw uit en grepen onder het rennen elk verdoofd en bebloed kind dat ze konden pakken.

Er klonken weer lange en totaal willekeurige geweersalvo's, toen de camera inzoomde op twee kinderen die uit de ramen op de eerste verdieping sprongen om aan de vlammen te ontkomen.

Hazel drukte op de afstandsbediening en de tv werd zwart. 'Genoeg. Niet in mijn huis.'

4

Ik zat naast Silky op de veranda naar de opkomende zon te kijken en te luisteren naar de gebeurtenissen van de afgelopen nacht die op de radio eindeloos werden geanalyseerd, terwijl ik de ene na de andere sinaasappel doorsneed die zij in de pers stopte. Het ontbijt klaarmaken voor de Tindalls was wel het minste dat we konden doen als vergoeding voor hun gastvrijheid en ik hoopte dat ze er wat vrolijker door gingen lopen. De sfeer was behoorlijk bedrukt geweest, nadat Hazel de tv had uitgezet. We hadden haar bijna zwijgend geholpen bij het opruimen en waren toen naar bed gegaan. Hazel was helemaal niet blij geweest met de manier waarop de echte wereld ongenood binnen was gekomen en Charlie was gespannen en afwezig geweest.

'Hoor je dat?' fluisterde Silky. 'Ze schatten nu dat er ongeveer zestig doden en honderdzestig gewonden zijn.' Ze schonk het sap van weer een paar sinaasappels in een kan. 'Dat is meer dan de helft van de mensen die in dat gebouw waren. Het is vreselijk.'

'Niet zo slecht, weet je, voor een belegering.' In de hoek van de paddock trakteerde de oude vos zich op een zandbad in de vroege ochtend. 'Je begint er hoe dan ook aan met het uitgangspunt dat ze allemaal dood zijn. Zelfs een enkele overlevende is een bonus in een dergelijke situatie.'

Ze stopte met persen en ging rechtop zitten. 'Ik moet de hele tijd denken aan dat arme kind. Dat zo verbrand was. Zag je de soldaat die het vasthield?'

Ik sneed nog een paar sinaasappels door en gaf ze aan. Er leek een heleboel fruit nodig te zijn voor niet al te veel sap. 'Het gebouw was waarschijnlijk vergeven van de explosieven. We zagen wat ontploffen. Het verbaast me nog dat er niet meer doden zijn.'

'Maar al die soldaten leken stuurloos. Ze wisten niet wat ze deden.'

'Weet je, als twintig procent of minder wordt omgelegd, is het een succes. Wat die soldaten deden, was reageren op de gebeurtenissen, of het nu juist was of niet.'

'Omgelegd? Wat is omgelegd? Gedood? Voor een uitdeuker weet jij een heleboel van dergelijke dingen...'

'Lezen jullie vetkoppen geen *Time*?'

Silky trok een gezicht voordat ze weer aan het werk ging. 'Dat doe jij zeker niet. De enige tijdschriften die jij leest hebben een parachute op de omslag.'

Ik was nog steeds aan het lachen toen Hazel in haar peignoir in de deuropening verscheen. Haar haren zaten in de war en haar ogen waren rood en glanzend.

Silky sprong overeind. 'Hazel, is alles goed?'

Een traan rolde over haar wang. 'Hij is weg.'

'Weg?' zei ik. 'Waar heb je het over?'

'Hij is er niet.'

Een heleboel gedachten flitsten het volgende onderdeel van een seconde door mijn hoofd en allemaal met een snelheid van duizend kilometer per uur. Charlie had zich na de nieuwsuitzendingen teruggetrokken in zijn eigen schulp. 'Die toestand lijkt Hazel echt aan te grijpen,' had ik gezegd. 'Sinds de dood van Steve is ze zo geweest,' had hij geantwoord. 'Ze wil de echte wereld buitensluiten en ons er allemaal voor behoeden dat we nog eens zo gekwetst worden. Daar gaat het om in dit huis.'

Nu ik erover nadacht, was hij de hele avond erg somber geweest, maar ik had dat geweten aan de biertjes; het had er steeds meer op geleken dat hij een drankprobleem had. En al dat gepraat over het doodschieten van paarden... verrek, hij zou het toch niet in zijn hoofd hebben gehaald om de nacht in te rijden en zichzelf van kant te maken? Hij zou niet de eerste zijn.

Silky veegde haar handen af aan haar jeans en sloeg haar armen om Hazel heen. 'Is Charlie ergens naartoe gegaan? Wil je koffie of misschien een kop thee?'

Ik wierp een blik op de parkeerplaats opzij van het huis. De Land-Cruiser was verdwenen. 'Misschien is hij even wat croissants gaan halen.' Ik schonk haar mijn breedste glimlach. 'Zo'n duizend kilometer terug heb ik een bakkerijtje gezien.'

Silky keek me kwaad aan, terwijl zij Hazel troostte. 'Dat is niet grappig, Nick.' Ze had gelijk; verkeerde plaats, verkeerde tijd.

'Het spijt me. Weet je zeker dat hij geen briefje of zoiets heeft achtergelaten?'

Ze schudde haar hoofd. 'Heeft hij niets tegen jou gezegd? Jullie hebben hier buiten een hele tijd zitten praten.'

Silky's hoofd draaide van de een naar de ander, terwijl ze Hazel probeerde te laten zitten. 'Wil iemand me vertellen wat er aan de hand is?'

Ik tikte even op haar hand. 'Later.'

Ze begreep het. Hazel ging eindelijk zitten en Silky verdween het huis in om de beloofde thee te zetten.

'Ik ben bang dat er iets is gebeurd, Nick. Hij was zichzelf niet toen hij naar bed kwam. Weet je zeker dat hij niets heeft gezegd?'

Silky stond weer in de deuropening. 'Hazel, de telefoon gaat. Wil je dat ik...'

Hazel was al in beweging. Silky keek me vragend aan, maar ik wilde luisteren, niet praten.

Ik liep door de deur, maar Hazel kwam al terug. 'Dat was Julie. De LandCruiser staat bij het station. Wat is er aan de hand, Nick? Alles gaat weer in duigen vallen, ik voel het gewoon...' Ze begroef haar gezicht in mijn overhemd en klemde zich aan me vast als een vrouw die aan het verdrinken was.

Eindelijk hief ze haar hoofd op. 'Help me alsjeblieft hem te vinden, Nick. Alsjeblieft...'

5

Zelfs met de deur dicht drong de herrie die de jongens van Julie maakten, door tot in het kantoor van haar vader. Toen ging de tv aan en vervingen tekenfilmstemmen hun kreten en het gestamp van voetjes op de houten vloer.

Ik keek op van Charlies bureau. 'Hij zal niets doms hebben gedaan, Hazel. Je weet dat het zijn stijl niet is.'

Ze knikte alsof ze me wilde geloven, maar kon er niet helemaal toe komen. 'Ik bid dat je gelijk hebt, Nick. Ik wil hem thuis hebben.'

Ze had me al verteld dat Charlie de laatste paar weken aanvallen van depressiviteit had gehad die steeds erger en frequenter werden. Ze wilde zichzelf heel graag overtuigen dat hij niet de wildernis was ingetrokken voor een laatste duistere nacht van de ziel.

'Beloof je me dat je zult proberen hem te vinden?' Ze klonk radeloos, verbijsterd. Ze had zich aangekleed, maar haar haren zaten nog in de war en het laatste uur was ze een paar keer even in huilen uitgebarsten. Ik had haar nog nooit zo kwetsbaar gezien en wilde alles doen wat in mijn vermogen lag om haar weer te laten glimlachen.

Ze boog voorover en zette de versleten pc van gevlekt plastic voor me aan. Ik luisterde naar het modem dat verbinding zocht met de server van de provider. Ik ging zeker niet vertellen waarover Charlie en ik het hadden gehad. Misschien had ik zonder het te beseffen iets verkeerds gezegd en hem helemaal over de rand geduwd. 'Jij gaat terug naar Julie, Hazel. Ik zal je roepen als ik iets vind.'

Terwijl zij de kamer verliet, speelde de pc het Windows-deuntje en startte MSN op. Het was een erg leeg kantoor; het bureau, de bureaustoel waarop ik zat, een archiefkast en dat was het wel. Luxaflex voor het raam gaf strepen van licht en schaduw. Het rook sterk naar hout.

De monitor voor me was bedekt met kinderstickers. Shrek speelde een hoofdrol op de muismat. Een glazen bierkroes vol geslepen potloden en pennen waarop een gevleugelde dolk was gegraveerd, deed tegelijk dienst als presse-papier.

Familiefoto's waren met plakkertjes aan de muren bevestigd. Het verbaasde me niet dat er geen foto's waren van Charlie uit zijn SAS-tijd. Er waren altijd twee soorten kerels in het Regiment geweest: degenen die niets uit hun verleden lieten zien, geen getuigschriften of eervolle vermeldingen, geen bajonetten of onbruikbaar gemaakte AK-47's aan de muur. Werk was werk en thuis was thuis. En dan waren er de anderen die alles voor de hele wereld tentoon wilden spreiden.

Ik pakte de kroes op. Iedereen kreeg er een bij het afzwaaien. Ik kon me niet herinneren waar die van mij was. De sergeant-majoor van het squadron had hem overhandigd alsof hij hem bijna was vergeten, toen ik hem mijn uitschrijfbon gaf. 'Wacht even,' had hij gezegd. 'Hier, ik geloof dat die van jou is.' Hij zocht onder zijn bureau en gaf me een doos en dat was het dan. 'Tot kijk.'

Ik vond het best, want ik had ervoor gekozen te vertrekken. Eruit is eruit. Geen Oudejongensclub of een jaarlijkse reünie of meer van die onzin.

Ik las de inscriptie en moest lachen. *Voor Charlie. Veel geluk. B Squadron.* Volgens de norm van Heresford was dat een emotionele uitbarsting.

Ik nam de papieren door die onder de kroes hadden gelegen; onbetaalde rekeningen voor hekwerk en voer en twee of drie elektriciteitsrekeningen die over tijd waren.

Ik begon rond te kijken op de pc. De enige documenten op de desktop waren er eentje over kompressen voor paardenbenen en een ander over de wisselkoers tussen de Australische dollar en de Turkse lira. Ik wist dat ze hun huwelijksreis op Cyprus hadden doorgebracht. Misschien was Charlie van plan een verrassingsreisje te regelen. Misschien was hij alleen maar naar de stad gegaan om de tickets te halen.

Bij de e-mails was ook niet veel te vinden. Het grootste deel bestond uit Hazels dagelijkse uitwisseling van berichten met Julie en de kinderen, ook al woonden ze om de hoek. Ik vroeg me af hoe het moest zijn om deel uit te maken van zo'n hechte familie. Misschien was het soms ook te claustrofobisch. Misschien was Charlie er even tussenuit gegaan om adem te halen. Genoeg, ik begon als Silky te klinken.

Ik besteedde het volgende uur aan het doorzoeken van al zijn documenten zonder iets te vinden. Ik ging online. De geschiedenis van de browser was gewist. Wat betekende dat? Verborg Charlie iets of was hij gewoon netjes met opruimen? Maar goed, als hij iets van plan was geweest waarvan Hazel niets mocht weten, zou hij natuurlijk geen aanwijzing op zijn pc achterlaten die overduidelijk de weg wees.

De archiefkast had vier laden. Ik opende de onderste, P-Z, en haalde het dossier met de letter T eruit. Charlie mocht trots op zichzelf zijn. De telefoonrekeningen van de laatste paar jaar lagen niet alleen op datum maar waren ook gespecificeerd. Ik haalde de laatste paar kwartalen eruit en liet mijn ogen over de lijsten gaan.

Het kostte me niet veel tijd om een patroon te ontdekken.

Gedurende ongeveer de laatste maand en met een toenemende frequentie waren er enkele lange gesprekken geweest met een 01432-nummer in het Verenigd Koninkrijk.

Ik keek op mijn horloge. Het was net negen uur 's ochtends geweest, dus thuis nog lang geen bedtijd.

Ik pakte de telefoon en belde het nummer.

Deel drie

I

'Hereford.' Een vinger prikte in mijn schouder. 'U wilde weten wanneer we in Hereford waren.'

Met moeite kreeg ik mijn ogen open. Het was niet tot me doorgedrongen dat de trein was gestopt. Gelukkig had ik de oudere dame tegenover me gevraagd me te waarschuwen, anders was ik pas in Worcester wakker geworden.

Ik bedankte haar en liep naar de deur met het gevoel een zombie te zijn. Na een reis van ruim twee uur vanaf Paddington was ik in Newport overgestapt op de stoptrein naar 'H' zoals het door de jongens van het Regiment werd genoemd. Al voordat we Londen achter ons hadden gelaten, waren mijn ogen dichtgevallen en was mijn kin op mijn borst gezakt. Te veel tijdzones en een kleine twintigduizend kilometer in de afdeling veevervoer speelden me parten.

Mijn geweten vormde ook een behoorlijk zware last. Dat ik tegen Silky had gelogen, gaf me een slecht gevoel. 'Ik ga naar het station om te kijken of hij iets in de wagen heeft achtergelaten', was niet echt hetzelfde als 'ik heb met de bemiddelaar gesproken en het ziet ernaar uit dat hij ergens een baan heeft aangenomen, dus vlieg ik de halve wereld rond om meer te ontdekken. Ken je dat zinnetje van ik ben vanavond weer terug? Ik zal dan in werkelijkheid op dertigduizend voet boven Singapore zitten, maar afgezien daarvan meen ik alles wat ik heb gezegd en kunnen we elkaar altijd vertrouwen, echt.' Maar wat had ik dan moeten doen? De enige manier om te achterhalen waar Charlie naartoe was gegaan, was er persoonlijk op afgaan. De bemiddelaar zou me niet helpen. Het was zijn taak om kerels en werk bij elkaar te brengen, niet om ze te vertellen naar huis te gaan. De enige manier waarop ik hem terug kon brengen naar zijn familie was de stomme oude kerel letterlijk in zijn kraag grijpen om te ontdekken wat precies het probleem was en dan te kijken of ik kon helpen.

Misschien kwam het omdat ik voor het eerst in drie maanden van haar gescheiden was, maar ik had het vreselijke gevoel dat ik Silky al miste. Ze had een stom accent en de irritante gewoonte om mensen beter te begrij-

61

pen dan ik meestal deed, maar ik was eraan gewend geraakt om haar in de buurt te hebben en dat was helemaal geen vervelend gevoel. Die leugen zou natuurlijk niet goed vallen, maar Hazel zou het uitleggen en ik zou het op de een of andere manier goed met haar maken als ik terug was. Wanneer dat ook mocht zijn. En als ze er dan nog was.

Toen ik met mijn tas in de hand het perron op stapte, veegde ik eerst het speeksel weg dat de voorkant van mijn leren bomberjack doorweekte. De oude dame moest hebben gedacht dat ik bezopen was.

Ik liep het station uit naar de taxistandplaats. Er was zo te zien niet veel veranderd. Tegenover het station lag een nieuwe supermarkt, maar dat was het wel.

Ik klom in een taxi en gaf Bobblestock op. De chauffeur, een kerel van midden vijftig, keek me veelzeggend aan in het achteruitkijkspiegeltje van zijn oude Peugeot 405. 'Ver weg geweest, hè?' De plaatselijke bewoners vonden het prachtig dat het Regiment in hun plaats was gelegerd en niet alleen vanwege het geld dat hier werd uitgegeven. Deze kerel trok alle verkeerde conclusies bij het zien van een zongebruinde vent die eruitzag alsof hij in een haag had geslapen.

'Ja.' Ik probeerde weer leven in mijn gezicht te wrijven. 'Ik kan me de naam van de straat niet herinneren, maar ik zal je laten zien waar het is, als we er zijn.'

Ik ontdekte een nieuwe pub en een paar winkels die er nog niet lang waren, maar verder zag Hereford er precies zo uit als ik me herinnerde. Ik had het Regiment in 1993 verlaten en was daarna nooit terug geweest. Het enige dat ik had achtergelaten, was mijn rekening bij de Halifax. Ik vroeg me af hoeveel rente ik had gekregen op £ 1,52.

Bobblestock was een van de eerste nieuwbouwwijken geweest die in het tijdperk Thatcher aan de randen van de steden waren verrezen. De huizen waren allemaal opgetrokken van machinaal gefabriceerde stenen en leken voor de warmte bij elkaar te zijn gekropen. Met 2,4 kind, een Mondeo op de oprit, een minimaal achtertuintje en aan de voorkant een grasperkje dat klein genoeg was om met een nagelschaar te knippen, hadden deze huizen ongeveer evenveel karakter als een kamer in een Holiday Inn. De ontwikkelaars hadden er waarschijnlijk stevig aan verdiend en daarna zelf een mooi oud landhuis in een van de omliggende dorpen gekocht.

Crazy Dave woonde in het hoger gelegen gedeelte van Bobblestock waarvan hij me trots had verteld dat het in de derde fase was gebouwd. Dat was het enige oriëntatiepunt dat ik in mijn hoofd had, maar het was goed genoeg.

'Hier is het, maat.'

We stopten buiten een bakstenen doos met aangebouwde garage die eruitzag als een bouwpakket. Het huis aan de rechterkant heette Nooit-gedacht en aan de linkerkant Ons Hoekje. Crazy Dave had alleen een nummer. Typisch Dave. Crazy Dave had in Boot peloton, A squadron gezeten. Ik kende hem beter van het café in de stad dan van het werk. We brachten daar allebei onze zondagochtend door met koffie drinken, toast eten en weekendbijlagen lezen. Hij omdat hij zijn vrouw probeerde te ontlopen, ik omdat ik er geen had.

Crazy Dave had zijn naam te danken aan het feit dat hij zeker niet mal was; hij was ongeveer even grappig als een theekopje. Hij was zo'n vent die een mop eerst analyseerde en dan zei: 'O ja, ik snap hem. Die is leuk.' In alle tijd dat ik hem had gekend, had hij nooit begrepen waarom schijten in iemands rugzak grappig was. Met al zijn gebreken was hij door en door betrouwbaar en dat maakte hem uitermate geschikt voor zijn nieuwe baan. Discretie was alles. Toen ik over de telefoon naar Charlie had geïnformeerd, had hij toegegeven dat de oude stomkop bij hem in de boeken stond, maar me geen informatie gegeven over waar en wanneer. Hij had me wel uitgenodigd om een kop koffie te komen drinken als ik wilde kletsen; dus hier was ik.

Er stond geen auto buiten, maar ik zag beweging door het raam van de woonkamer. Ik betaalde de taxi en liep de betonnen helling op die in de plaats was gekomen van de trapjes.

Ik drukte op de bel en de deur werd bijna meteen geopend door twee kerels die naar buiten kwamen. Ze zagen er jong en fit uit en hadden kennelijk het Regiment net verlaten of stonden op het punt dat te doen. Ze waren allebei gekleed als ik: Timberland-schoenen, leren jack en jeans.

Ik sloot de deur achter me, terwijl de twee kerels wegliepen. De trap lag recht voor me en die was uitgerust met een van die trapliften die werden aangeprezen in de weekendbijlagen.

Daves stem kwam ergens van rechts. 'Rechtdoor, makker. Aan de achterkant.'

Ik liep een eenvoudige zitkamer in; laminaat op de vloer, driedelig bankstel, een grote tv en dat was het wel. De rest was open ruimte. Openslaande deuren gaven toegang tot de tuin.

'Ik ben in de garage, makker.'

Ik stak het vierkante grasperkje over naar een andere helling voor een dubbele deur in de zijmuur van de garage – te oordelen naar de kleur van cement en stenen was dit een verbouwing van kortgeleden.

Van de garage was een kantoor gemaakt. Er was een gepleisterde muur waar de kanteldeur moest hebben gezeten. Geen ramen. Crazy Dave zat achter zijn bureau. Hij stond niet op. Dat kon hij niet.

2

Ik liep naar hem toe en schudde hem de hand. 'Wat heb jij verdomme met jezelf gedaan?'

Crazy Dave reed om zijn bureau in een snelle, aluminium hightech-rolstoel tot hij voor me stond. 'Niet wat je denkt. Ik kreeg op de M4 met mijn Suzuki een duwtje van een vrachtwagen uit Estland en nam de toeristische route. Eerst de middenberm en daarna een heel stuk van de andere rijbaan. Zes maanden in Stoke Mandeville. Mijn benen zijn kapot. Ik vlieg nog steeds het ziekenhuis in en uit als een stomme jojo. Platen erin, platen eruit; ze weten verdomme niet wat ze aan het doen zijn.' Hij bekeek me van top tot teen. 'Verrek zeg, jij ziet er zelf ook niet al te best uit. Zin in een mok?'

Zonder op mijn antwoord te wachten, draaide hij aan de wielen en reed langs de gootsteen naar de ketel in de hoek. 'Dus moest ik het Regiment uit. Te gehandicapt om zelfs een pen vast te houden. Ik krijg een invaliditeitspensioen, maar dat is nauwelijks genoeg voor de kapper. Toen kreeg ik dit op mijn bordje. Ik was wel gek om het niet te doen.'

Er had altijd een bemiddelaar in Hereford gezeten. Hij moest uit het Regiment komen, omdat hij de mensen moest kennen – wie erin zat, wie eruit kwam – en anders moest hij iemand kennen die dat allemaal wist. Bekers tikten tegen elkaar. 'Ik moest van de garage natuurlijk wel een fort maken. De deuren hebben stalen rolluiken. Moeten vuurwapenbestendig zijn vanwege al dat spul.' Hij knikte naar het bureau. Hij had alleen maar een telefoon, een aantekenboekje en twee bakken met eenvoudige kaartjes, maar voor mensen die wilden weten welke bedrijven welke banen aanboden, waren ze meer waard dan een hele vrachtwagenlading AK-47's.

'Hoe werkt dat allemaal, Dave? Ik ben nooit bij een bemiddelaar geweest.'

'Kerels komen binnen of bellen me en zeggen dat ze op zoek zijn naar werk. Ik pen hun gegevens op een kaartje en stop dat in de bak "Reserves". Zie je de andere bak? Die is voor "Bajonetten". Dat zijn de mannen die aan het werk zijn.'

Ik hoopte dat het water in de ketel snel ging koken. Dave vond administratieve dingen misschien boeiend, maar ik wist nu alles wat ik moest weten.

Ik had geen geluk. Er begon een licht in zijn ogen te branden. Misschien was hij toch wel gek. Hij was net een treinspotter die was gevraagd als gids op te treden in de Oriënt-Express. 'Het systeem is simpel. Een bedrijf belt en vraagt om vier hospikken en bijvoorbeeld een explosievenman. Ik pak de bak met Reserves en blader vanaf het begin door de kaarten tot ik de gewenste mannen heb gevonden. Ze krijgen een telefoontje. Als ze het werk willen, gaan ze van Reserves naar Bajonetten. Willen ze het niet, dan gaan ze naar de laatste plaats in de bak. Zodra het karwei is gedaan, gaan ze weer achterin de bak Reserves, als ze ermee door willen gaan.'

Wat moest ik daarop zeggen? Ik schonk hem een blik waarvan ik hoopte dat hij die ten onrechte zou interpreteren als totale fascinatie.

De ketel redde me ten slotte. Crazy Dave ging in de weer met theezakjes, terwijl ik in de stoel aan de andere kant van zijn bureau ging zitten. Hij reed naar mij toe met twee mokken in één hand.

Ik mocht kiezen uit Smarties Easter Egg en Thunderbird 4. Ik ging voor Smarties; die had iets minder schilfers en vlekken.

'Goed, wat wil je weten over Charlie?'

'Hij is een dinosaurus, Dave; hij is veel te oud om zo aan te rotzooien. Hazel wil hem thuis hebben.'

Hij manoeuvreerde terug naar zijn kant van het bureau. 'Is ze dan nog steeds bij die oude klootzak?'

Ik knikte. 'Nu we het daar toch over hebben, alles goed met jouw kinderen?'

Hij leunde achterover in zijn rolstoel en nipte van zijn brouwsel. 'Getrouwd en het huis uit, makker. De jongen zit in Londen waar hij hokt met een Pools model en de dochter is getrouwd met een punthoofd. Heeft een leuk huis in de stad.'

Dave woonde hier nu ruim dertig jaar, maar hij noemde iedereen nog steeds punthoofd, alsof hij net was aangekomen.

Ik nam een slokje van mijn eigen thee en stikte bijna. Er zaten drie klontjes suiker in.

Hij grijnsde van oor tot oor. 'Zelfs mijn ex is met een punthoofd getrouwd. Een van de plaatselijke smerissen. En jij, Nick? Getrouwd? Gescheiden? Kinderen? De hele catastrofe, zou me niets verbazen...'

Ik schudde mijn hoofd en glimlachte. 'Ik denk dat ik misschien nog een Duitse vriendin in Australië heb, maar ik moest haar vanwege jou nogal snel in de steek laten. Ze zal er niet van onder de indruk zijn.'

Hij grijnsde weer. 'Die vetkoppen hebben altijd wel ergens de pest over in.'

We hadden door kunnen wauwelen. Ik had hem van Kelly kunnen vertellen – hij had haar vader Kev gekend. Maar we hadden de beleefdheden uitgewisseld en ik was hier om Charlie te vinden.

'Kun je me een idee geven waar de oude klootzak naartoe is? Ik heb Hazel beloofd dat ik hem de preek zou geven. Je weet hoe dat is.'

Dave schonk me een glimlach die me vertelde dat hij het wist en dat hij die wel honderd keer had gehoord. 'Je weet dat ik je niets kan vertellen, makker. Dat is de afspraak met de bedrijven: zij willen niet dat iemand weet wat voor werk ze te vergeven hebben. En als iedereen naar huis gaat zodra de vrouw begint te snateren, zou er bijna geen enkele kloothommel meer werken.'

Hij zette zijn beker neer en greep de armleuningen van zijn rolstoel. Hij tilde zich een paar centimeter uit de stoel omhoog en hield dat even aan; misschien had het iets te maken met de bloedsomloop of voorkwam hij daarmee zweren op zijn achterste.

'En hoe staat het met jou, Nick? Ik heb jouw naam niet in het circuit horen noemen; wat doe jij?'

'Ach, je weet wel... van alles.' Ik haalde mijn schouders op en glimlachte. 'Luister, Dave, ik hoef niet te weten wat Charlie aan het doen is. Ik wil alleen Hazel kunnen bellen met de mededeling dat ik hem heb gesproken.'

Hij zette zijn thee neer en reed achteruit naast mij. 'Het spijt me, makker, maar je kunt het vergeten. Afgezien van de veiligheid, stel dat je hem overhaalt om terug te keren naar zijn pijp en chocomel? Ik zou een vervanger moeten vinden. Hij was trouwens aan het smeken om een baan. Ik heb hem niet gedwongen naar mij toe te komen, hè?'

Hij draaide de stoel en reed naar de deur. 'Kom mee, ik moet lozen. Ik heb geprobeerd hier binnen een toilet geplaatst te krijgen, maar planning wil er niet aan, de rotzakken.' Hij schoot door de dubbele deur de helling af.

'Hé, Nick, moet je kijken!'

Ik stond op en liep naar de deur op het moment dat hij zijn voorwielen optilde en helemaal ronddraaide. 'Ik moet afsluiten, makker. Wil je in de voorkamer wachten en je thee opdrinken? En wat denk je van een biertje daarna?'

Ik volgde hem naar buiten en zag hem de garagedeuren sluiten met een sleutel uit een bos met een stuk of vijf andere.

We liepen de zitkamer in en hij reed door naar de trap. Terwijl ik ging zitten, verplaatste hij zich van de stoel naar de lift. Toen koos hij een andere sleutel uit de bos, stopte die in het besturingskastje aan de muur en draaide hem om. De lift gleed langzaam naar boven.

'Heb je hulp nodig, Dave?'

'Nee, het is hierboven net een apenkooi met klimtoestellen.'

Op het moment dat ik de badkamerdeur dicht hoorde gaan, was ik overeind en liep naar de keuken. Geen teken van een stoppenkast. Ik probeerde de kast onder de trap. Daar waren twee rijen schakelaars op een keurige rechthoek van plastic maar nergens een aanduiding. Barst maar; ik draaide alles uit met de hoofdschakelaar.

Ik liep naar het besturingskastje, greep de sleutelbos en ging naar de garage.

Charlies kaart stond helemaal voorin de bak Bajonetten. Er stond niet op voor wie of waar de baan was of wat die inhield, alleen dat Dave voor hem een hotel in Istanbul had geboekt.

Ik sloot af en liep terug naar de zitkamer.

'Nick! De stroom is verdomme uitgevallen. Nick, ben je daar?'

'Ik kom eraan. Wat is er?'

Ik had de sleutel weer in het kastje op het moment dat Dave zich boven aan de trap van een andere rolstoel op de lift liet zakken. Hij hamerde als een gek op de neer-knop.

'Zie je dat? Ik kan verdomme niet eens rustig schijten. Probeer een lamp, kijk of de stroom is uitgevallen.'

Ik drukte op de schakelaar in de gang. 'Waar is de zekeringkast?'

Dave vertelde het me en ik liep erheen. Enkele ogenblikken later zoemde de magnetron in de keuken om te waarschuwen voor een stroomonderbreking en begon de lift weer naar beneden te komen.

'Dave, het spijt me, makker, maar ik kan niet blijven voor dat biertje. Als Charlie contact opneemt, zeg hem dan dat hij naar huis moet bellen – Hazel is iets kwijt en hij is de enige die weet waar het is.'

3
Istanbul
Donderdag, 28 april

Een van de eerste dingen die me in een nieuw land altijd opvielen, was de geur. In de aankomsthal van Atatürk International was het een sterke aftershave geweest; achterin deze taxi was het de nog sterkere geur van sigaretten. De chauffeur zat al aan zijn tweede te trekken sinds het vertrek bij het vliegveld.

Het verkeer was een chaos en om het nog erger te maken zong de chauffeur tussen het inhaleren mee met de Arabische popmuziek die uit de radio schalde. Hij bleef zijn hoofd omdraaien en om bijval vragen, alsof hij me aanzag voor een grote platenbaas die hem een contract wilde laten tekenen voor een miljard lira. Zijn talisman, een blauw oog, zwaaide wild aan het achteruitkijkspiegeltje, terwijl we van de ene kant van de weg naar de ander schoten. Ik hoopte dat die even goed werkte bij trucks met opleggers als tegen boze geesten; de ogen van de chauffeur keken overal naar behalve naar de weg.

Elke etappe van deze reis was een nachtmerrie geweest: Australië naar Hereford, Hereford naar Stansted, Stansted naar Turkije. Stansted alleen verdiende al een soort prijs. Ik had het gevoel dat ik daar meer tijd had doorgebracht dan in de lucht vanaf Brisbane.

Ik was er vanaf Crazy Dave rechtstreeks naartoe gegaan zonder naar vluchten te kijken. Ik ging ervan uit dat een van de prijsvechters mijn beste kans zou zijn en ik hoopte meteen te kunnen instappen. Maar natuurlijk miste ik de laatste vlucht met een uur, zodat ik de nacht languit op een rij antislaapstoelen in het luchthavengebouw moest doorbrengen. En omdat ik er laat aankwam, had ik de laatste broodjes misgelopen in het enige café dat nog open was. In plaats daarvan kocht ik vier pakjes chips met zout en azijn en twee grote mokken koffie die me de hele nacht wakker moesten houden.

Ondanks het koude, grijze en winderige weer hield ik de achterraampjes van de taxi open, deels omdat ik behoefte had aan de frisse lucht en deels omdat ik dacht dat het me zou helpen bij een botsing. Uiteindelijk bereikten we het Barcelo Eresin Topkapi Hotel zonder te zijn platgereden. De rit had maar drie sigaretten geduurd.

Ik had geen tijd gehad om online te gaan en het hotel op te zoeken, maar het zag er behoorlijk indrukwekkend uit. Een oprit liep langs de voorgevel van een groot gebouw van vier verdiepingen dat niet uit de toon zou zijn gevallen tussen de grote hotels langs de Croisette in Cannes.

Een enorm spandoek boven de ingang verwelkomde de architecten uit Duitsland op hun zeer belangrijke conferentie. Ik vermoedde tenminste dat er zoiets op stond. Alles wat ik gedurende mijn twee jaar als infanterist in Sennelager had geleerd, was hoe ik om een bier en een halve haan met friet moest vragen, en dat kreeg ik dan ook meestal; als ze me vroegen of ik er iets op wilde, bestelde ik gewoon alles nog een keer.

Ik betaalde de chauffeur en liep door een paar heel hoge, automatische glazen deuren de lobby in. Een sierlijke barrière van een dik touw leidde me naar een metaaldetector, misschien een overblijfsel van de bomaanslagen uit 2003. De beveiligingsbeambte met een overhemd waarvan de boord zeker drie maten te groot was voor zijn nek wenkte me trouwens gewoon door en begon toen een paar Turken lastig te vallen die achter me naar binnen waren gekomen.

Drie of vier blonde meisjes stonden in een groepje bij een verplaatsbare balie rechts van de receptie. Het bord achter hun ontvangsttafeltje hing vol met foto's van hightechgebouwen met veel glas en ze konden nauwelijks bewegen door de stapels tassen met allerlei spullen aan weerszijden. De architecten werden blijkbaar zeer hartelijk ontvangen.

De lobby bestond geheel uit donker hout en licht marmer. Ik bleef doorlopen en zocht naar bordjes die me de weg naar de bar, een café of zelfs een toilet zouden wijzen – het maakte niet uit zolang ik maar de indruk wekte dat ik wist waar ik heen ging.

Ik liep naar een grote leren armstoel onderaan een marmeren trap waar mensen thee zaten te drinken en bestelde een dubbele espresso. Ik probeerde weerstand te bieden aan de impuls om mijn hoofd naar achteren te leggen; ik zou binnen de kortste keren weg zijn geweest.

Het duurde een eeuwigheid voordat de koffie kwam, maar dat maakte niet uit. Ik wachtte en observeerde. Een groep werd uitgebraakt door een chique Mercedes-bus en recht naar het ontvangsttafeltje gebracht.

Ik pikte een brochure op van het type 'Dit hotel is geweldig', waaruit ik te weten kwam dat ik me op een afstand van slechts drie kilometer van de volgende belangwekkende punten bevond: de beroemde Grote Bazar, de Süleyman-moskee, de Blauwe Moskee en het Topkapi-paleis. Alle kamers hadden een luxe badkamer en, nog mooier, een 'eigen privéhaardroger met een parallelleiding, helemaal alleen voor u'. Die Charlie bofte toch maar.

Ik was nooit eerder in Istanbul geweest. Het enige dat ik wist, was dat spionnen vroeger werden uitgewisseld bij het spoorwegstation en dat de

Oriënt-Express hier stopte voordat de Bosporus werd overgestoken. Wat de Turken zelf betreft, klonken de woorden van mijn stiefvader na in mijn oren. 'Blijf niet staan, want ze pikken de veters uit je schoenen,' zei hij altijd over iedereen ten oosten van Calais. Ik nam aan dat het ooit misschien zo was geweest, maar als ik naar buiten keek, zag ik geen vochtig hete bazar vol gewiekste zwendelaars. Ik zag slanke vrouwen in westerse kleding en trams van staal en glas die over een boulevard vol boetieks reden. Als ik niet beter had geweten, zou ik hebben gezegd dat ik in Milaan was. De nieuwere auto's hadden een blauw streepje op de zijkant van hun nummerbord als optimistische voorbereiding op het EU-lidmaatschap.

Ik keek om me heen naar mijn koffie. Misschien moest ik proberen Charlie te bellen.

Toen de koffie eindelijk kwam, nam ik een slokje uit het kopje met het formaat van een vingerhoed en keek naar de telefooncellen tussen de receptie en de liften. Ik kon Charlie bellen om hem te vertellen dat ik beneden zat. Als hij niet opnam, kon ik buiten op straat wachten om het hotel in de gaten te houden tot hij terugkeerde – wat hopelijk niet te lang zou duren, omdat ik binnenkort in slaap zou vallen, of ik wilde of niet.

Zou ik Silky en Hazel op de farm bellen? Na mijn vertrek uit Brisbane had ik ze niet ge-e-maild of gesproken. Ik kon beter wachten tot ik echt wat nieuws had, zei ik bij mezelf – hoewel ik eigenlijk wilde vermijden dat ik Hazel moest uitleggen waar ik was. Dat wilde ik zo lang mogelijk uitstellen.

Ik legde een paar bankbiljetten onder het schoteltje en liep naar de telefoons. Toen ik de hoorn oppakte, deed de lift ping. Een grote groep Duitsers en Turken kwam zwaaiend met hun conferentietassen met inhoud langslopen.

De telefoniste ratelde haar begroeting af in het Turks, Duits en Engels.

'Luister, de architectenconferentie...' Ik glimlachte breed; als je dat doet, merkt de luisterende persoon dat. 'Ik ben de Engelssprekende organisator van de ontvangst en een zekere heer Charles Tindall is naar boven gegaan zonder zijn welkomstpakket... Zou u me misschien door kunnen verbinden?' Ik bladerde door een denkbeeldig aantekenboekje. 'Hij is in... even kijken, kamer 106... of is het 206? Ik kan dit handschrift niet lezen.'

'Meneer Tindall heeft 317. Hoort hij bij de conferentie?'

'Nou, ik heb een welkomstpakket voor hem. Ach kijk, daar is hij... Hartelijk dank voor uw hulp. Meneer Tindall, hier is uw...'

Ik hing op en een paar tellen later drukte ik op het knopje voor de lift.

4

Ik volgde de bordjes naar de kamers 301-321 over een brede met tapijt belegde gang. Kamer 317 lag bijna aan het eind links; de ramen zouden uitkijken op de boulevard. Een bordje Niet Storen hing aan de deurkruk.

Ik klopte aan en deed een stap terug, zodat hij me goed kon zien door het spionnetje. 'Ik ben het, Nick.' Ik grijnsde breed. De deur ging open.

'Ik kom je die drie piek terugbetalen die ik je nog schuldig was.'

Charlie droeg een spijkerbroek en een trui die hij alleen kon hebben gekocht in een winkel die leverde aan kleurenblinde klanten. Hij glimlachte niet zo breed als de kerel moest hebben gedaan die het hem had verkocht; toen hij me binnenliet, wist ik niet zeker of zijn gezicht verrassing of woede uitdrukte.

Ik wandelde een grote, mooi gemeubileerde kamer in die werd gedomineerd door een mahoniehouten bed en een raam dat een hele muur besloeg. Ik kon vaag een tram onder ons horen rammelen. Hij had zijn tas nog niet uitgepakt. Die stond open op de vloer met zijn was- en scheerset en een paar sokken. Maar er stond wel een open, zwarte laptop met een werkend scherm op het bureau naast de tv.

Charlie kwam achter me aan. 'Zeg, je wilt me toch niet vertellen dat je gewoon langskwam, hè.'

'Ik moest toch wát doen om jou te vinden, nietwaar? Heb je al met Hazel gepraat?'

'Voel je je wel lekker! Ze zal mijn hoofd eraf rukken en door de telefoon sleuren. Ik heb een e-mail gestuurd, gezegd dat het goed ging en dat ik later zou bellen.'

Ik ging op het bed zitten. Als hij besloot me buiten de deur te zetten, zou hij dat moeilijker vinden als ik me had geïnstalleerd. 'Doe ons een plezier, wil je? Stap met mij in een vliegtuig naar huis, dan kan ik weer terug naar mijn Duitse zonder dat jouw vrouw me vermoordt.'

Hij opende de minibar onder de tv en haalde er twee blikjes Carlsberg uit. Hij gaf mij het ene aan en we trokken allebei de ring omhoog.

'Dat spijt me.' Hij leunde tegen het bureau bij de tv en nam een slok.

'Ze kan een nachtmerrie zijn als ze het op haar heupen krijgt. Ik zal haar vanavond bellen om het uit te leggen, nu ik weet hoe lang ik weg zal blijven.' Hij glimlachte even voordat hij weer een slok nam. 'Hoe heb je me gevonden?'

Ik vertelde hem over de stroomuitval bij Crazy Dave. Hij lachte zo hard dat ze hem waarschijnlijk in de tram konden horen.

Ik voelde me te uitgewoond om te lachen of zelfs het bier aan te raken; ik zette het blikje gewoon op mijn borst, terwijl ik me op het bed uitstrekte. 'Ik wil niets van de klus weten, maat. Dat is jouw zaak. Maar als je echt wilt werken, zijn er veel betere plaatsen dan hier. Wat dacht je van Bagdad of zelfs Kaboel? Het geld is beter. Vier-vijftig tot vijfhonderd per dag voor een teamleider, zelfs als die bij de geriater loopt.'

'Oi, minder voor de teamleider. Trouwens, wie zei er iets over Istanbul?' Hij nam een lange teug en bestudeerde mijn gezicht. 'Drie dagen werken en al mijn problemen zijn geregeld.'

Het was mijn beurt om te glimlachen. 'Geregeld? Waar heb je het verdomme over? Jij hebt alles al geregeld. Jij leeft in een droom.'

'Hazels droom...' Hij zuchtte. 'Luister, ik doe er met alle plezier aan mee. Na de dood van Steven is ze alleen niet doorgedraaid omdat ze haar hele gezin om zich heen had. Maar de farm draait niet op paardenstront. Het pensioen is maar net voldoende voor de hypotheek, verdorie. Verdiensten zijn er niet. Deze klus zal in één keer de schulden afbetalen en dan blijft er nog wat over ook.'

De hoge brood-voor-zweetverhouding klonk zorgwekkend. Normaal duidde dat op een klus waar niemand anders zelfs maar in de buurt wilde komen.

'Hoeveel?'

Hij glimlachte weer en deze keer was het een echt ergerlijke glimlach van iemand die een geheim kent waar jij onkundig van bent. 'Het is eenmalig. Speciaal bejaardentarief. Tweehonderdduizend Amerikaanse dollars.'

'Verrek nou. Ga je Poetin omleggen of zoiets?'

'Nee, dat heb ik afgewezen.'

Ik bracht mijn blikje naar mijn mond en realiseerde me toen dat de smaak van bier wel het laatste was waaraan ik behoefte had. 'Wat dan ook, je bent te oud voor dit gedoe. Ga naar huis; maak Hazel gelukkig. Laat mij teruggaan naar mijn Duitse.'

Charlie bleef me glimlachend aankijken, alsof de zaak die hij voor zichzelf hield, hét geheim van het universum was. 'Het gaat niet alleen om het geld, knul.'

'Ik wist het. Al dat gewauwel over dat paard van jou... toen dat gedoe op de tv... jij wilde daar gewoon weg om het nog eens te doen, nietwaar?'

'Ik zou het wel willen.' Hij draaide zijn rug naar me toe om uit het raam te staren en toen hij zich weer omdraaide, was de glimlach verdwenen. Hij stond me daar een hele tijd aan te kijken als een politieagent die met slecht nieuws op de drempel staat en naar de juiste woorden zoekt. Hij keek omlaag naar zijn trillende hand en toen weer naar mij.

Het drong eindelijk tot me door. 'Je bent ziek, hè?'

Hij wendde zijn hoofd af. 'Je mag het niemand vertellen en zeker Hazel niet. Ben je er klaar voor?'

Ik knikte. Alsof ik nee zou durven zeggen.

Hij staarde me weer aan voor wat een eeuwigheid leek en uiteindelijk haalde hij gewoon zijn schouders op. 'Ik ben stervende.'

Ik was zo moe dat ik me afvroeg of ik het goed had gehoord. 'Wat? Wat mankeer je, verdomme?'

Hij keek weer uit het raam. 'MND, makker. Motor neuron disease. Nou ja, een van de vormen ervan. Een paar yanks die in de Golf waren hebben het ook. Ze proberen een verband te leggen, maar het is behoorlijk theoretisch. Tegen de tijd dat het zover is, zal het verdomme te laat zijn.'

'Je belazert me?'

Hij schudde zijn hoofd. 'Was het maar waar.'

Het was mijn beurt om te staren. Ik wist niet wat ik moest zeggen. De enige persoon van wie ik wist dat hij MND had, was Stephen Hawking. Hield het in dat Charlie ten slotte zou rondzoemen in een rolstoel en ging klinken als een buitenaardse griezel?

'Wat is de prognose?' Ik zette het blikje op het nachtkastje en draaide rond om mijn voeten op het tapijt te zetten. 'Ik bedoel, is de rotzooi onvermijdelijk?'

'Het is al bezig.' Hij nam nog een slok bier en hield toen het blikje naar mij omhoog. 'Soms moet ik me echt concentreren om aan de ring van een van deze dingen te trekken. Soms is het nogal moeilijk om een deurkruk om te draaien. Het is al zes maanden bezig. Ik ben naar een dokter geweest, stiekem' – hij wees naar me met zijn vinger met het blikje nog steeds in zijn hand – 'en dat moet zo blijven. Minstens tot al het geld op de bank staat. Ik wil iets hebben om de klap voor Hazel te verzachten als ik het haar vertel.'

Hij goot het laatste bier naar binnen en deze keer besloot ik me bij hem aan te sluiten.

'Moet het erger worden? Ik bedoel, misschien blijft het bij wat bevingen?'

Hij schudde langzaam zijn hoofd. 'Even zeker als de nacht volgt op de dag.' Hij klonk bijna zakelijk. 'De volgende stap is geheugenverlies en dan wordt mijn spraak onduidelijk. Daarna zal ik niet meer kunnen lopen of slikken... Gemiddeld vijf jaar en dan ben ik vertrokken.'

'Stephen Hawking loopt er al jaren mee rond.'

'Een kans van één op een miljoen. Normaal vijf jaar, soms veel korter. Ik zou dat niet erg vinden. Zodra de fase is aangebroken dat Hazel me met een lepel geprakte banaan moet voeren, zal ik er toch voor zorgen dat ze er een eind aan maakt.' Hij begon te lachen, misschien een beetje te hard. 'Of misschien kom ik er wel achter of jij een echte maat bent.'

5

We dronken ons tweede blikje Carlsberg in stilte. Ik zat nog op het bed; Charlie zat bij de tv en staarde door de vitrages naar buiten. Ik had geen zin in bier, maar het was ten minste koud en spoelde mijn mond schoon van drie dagen troep eten in vliegtuigen. Ik wenste dat ik Charlies slechte nieuws er ook mee had kunnen wegspoelen, maar dat lukte niet. Ik had met hem en zijn gezin te doen en dat was voor mij een vreemd gevoel. Normaal zou het gewoon een geval van dikke pech zijn en ik zal je naar de andere kant helpen als de tijd van voeren met een lepel is aangebroken.

'Ik begrijp het nu.' Ik kon niet meer tegen de stilte. 'Maar stel dat jouw handen beginnen te discodansen terwijl je aan het werk bent?'

'Die gok moet ik nemen.'

'Weet Crazy Dave het?'

'Crazy Dave is een goede vent, maar hij doet niet aan liefdadigheid.' Hij haalde zijn schouders op en glimlachte naar me. 'Ik heb hem alleen verteld hoeveel poen ik nodig had en als er een klus was die dat betaalde, was ik ervoor in. Het is mijn laatste betaaldag. Hazel zal het geld nodig hebben. En jij had gelijk wat het paard aangaat...' Charlie nam de laatste teug uit zijn blikje en zette het op het bureau. Hij boog voorover en stak zijn hoofd half in de koelkast, terwijl hij rommelde tussen de blikjes drank en repen chocolade. Zijn stem klonk gedempt. 'Ik wil mijn laatste dagen verdomme niet slijten in de hoek van een grasveldje.'

Charlie had niet gezien in wat voor staat Hazel was nadat hij ertussenuit was geknepen. 'Waarom ga je niet naar huis om haar alles uit te leggen en kom je dan terug? Stel dat je het verkloot en niet thuiskomt? Dan zal Hazel er twee kwijt zijn en het enige wat ze zich zal herinneren, is dat jij ervandoor bent gegaan.'

Hij kwam overeind met twee blikjes, water deze keer, en gaf er eentje aan mij. Hij zette dat van hem op het bureau en probeerde het te openen. Deze keer kreeg hij zijn middelvinger niet zo gemakkelijk onder de ring.

'Nee, knul.' Eindelijk siste het blikje. 'Wat ik ook doe, kwijt raakt ze me toch. Op deze manier krijgt ze ten minste nog wat compensatie. Ik blijf hier.' Zijn ogen schitterden en er klonk zekerheid in zijn stem door. Ineens was hij de Charlie die ik van vroeger kende. 'Je kunt beter branden dan als een nachtkaars uitgaan. Ik ga de klus volgens contract uitvoeren. Dan ga ik naar huis en laat het over me komen. Na een tijdje kalmeert ze wel. Ze houdt echt van me.'

Hij keek me strak aan. 'Wil je meekomen als bewaker?' Hij bracht het blikje water naar zijn mond en boog zijn hoofd naar achteren om te drinken. Zijn ogen draaiden om het contact met de mijne niet te verliezen. 'Het brengt niets op, denk daar wel aan – het is allemaal voor Hazel. Maar ik betaal de kosten en breng je eerste klas terug naar jouw Duitse.'

Ik moest wel glimlachen; het werd bijna een lach, omdat de toestand zo belachelijk was. Ik had nog nooit in mijn hele leven voor niets gewerkt. Ik had zelfs mijn moeder een paar stuivers laten betalen om voor haar een pakje Embassy Gold te halen in de winkel op de hoek. 'Maar je hebt me nog niet eens verteld wat voor klus het is.'

Charlie ontdekte een vleugje belangstelling. Hij viste een USB-stick uit zijn spijkerbroek en stopte die in zijn laptop. Een dialoogvenster vroeg of hij door wilde gaan met de film waar hij was gebleven of opnieuw wilde beginnen. Hij tikte op het toetsenbord en we kregen een schokkerig beeld van een drie meter hoge, bakstenen muur met glasscherven op de bovenrand. Over de met diepe gaten bezaaide weg er voorlangs reed een hele rij Lada's. Ik kon alleen de bovenste twee verdiepingen van de afgetakelde bakstenen kubus vol gaten zien, maar elk raam was afgesloten met zwaar traliewerk aan de buitenkant. De camera ging langs de met graffiti bespoten poort van twee metalen platen die even hoog waren als de muur en het huis afsloten voor het publiek. Ze zagen eruit alsof ze even oud waren als het huis, geroest en gedeukt, en werden in het midden bij elkaar gehouden door een klavierslot.

Het beeld krulde toen Charlie op het scherm tikte. 'Verdomde amateurs met hun zak.' De camera had verborgen gezeten in een soort zak waarin een klein gaatje was geknipt. Als de lens er goed tegenaan was gedrukt hadden ze waarschijnlijk een volledig beeld gekregen, maar ze hadden het zo slecht gedaan dat het onscherp was langs de randen.

'Waar zitten we naar te kijken?'

'Dit, beste knul, is het huis van een minister in dat zeer rechtschapen en verlichte landschap van de voormalige sovjetrepubliek Georgië. Hij heet Zurab Bazgadze – hoewel ik graag aan hem denk als oude Baz.'

'Geweldig. En?'

'Ik ga hier naar binnen wippen en een klusje uitvoeren.'

'Het kan nooit een klusje zijn voor dat bedrag. Heb je je rug gedekt?'

Hij grijnsde. 'Daarom dacht ik dat jij misschien mee zou kunnen komen om me te helpen.' Hij trok aan zijn trui. 'Dit was niet het enige dat ik belastingvrij heb gekocht.' Hij stond op en liep naar zijn weekendtas om er een kleine digitale camcorder uit te halen. Het rode lampje brandde. 'Ik dacht dat hij weer buiten de deur stond...' Hij zette het apparaat uit. 'Ik probeer me zo goed mogelijk in te dekken. Als ik genaaid word, gaat hij mee.'

'Over wie heb je het verdomme?'

'De dikste Amerikaan van de hele wereld, met zo'n stom bebopkapsel.'

Charlie kwam terug naar de laptop. Hij trok de memorystick eruit en zwaaide daarmee naar mij voordat hij in zijn zak verdween. 'Hij liet dit achter met de laptop – en voordat je iets gaat vragen, niet doen.'

Hij had gelijk. Ik hoefde niet te weten wie die man was. Als ik met Charlie meeging en Bebop kwam erachter dat ik ook in de buurt was, kon Charlie altijd zeggen dat ik van niets wist. Hij zou me de band trouwens nu toch niet hebben laten zien. Ik had niets met de klus te maken.

'Ik wil het niet weten. Ik maak me meer zorgen over jou, dat je gepakt wordt. Die trillende handen van jou zullen op hun oude dag nog kennis maken met duimschroeven. Het zijn geen lieverdjes in Georgië, maat.'

'Een fluitje van een cent om daar binnen te komen, knul. Wie heeft al die banken in Bosnië gedaan, dacht je?'

'Ik moest inderdaad aan jou denken toen ik dat verhaal las.'

Tegen het eind van de Bosnische oorlog moest de Firma de hand leggen op de financiële gegevens van bepaalde overheidsfunctionarissen en hoge legerofficieren die steekpenningen aannamen van de drugs- en prostitutiebaronnen. MVI-jongens van het Regiment hadden een heleboel banken gekraakt. Het idee was dat we er zo bij de vorming van het nieuwe land zeker van konden zijn dat we de onbetrouwbare kerels buiten beeld hielden en de brave jongens erin. Niet dat het had gewerkt. Natuurlijk niet. Dat doet het nooit.

'Ja – ik had een paar piek voor mezelf achterover moeten drukken toen ik toch binnen was, nietwaar? Dan zou ik nu niet hier zijn...'

'Wat houdt dit klusje dan in?'

Het scherm werd zwart en Charlie keek naar me op. 'Dat kan ik je nog niet vertellen. Maar kom mee om voor dekking te zorgen en ik vertel het je als we in het land zijn. Ik moet de plaats komende zaterdag kraken en ik vertrek hier vanavond als het donker is.'

'Waarom zaterdag?'

'Baz is weg, maar hij zal zondag terugkomen. Dus is er geen tijd meer om te kletsen; het is beslissingstijd, knul.' Hij trok een wenkbrauw op en wachtte op een antwoord.

'Luister naar wat ik zeg, Nick. Het is tijd om een besluit te nemen.' Hij keek me strak aan. 'Dat betekent dat je diep moet graven en jezelf een belangrijke vraag moet stellen.'

'Hoe belangrijk?'

'Belangrijker is er niet, knul.' Hij haalde diep adem en toen kreeg zijn gezicht de intense uitdrukking van iemand die de geheimen van het universum probeert te doorgronden. 'Ik bedoel maar, het is de eenentwintigste eeuw. Dus geef hier maar eens antwoord op: welke halvezool loopt er nog rond met een bebop?'

Hij lachte schaterend.

Hij lachte zo hard dat hij zijn buik moest vasthouden.

'Ik zal je wat zeggen, Charlie,' zei ik afgemat, 'jij belt Hazel en vertelt haar dat het goed met je is en dat ik hier ben, en dan zal ik erover nadenken.'

Deel vier

I

Tbilisi, Georgië
Zaterdag, 30 april

Mijn slaap werd onderbroken door een mededeling uit de cockpit waar ik geen woord van verstond, waarna het vliegtuig aan de daling begon. Ik keek uit het raampje in de hoop een glimp van de stad op te vangen, maar de wolken hingen te laag en het was nog pikdonker. Baby-G vertelde me dat het bijna halfzes was. Ik was dol op rode-ogenvluchten, omdat ze zo'n echt goed begin van de dag zijn.

Ik voelde in de zak van de stoel voor me naar de prints die ik in het internetcafé in Istanbul had gemaakt. Nadat Charlie de stad had verlaten had ik een dag over en ik probeerde altijd zoveel mogelijk te weten te komen over elke nieuwe omgeving waar ik naartoe moest. Mocht het zover komen dat ik er halsoverkop vandoor moest, dan zou ik alle hulp nodig hebben die ik kon krijgen.

Meestal ging ik eerst naar het World Factbook, een website van de CIA, voor de feiten en cijfers en daarna naar de chatrooms van de backpackers voor de laatste informatie; het is vaak nuttig de zaak te bekijken vanaf beide uiteinden van de voedselketen. Als ik nog meer nodig had, ging ik zoeken met Google.

De Russische Federatie, die in de plaatselijke pers werd afgespiegeld als 'de agressieve buurman', hing in het noorden dreigend over Georgië heen en de twee landen waren op het moment niet de beste vrienden. Na de val van het communisme was het grotendeels christelijke Georgië een onafhankelijke staat geworden die erg pro-westers en erg pro-Bush was. Pro-Bush betekende, hoe je het ook bekeek, anti-Poetin en daar kon de belangrijkste man in het Kremlin niet om lachen.

Wat hem nog meer ontstemde, was het feit dat Amerika en Engeland al voor miljoenen dollars aan wapens en uitrusting aan het Georgische leger hadden gegeven. Dat was het laatste wat hij in zijn achtertuin wilde hebben – en daarom had hij zijn troepen, tanks en artillerie, die er officieel nog steeds als 'vredesmacht' aanwezig waren, nog niet teruggetrokken.

In het oosten lag Azerbeidzjan, een van de landen die het geluk hadden van een kustlijn aan de olierijke Kaspische Zee. Ook al was het een islamitisch land, het werd toch zwaar gesteund door de VS om redenen die niet moeilijk te begrijpen waren. De BTC (Bakoe-Tbilisi-Cyhan)-pijpleiding, aangelegd door een consortium onder leiding van BP en bijna klaar om te worden opgeleverd, begon bij Bakoe, liep vlak ten zuiden van Tbilisi helemaal door Georgië naar de zestienhonderd kilometer verder gelegen Turkse kust van de Middellandse Zee.

In het zuidwesten lag Armenië, een land waarvan ik aannam dat je er geen enkele man tussen de twintig en veertig aantrof. Ze waren allemaal in elke westerse stad bezig met drugstransporten, prostitutie, afpersing en elke andere criminele activiteit die het werkterrein van de maffia was geweest tot deze kerels op het toneel verschenen.

Ook in het zuidwesten lag het zeer belangrijke Turkije dat tegenwoordig erg verguld was met het zakelijke feit dat de pijpleiding zou eindigen bij Ceyhan, waar vloten supertankers weldra zouden liggen te wachten om genoeg van het zwarte spul in te nemen om de 4x4's in het Verenigd Koninkrijk en aan de oostkust van de VS in de nabije toekomst op de weg te houden. Het gaf waarschijnlijk ook een erg veilig gevoel. De enorme Amerikaanse luchtmachtbasis bij Incirlik lag bijna op de drempel.

Ergens in 2005 zou een miljoen vaten olie per dag door de ruim een meter brede pijp gaan stromen. Het zou zes maanden duren om de zestienhonderd kilometer af te leggen – niet dat Turkije dat erg zou vinden. Ze wisten dat ze voor wat betreft UK en VS nu zo'n sleutelrol in het proces speelden dat een volledig lidmaatschap van de EU bijna gegarandeerd was, hoezeer de Fransen en Nederlanders ook tegenstribbelden. Die nummerborden in EU-stijl stoelden op meer dan alleen optimisme.

Het Kaspische bekken had vaak in het centrum van de internationale aandacht gestaan. In de negentiende eeuw, toen tsaristisch Rusland enige onenigheid had met het Britse Rijk, noemde Kipling de strijd om de olie het Grote Spel. Tweehonderd jaar later werd dat spel nog steeds gespeeld, maar nu met heel wat meer spelers.

Iedereen wilde een aandeel. Rusland had een pijpleiding aangelegd naar de kust van de Zwarte Zee. China deed ook mee. Een van de grootste onaangeboorde energiereserves van de planeet – naar schatting tweehonderd miljard vaten – lag onder de Kaspische Zee en sinds de ineenstorting van het sovjetrijk lag het voor het grijpen.

De VS hadden militaire adviseurs in Georgië om het leger te trainen. De Britten droegen hun steentje bij door te zorgen voor uitrusting, transport en logistiek en de hele inspanning werd het 'Partnership for Peace'-programma genoemd, waarbij het in theorie ging om de wederopbouw van het Georgische leger in het postcommunistische tijdperk, maar in de praktijk werd het getraind om de 'energiecorridor' te beschermen. De dreiging van sabotage door militante islamieten en etnische separatisten was voortdurend aanwezig. Telkens als die lui vrijaf namen van het oogsten van hun papavers, zou de leiding een onweerstaanbaar doelwit vormen.

Het grappigste dat ik had gelezen, was dat de Russen een basis hadden gebouwd naast elke basis van de VS, dus zaten de twee kanten voortdurend naar elkaar te staren. Vrede en harmonie was dus niet echt de naam van het spel, vooral als je in gedachten hield dat de Georgische regering in de top tien stond van de meest corrupte instellingen van deze planeet. Alles bij elkaar betekende het een grote kans dat Disco Charlie zwaar besodemieterd werd, en dat was precies de reden waarom ik hier was.

Het vliegtuig raakte de landingsbaan en ik haalde mijn tas uit het kastje boven mijn hoofd. De meeste andere passagiers waren zo te zien mannen – ofwel grote Turken in regenjas die hun pakje Marlboro tevoorschijn haalden om meteen op te kunnen steken als ze binnen waren, of plaatselijke inwoners die van top tot teen in het zwart waren gekleed. De enige spijkerbroek was die van mij, goedkoop aangeschaft op de markt samen met een trui met een mooie nylon glans die nog schreeuweriger was dan die van Charlie.

Ik zette de kraag van mijn bomberjack op en volgde de andere klanten over het natgeregende asfalt naar wat het sovjetregime ooit had beschouwd als een ultramoderne aankomsthal, een mausoleum van beton en glas. In de slechte oude tijd zou het versierd zijn geweest met een behoorlijk aantal bezielende portretten van de plaatselijke jongen die het ver had geschopt: Iosif Vissarionovitsj Dzjoegasjvili. Of zoals hij liever bekend stond, oompje Jozef Stalin.

2

Vanbinnen was de aankomsthal de laatste tien jaar wat opgedoft, maar op mij maakte het de indruk alsof het was gedaan door dezelfde ploeg die thuis de spoorwegen deed na de privatisering – de lui die het oude rollende materieel een lik nieuwe verf hadden gegeven en die hadden geregeld dat we bij het instappen een gratis tijdschrift konden pakken in de hoop dat we niet zouden merken hoe belazerd de toestand was waarin de rijtuigen verkeerden, dat de toiletten niet werkten en geen enkele trein op tijd reed.

De aankomsthal bestond uit vier hokjes voor de paspoortcontrole en in elk daarvan zat een glimlachende jonge vrouw achter een glazen scherm. Ik kon niet bepalen of ze in hun vrije tijd een meisjesband vormden of de trainingspartners van Maria Sharapova waren. Ik sloot me aan bij de rij die een visum moest hebben. Tot nu toe rook het land naar nat, vet haar.

Voor me stond een rij Turken in regenjas die met priemende blikken naar de bordjes 'Niet Roken' keken. Dat hadden ze kennelijk niet verwacht. Achter me, misschien zes of zeven mensen terug, hoorde ik een paar stemmen met het accent van de Merseyside. Ik draaide me zo terloops mogelijk om en keek hun kant op.

Ze waren met drie of vier, twee met een baard, allemaal gekleed in een Gore-Tex-jack, een praktische broek en hoge, praktische schoenen. Als dat groene, bloemachtige BP-logo niet op het label aan hun laptoptas had gestaan, zou ik misschien hebben aangenomen dat ze hier waren om een avonturencentrum te openen of een teambuildingseminar voor managers te leiden.

Ik draaide me terug. Aan de voorkant van de rij hadden twee immigratiefunctionarissen het te druk met roken en kletsen om wie dan ook te helpen met het papierwerk dat noodzakelijk was om de immigratie te passeren en mogelijk weer te worden verenigd met de bagage.

De Turken begonnen echt kwaad te worden. Ik wist niet zeker of het door het wachten kwam of door het feit dat de immigratiejongens Marlboro's wegpaften, terwijl zij dat niet konden. Eindelijk was de rookpauze voorbij. Nog steeds met elkaar kletsend begonnen de uniformen paspoorten op te pakken en de eigenaren kwaad aan te staren. Charlie had dit gisteren niet hoeven meemaken; hij had in Istanbul gewacht om zijn visum van tevoren te regelen. Hij had niets aan het toeval willen overlaten; anders dan ik had hij zich niet willen overleveren aan die grapjassen voor me.

Eindelijk bereikte ik de voorkant van de rij. De immigratielui zaten achter een glazen scherm aan een formica balie die ongeveer tot mijn middel kwam. De jongste van de twee greep mijn blauwe VS-paspoort en aankomstformulier zonder me zelfs een blik waardig te keuren. Hij bladerde door het paspoort en hief eindelijk zijn hoofd op. Zijn gezicht vertoonde geen enkele uitdrukking. 'Geen visum?'

Waarom zou ik verdomme anders de moeite nemen om voor een visum in de rij te gaan staan? Ik glimlachte. 'Ik kreeg te horen dat ik dat van u zou krijgen.'

Als ik de tijd had gehad om in Istanbul de hele dag in de rij voor het consulaat te staan, zou een visum me veertig dollar hebben gekost. Nu ik hier was, lag de prijs op tachtig dollar. Tenminste, dat was de theorie. Ik kon nauwelijks wachten om te horen hoever deze jongens hun geluk dachten te kunnen beproeven.

Hij glimlachte niet terug. 'Honderdtwintig dollar.'

'Honderdtwintig?' Ik speelde met het idee hem op de website te wijzen, maar verwierp dat meteen.

'Honderdtwintig dollar.'

Ik haalde het geld uit mijn portemonnee en overhandigde het bedrag. Het ging me niet zozeer om de extra dollars, maar meer om het principe. Hij keek me een paar tellen doordringend aan. 'Hé... Waarom bent u hier?'

'Om een vriend te zoeken.' De beste dekmantels zijn altijd gebaseerd op de waarheid. 'Hij heeft zijn vrouw in de steek gelaten en is hierheen gereisd. Ik ben gekomen om hem naar huis te brengen.'

Hij boog opzij naar zijn kameraad die nog steeds over het een of ander tegen hem zat te kletsen. De oudere kerel knikte en glimlachte; waarschijnlijk begreep hij dat hij zich nu kon veroorloven om op weg naar huis bij een hoertje langs te gaan.

Mijn kerel telde de harde dollars na, stopte het visum in mijn paspoort en gaf me zelfs een ontvangstbewijs. Het was slechts voor tachtig dollar, maar het visum besloeg wel een heel vel. Ik gaf hem een grijnslach om te laten zien dat ik dacht waar voor mijn geld te krijgen.

Ik pakte mijn weekendtas op en liep naar de paspoortcontrole. De Spice Girls droegen allemaal een glanzend bruin uniform. Hun nieuwe nationale vlag was op elke arm aangebracht: het kruis van Sint Joris, met een kleiner kruis in elk van de witte kwadranten. Het zag eruit als iets dat Richard Leeuwenhart op zijn schild kon hebben gekladderd voordat hij Jeruzalem ging bestormen.

3

Ik liep naar buiten, onder een enorme betonnen luifel. Waarschijnlijk was die gebouwd in de jaren vijftig om een record tarweoogst van de sovjets te vieren. Eronder drongen mensen naar voren en probeerden hun bagagekarretjes uit het pre-Stalinistische tijdperk in de richting van de taxistandplaats te dwingen. Aan de overkant van de weg stonden taxichauffeurs koffie te drinken buiten een rij helder verlichte houten keten, terwijl ze wachtten op hun ritjes.

Ik stond me nog te oriënteren toen de managers van de teambuilding aan boord stapten van een glanzende witte LandCruiser waarvan ik me voorstelde dat die helemaal was ingericht om hen mee te nemen naar een hete kop thee en een echt Engels ontbijt.

Ik wandelde in de richting van de steeds langer wordende rij taxi's. Een slordige stoet van vierkante, hoekige Lada's draaide naar ons toe. De bordjes waren wiebelig op het dak vastgemaakt met een paar elastieken, dezelfde manier die Silky bij de surfplanken gebruikte.

De Georgische vrouwen voor me bleken mager als een lat of even rond als een bowlingbal. Dertig leek de leeftijd waarop het ene stadium overging in het andere, ook al was dat behoorlijk moeilijk te bepalen; allemaal, zelfs degenen die grijs hadden moeten zijn, hadden ze hun haar pikzwart of donkerrood als een pruim geverfd.

Het was mijn beurt voor een Lada en dat bleek een heel aardige mosterd-en-roestkleurige. Ik stapte achterin. De raampjes waren beslagen en de radio stond op volle kracht in een poging het krassende geluid van de ruitenwissers over de gebarsten voorruit te overstemmen.

'Het Marriott, makker. Marriott Hotel.'

De sigaret die aan de onderlip van de chauffeur hing, wipte op en neer toen hij knikte. Maar de taxi kwam niet in beweging.

'Het Marriott. MA-RRI-OTT?'

'Marriott! Marriott!'

Het kwartje viel en de Lada schokte weg met een snelheid van niet al te veel knopen, waarschijnlijk omdat de voorruit eruitzag alsof die een salvo uit een semi-automaat te verwerken had gekregen en hij iets probeerde te zien door het web van barsten.

De meter zat onder een laag vet en sigarettenas en was waarschijnlijk nooit aangezet. Ik boog naar voren. De chauffeur was in de zestig, met een borstelige grijze snor en glad, naar achteren gekamd, grijs haar dat opkrulde over de kraag van een zwarte polotrui.

Ik wreef mijn duim en wijsvinger over elkaar. 'Hoeveel?'

Hij begon tegen me te kletsen en natuurlijk verstond ik er geen woord van. Het meeste klonk als Swahili, met hier en daar diezelfde rare klik en kelige verfraaiing.

Hij dacht er onder het praten aan om zijn koplampen aan te doen en aan de kant van de weg zagen we een 110 hardtop Land Rover geparkeerd. Hij was ontegenzeglijk Brits en militair – dofgroen met MoD-kentekenplaten.

De chauffeur was uitgestapt en leunde tegen het spatbord van zijn wagen. De combinatie van een dik, waterdicht blauw jack, een geschoren hoofd, stonewashed spijkerbroek en erg mooie, nog fonkelend schone Nikes betekende dat hij Amerikaan moest zijn. Misschien dat hij 'adviseurs' voor het 'Partnership for Peace'-programma afzette of ophaalde.

Ik was nog steeds niets wijzer geworden over de ritprijs toen we een brede vierbaansweg opreden naar de stad, die bijna twintig kilometer verderop lag. Ik wist dat alleen, omdat ik het op het web had gevonden. Er waren helemaal geen verkeersborden, alleen een stellage over de weg voor aanplakbiljetten waarop waarschijnlijk ooit posters hadden gehangen die de wonderen van het communisme verheerlijkten. Nu leken ze hetzelfde te verkondigen over Coke en Sony.

Toen we de buitenwijken van de stad bereikten, doemden aan weerszijden van de weg lelijke betonnen flatgebouwen op. Ze hadden kortgeleden een lik verf gekregen, maar niet in een kleur die je zou kiezen als je nuchter was. Sommige van de reusachtige blokkendozen waren groen, andere paars. Eén was geel.

Zulke goede wegen en nieuwe verf had ik niet verwacht. Als klap op de vuurpijl waren zelfs op dit moment van de ochtend, in het donker, vrouwen de weg aan het vegen met bezems waarop Harry Potter Quidditch speelde.

Een konvooi legergroene militaire vrachtwagens die stukken geschut trokken, passeerde ons de andere kant op toen wij de eigenlijke stad binnenreden. Ik wist dat Tbilisi aan de voet van drie massieve, steile heuvels lag. De rivier de Mtkvari stroomde er van noord naar zuid doorheen. Wij kwamen aanrijden uit het vlakkere oosten.

Tegelijk met de toename van de bebouwing kwamen er ook meer honden. Ze waren overal. Als ze niet losliepen en tegen elke auto binnen bereik pisten, zaten ze wel aan een riem en werden getrakteerd op hun ochtendwandeling.

Een blauw-witte auto blokkeerde de weg. De twee kerels in de glanzende nieuwe VW Passat zaten met gebogen hoofd te dutten; zo te zien waren ze een beetje moe van het spannen van een gestreept politielint van elke buitenspiegel naar de muur aan de andere kant. Mijn grijze vriend tuurde door zijn voorruit, vloekte en sloeg rechtsaf.

Het gladde wegoppervlak maakte meteen plaats voor een mijnenveld van watergevulde kuilen die groot genoeg waren om een bus in te verstoppen. Mijn chauffeur voegde zich bij alle anderen die van de ene naar de andere kant slalomden. Ik snapte niet hoe sommigen daarin slaagden zonder koplampen.

Dit leek meer op het Georgië dat ik had verwacht. Misschien wilde de VVV de toeristen niet de authentieke goelagervaring ontzeggen en moest de politie ervoor zorgen dat er geen ontkomen aan was. Er waren nu tenminste een paar verkeersborden in Russisch Cyrillische letters en in een taal waarvan ik aannam dat het Georgisch was, ook al leken de woorden meer op rijen verbogen paperclips.

De taxichauffeur sloeg telkens een kruis als we langs een kerk kwamen. Ik kon niet zeggen of het uit respect was of als afsluiting van een dankgebed, omdat we het bezeten rijden van zijn landgenoten en de kuilen op dinosaurusschaal hadden overleefd.

We staken de Mtkvari over, de snelst stromende – en bruinste – rivier die ik ooit had gezien, naar de westelijke oever en het centrum van de stad. Het Marriott lag aan de hoofdweg, een ander stuk vlak en pas gelegd asfalt dat evenwijdig aan de rivier liep. Het hotel zag er even groot en onpersoonlijk uit als elk ander waarin ik had gelogeerd, hoewel ik al voordat ik uit de taxi was gestapt kon zien dat het een van de nieuwste en mooiste uit de keten was.

Kandelaars met het formaat van een heteluchtballon hingen aan het vijfentwintig meter hoge plafond van een atrium. Binnen zagen alle mensen eruit alsof ze net uit een Armani-advertentie waren gestapt voordat ze naar hun ontbijtvergaderingen gingen; allemaal, zowel receptiepersoneel als de gasten, waren gekleed in verschillende tinten zwart.

Volgens het mededelingenbord in de receptie vond het Marriott het een eer om de conferentie van BP Georgië te verwelkomen en werden de delegaties om twee uur in de middag verwacht in de St David Zaal. Het kapitalisme werd niet alleen omhelsd in deze uithoek; het werd in een houdgreep genomen, waarna de contactgegevens via Bluetooth naar elke Blackberry werden ge-e-maild.

4

'Kamer 258, meneer.' De receptionist overhandigde me de kaart van mijn kamer.

Ik bedankte hem en draaide me om, maar hij was nog niet klaar.

'Eén moment.' Hij zocht onder de balie. 'Dit is voor u.'

Ik nam de dikke envelop aan. Op de achterkant stond: 'Van C.T.'

Ik boog me om mijn weekendtas op te pakken, maar een jonge piccolo was me voor. Hij begeleidde me de vier passen naar de lift. Ik had de hulp nauwelijks nodig, maar ik wilde het hotelprotocol niet ondermijnen en de aandacht op me vestigen. Bovendien was hij niet van plan de tas of de fooi te laten schieten.

Hij drukte op de liftknop. 'Bent u eerder in Tbilisi geweest, meneer?' Het accent kwam waarschijnlijk van kijken naar Amerikaanse tv-programma's, net als zijn uiterlijk. Zijn haar zat zo strak in de plooi dat hij meteen auditie had kunnen doen, en er was geen mee-eter of puistje op zijn wangen te ontdekken.

Ik glimlachte en maakte de gepaste geluiden toen we een Amerikaanse majoor in battledress met een attachékoffertje uit de lift lieten stappen alvorens die naar de tweede verdieping te laten stijgen. 'Nee, maar het ziet er heel aardig uit.'

Hij knikte instemmend, maar schonk me een blik waaruit twijfel sprak over mijn beoordelingsvermogen, als hij mocht afgaan op mijn kledingkeuze.

Toen we bij de kamer kwamen, liet hij me zien hoe de airco en tv werkten en nam zelfs de moeite om me uit te leggen dat de tweeliterflessen met Georgisch mineraalwater ernaast gratis waren. Ik wist het, maar onderbrak zijn gekakel niet. Ik wilde de grijze man zijn; of zoveel als mogelijk was in een trui met een oranje, groen, bruin en blauw patroon.

Nadat hij zijn praatje had afgesloten, maakte hij een buiging en schonk me een heel brede glimlach. Ik duwde een biljet van vijf dollar in zijn hand voordat hij de kans had om nog eens te beginnen. Ik had geen idee hoeveel het was in lari, zoals de plaatselijke munt volgens mij heette, maar hij vertrok heel vrolijk. Zoals bijna overal heerste de Amerikaanse dollar ook in Georgië.

Ik nam de dikke pluchen gordijnen, de meubels en de inrichting in me op. Het was een welkome verandering ten opzichte van de krotten waarmee ik het tijdens een klus normaal had moeten doen. Toen scheurde ik de envelop van Charlie open.

De Motorola prepaid gsm kwam recht uit de verpakking. Het zou het eerste ding zijn geweest dat hij na zijn aankomst had gekocht. Ik zette hem aan; er stond slechts één telefoonnummer op het display dat ik kon bellen, dus drukte ik dat tegelijk in met de afstandsbediening van de tv. Ik controleerde altijd graag of andere landen zaten opgescheept met dezelfde rotprogramma's als waarnaar ik keek.

Charlie nam meteen op en rekte zijn Yorkshire-klinkers zo lang als het maar kon. 'Heee, hallooo, hoe vaart gij, knul?' Hij klonk alsof hij een handvol prozac had geslikt.

'Mond dicht, rijke stinkerd. Ik zit in 258. Jij?'

'Eén-nul-zes.'

'Ik ga mijn boeltje uitpakken – zie je over ongeveer dertig?'

'Okidoki.' Hij zette de telefoon uit.

RTV1 was het standaardkanaal. Het was goed om te zien dat de Russische huisvrouw van tegenwoordig dezelfde lichtelijk geërgerde uitdrukking vertoonde als haar tegenhanger in Engeland wanneer ze zag dat haar jongens zich op het voetbalveldje in de modder wentelden, en dat Omo ook al haar problemen wegwaste.

Ik stopte de tweepolige stekker van de lader in een stopcontact en controleerde de balkjes. Charlie zou dat al gedaan hebben, maar helemaal vol laden kon geen kwaad, zeker niet in de wereldhoofdstad van de stroomonderbrekingen.

Ik zapte weer verder. *De Zwakste Schakel* zag er in Rusland net zo uit als waar ook, alleen had de vrouw die de vragen stelde bruin haar en trok ze geen gezichten zoals in Engeland.

Ik controleerde het brandkastje van de kamer, hoewel ik niets had om erin te leggen. Alle dollars die ik in Istanbul uit een geldautomaat had gehaald, ongeveer vijftienhonderd in biljetten van vijf en tien, zou ik bij me houden. Mijn paspoort zou ik ook bij me houden. Ik deed het alleen uit gewoonte, voor het geval de laatste gast iets van waarde voor mij had achtergelaten. Het zal wel een overblijfsel uit mijn jeugd geweest zijn, toen ik de vakken van telefooncellen en sigarettenautomaten controleerde op teruggegeven munten. Toen had het ook niets opgeleverd, maar je wist maar nooit.

Ik keek ook in de minibar. Alle gebruikelijke miniatuurflesjes, maar niet zoveel wodka als ik had verwacht. Coke. Fanta. Een plaatselijk bier bedekt met paperclipletters en een beetje Russisch. Een paar kleine flesjes mineraalwater met hetzelfde etiket, Borjomi, als de literflessen naast de tv, maar zonder het leuke kaartje dat me vertelde dat het de trots van Georgië was en een pijl op een kaart die naar een plaatsje ergens ten westen van de stad wees. De rest was bessensap en fruitdranken.

Ik koos een blikje appelsap.

Ik ging op bed zitten en met een gevoel van totale uitputting zapte ik door de overgebleven tweeëntwintig kanalen. De meeste waren Russisch; een paar leken plaatselijk nieuws te brengen en natuurlijk waren er CNN en BBC World. Ik liet een kanaal met Paperclip opstaan en wierp een blik naar buiten, toen ik op weg ging naar de douche.

Het weer was nog steeds ellendig. Het regende niet meer, maar het was een sombere, bewolkte dageraad. De straat recht onder me was al verstopt met een mengsel van westerse auto's, vrachtwagens en oude vierkante Lada's die zwoegden onder het gewicht van te veel zakken met piepers die waren vastgebonden op de imperiaal.

Daarachter lag een stel voorname gebouwen van een paar honderd jaar oud. Van de plattegrond wist ik dat de regering daar zetelde. Een paar musea, koepels en kerktorens van nog langer terug stonden schouder aan schouder met de dicht opeen gebouwde bakstenen blokken langs de smalle, stijl oplopende straten.

De communistische plannenmakers hadden ten minste een poging gedaan de grandeur van het centrum te behouden en de meeste rommel ver genoeg van het stadhuis gebouwd, zodat zij die troep niet hoefden te zien. Het zou me niet verbazen als ze, nadat het werk hier gedaan was, vertrokken waren om Hereford aan te pakken.

De groene heuvels die de stad omsloten, rezen boven de daken uit en leken dicht genoeg bij om aan te raken.

Ik trok mijn fluorescerende nylon sokken over mijn handen, sprong onder de douche en gebruikte ze als washandje, zodat zij en ik tegelijk werden gewassen.

Mijn eerste glimp van de foyer had me verteld dat ik een paar plaatselijke modewebsites had moeten bezoeken voordat ik hierheen kwam; spul van de markt deed het hier niet goed. Maar verrek, Charlies klus was vanavond, dus zou ik hier morgen vertrokken zijn...

Dat wil zeggen, als ik meedeed.

Ik wilde alleen eerst precies weten wat het was.

En hierheen komen was de enige manier om dat te ontdekken.

5

Wie probeerde ik voor de gek te houden?

Ik wist dat ik Discohanden tegen zichzelf moest beschermen, want waarom zou ik anders hier zijn?

Maar dat ging ik de oude stomkop nog niet vertellen. Hij moest ervoor werken.

Ik had een paar zorgen. Voor mijn gevoel ging het allemaal te haastig. Ik had liever wat tijd gehad om voeling te krijgen met deze plaats, maar dat ging niet. En bovendien was dat de reden waarom Charlie zoveel betaald kreeg.

Hij zou zijn kans moeten grijpen. En als hij begon te wankelen, was ik er om hem overeind te houden.

Vijf minuten later droogde ik me af, terwijl ik stond te kijken naar de beste rekruteringsadvertentie voor elk leger in het ons bekende universum. Pas na een ogenblik drong het tot me door dat het geen commercial voor Colgate was. Elke soldaat die je zag vertoonde de keurige, innemende glimlach waarvoor de gemiddelde Georgische mama zou sterven; een behoorlijk aantal was trouwens al aan het bezwijmen toen de parade voorbijtrok. Ik verwachtte elk moment de piccolo te zien.

De muziek verklankte sereniteit toen de camera even talmde bij jaloerse jongere broers die niet konden wachten om zich aan te melden en oudere zussen die alleen oog hadden voor de nieuwe kameraden van hun broers. En de hele tijd wapperde de vlag van Richard Leeuwenhart naast de Stars en Stripes, waarbij de twee in de bries af en toe verstrengeld raakten.

Het was allemaal erg roerend. Ik dacht er half aan om mezelf aan te melden. En zoals Charlie vaak placht te zeggen, meer had je niet nodig...

Ik liet de verdedigers van het vaderland naar de vlaggen saluerend achter en ging met geld, paspoort, telefoon en nat haar naar beneden.

Ik moest weten waarom het ging. Daarna was het de bedoeling dat we zo min mogelijk samen in het openbaar werden gezien. We zouden onze eigen verkenning uitvoeren, alleen voor de klus bij elkaar komen, wanneer dat dan ook was, en dan de volgende dag apart naar het vliegveld vertrekken. Onze retourvlucht naar Istanbul was om tien uur 's ochtens, maar het was niet erg als we die misten. In de volgende paar uur waren er vluchten naar Wenen en Moskou. Dat garandeerde in elk geval een vertrek uit Georgië en zodra we weg waren, konden we op zoek gaan naar een vliegtuig terug naar Australië.

Ik kon dan kijken of Silky nog steeds met me praatte, en hij kon gaan sterven.

Kamer 106 had een Niet-Storenbordje in het Russisch, Engels en Paperclip aan de deurkruk. Ik klopte aan en deed een stap achteruit, zodat de oude stomkop me door het spionnetje kon zien.

De deur ging open en een breed glimlachende Charlie liet me binnen. Hij had gekozen voor het uiterlijk van de olieman, compleet met een paar afgetrapte US gevechtslaarzen voor de woestijn. Het enige dat ontbrak was het gebloemde groene logo.

Hij bekeek me van top tot teen. 'Je doet moeite om je aan te passen, zie ik. Je ziet eruit als die flatgebouwen langs de weg hierheen.'

De gordijnen waren dicht en alle lampen waren aan. De laptop stond opgesteld op het bureautje bij het raam. Een kaart van de stad lag open op bed. Ernaast lag een verzameling geïmproviseerde slothaken en lopers. Ik ging op de rand van de matras zitten en pakte een stuk draad van een kleerhanger op. Hij had een steel van vijf centimeter en was daarna in een rechte hoek gebogen; het andere uiteinde was tot een cirkel gebogen.

'Je hebt de sloten al bekeken voor dit klusje van jou?'

'Ik kon alles op de video zien.' Hij ging voor de laptop zitten en stopte de memorystick in de USB-poort. 'Kom maar kijken.' Hij bevroor het beeld bij een opname van de grote, stalen dubbele poort. 'Zie je? Niks aan. Daar heb ik ongeveer tien tellen voor nodig.'

Hij had gelijk. Het was een gewoon klavierslot. Dat zou geen moeite kosten, zelfs zonder het te hebben bekeken. Dat zou ons tenminste in de tuin en uit het zicht brengen.

'Wat gebeurt er als je binnen bent? Dat heb je me nog steeds niet verteld.'

Hij klapte het scherm dicht en keek me aan. 'Het is een heimelijke DV (doelverkenning). Ik – hopelijk wij – moeten een safe openen, alle documenten jatten die erin liggen, alles weer afsluiten en het spul in een geheime brievenbus dumpen. Brave Baz zal het nooit weten; het is voor ons in en uit zonder ook maar een scheet achter te laten.'

Hij zweeg even.

'Het zal weer net zo zijn als aan de overkant van de plas, hè?'

Inderdaad; we hadden genoeg heimelijke DV's gedaan van PIRA-huizen, op zoek naar wapens of explosieven of om afluisterapparatuur aan te brengen, om het hele *Handboek bij Inbraken* mee te vullen. Maar dit was anders. 'Het klinkt als een heleboel geld voor een beetje jatwerk. Weet je waar de safe staat – en wat voor soort het is?'

Charlie glimlachte ongewild. 'Nee en dat doet er ook niet toe. Zelfs een stomkop als jij weet dat sloten ervoor ontworpen zijn om te worden geopend. Bovendien, waarom denk je dat ik zoveel betaald krijg?'

Ik stond op. 'Weet je wat je gaat pikken?'

'Nee. Gewoon iets wat in de safe ligt, handgeschreven of gedrukt.'

'Weet je waarom het heimelijk gestolen moet worden? Waarom kon een plaatselijke vent het ding niet gewoon opblazen?'

'Ik weet het niet en het kan me niet schelen. Daar kunnen wel duizend redenen voor zijn.'

'Woont hij alleen?'

'Ja, helemaal in zijn eentje in dat grote huis. Wat een verspilling.'

'Weet je wat die vent Baz heeft gedaan of wat hij gaat doen?'

Charlie wist dat ik hem urenlang met dit soort vragen zou bestoken als hij me de mond niet snoerde. 'Even ademhalen, knul. Alles is geregeld. Ik zal alles te horen krijgen wat ik moet weten als Bebop om negen uur langskomt. Hij zal het me moeten vertellen; het is voor hem te dicht bij het spookuur om mij aan het lijntje te houden en ik doe het niet als hij me geen reden geeft.'

'Waarom komt hij hierheen?'

'Ik heb hem in Istanbul een verlanglijstje met gereedschap gegeven.'

Charlie somde het op: fiberoptische apparatuur; grote koffer met slotenmakersgereedschap om alle mogelijke safes aan te kunnen; alle andere kleine details die nooit uit de gedachten van een expert zijn.

Charlie zat te grijnzen als een idioot. Hij vond het heerlijk om over werk te praten; het was net alsof hij uit zijn hok was gelaten. 'Waarom zo'n lang gezicht, knul? Ik weet dat het veel te veel is, maar we moeten aan alles denken, en niet in het laatst aan ons eigen hachje.'

Ik zat te luisteren, maar op dit moment was het gereedschap niet van belang. 'Ik maak me zorgen over jouw hachje. En het mijne. Charlie, je weet geen donder. Je zou vreselijk in de stront kunnen vallen, maat. Je zou met het afval weggegooid kunnen worden zodra het karwei is geklaard.'

6

'Ik weet dat het riskant is. Daarom wil ik dat jij meekomt. Als er wielen vanaf gaan lopen, dacht ik zo dat jij zou kunnen helpen om ze er weer op te zetten. Maar na negenen zal ik meer weten over wat de klus inhoudt...'

Ik gaf geen antwoord; ik wilde dat hij aan het werk ging en ik wilde meer weten over Bebop en Baz, en waarom hij documenten uit een safe moest stelen.

'Luister, ik ben al begonnen om mezelf in te dekken. De eerste band van de dikke heb ik met FedEx naar Hazel gestuurd. Ik heb haar gezegd het pakje niet te openen, alleen veilig op te bergen. Er staat vervloekte weinig op, maar het is tenminste een begin.' Hij stond op en liep naar de waterkoker op de minibar. 'Het is in orde, Nick, echt.' Hij wees naar het bed. 'Ga op je krent zitten, dan maak ik een lekkere kop thee.' Hij klonk als een opa. Wat hij natuurlijk ook was.

Ik schoof de kaart opzij en ging weer zitten. Mijn gezicht voelde warm aan. Waar maakte ik me zoveel zorgen om – de klus of zijn veiligheid? Ik kon het niet zeggen.

De kleine plastic waterkoker begon te borrelen. Charlie stond met zijn rug naar me toe. 'Goed, knul. Doe je mee?'

Hij scheurde een paar sachets open en liet de theezakjes in twee koffiekopjes zakken. Daaruit zouden we niet veel te drinken krijgen. 'Het is weer net als vroeger, hè?'

'Nee, Charlie, het is niet net als vroeger. We gebruiken onze eigen paspoorten. We weten niet waar we verdomme mee te maken krijgen. We hebben de klus niet in eigen hand.' Ik keek naar zijn rug. 'Ik doe het niet, tenzij we meer weten...'

Ik zweeg geërgerd. 'Waarom heb ik het verdomme over wij?'

Dat vond Charlie grappig. Zijn schouders schokten zo hard dat het leek alsof hij met zijn hele lichaam grinnikte.

Na een minuut of twee bedaarde hij en begon weer met de achterkant van een lepeltje in de melkcupjes te prikken. 'Denk je dat ik dat allemaal niet weet? Daarom heb ik jou hier nodig, knul. Zoals ik zei, om voor bewaker te spelen.'

Hij draaide zich om en gaf mij de beker aan.

'Nou, wat doe je?' Zijn ogen waren een beetje vochtig en ik wist niet zeker of het wel van het lachen kwam. 'Met ons tweeën is het een fluitje van een cent...'

Ik nam een slokje van de slapste thee die ik ooit had geproefd. 'Hoe heette hij ook alweer?'

'Zurab Baz-je-vader. Zoiets.'

'Verdorie, je kent zijn naam niet eens. Zit je aan de drugs of zo?'

'Wacht even, ik weet het weer. Hij heet Bazgadze. Maar zijn naam doet er toch niet toe? Ik weet waar hij woont en we gaan niet bij hem op bezoek of zo. We doen vandaag de verkenning en dan gaat het er vanavond op los. Daarna meteen ervandoor. Misschien koop ik nog wel een mooie taxfree fles om mee naar huis te nemen voor Hazel. Weet je dat dit land de wijn heeft uitgevonden?'

Ik schoof de kaart opzij om languit te kunnen liggen en zette de thee op het nachtkastje. 'Hoe was het met haar?'

'Een beetje geprikkeld, maar ze weet dat jij bij me bent.' Hij was weer een en al glimlach. 'Silky was aan het rijden met Julie.'

Ik besefte dat ik ook glimlachte. Het was pas een paar dagen geleden, maar ik miste haar al. Ik was eraan gewend geraakt in haar buurt te zijn. Het was beslist een heel stuk leuker om bij haar te zijn dan bij deze oude stomkop.

Charlie had raak geschoten en hij wist het. 'Als je wilt, kun je zelfs bij Hazel in een goed blaadje komen door te zeggen dat je mij mee terugsleurt zonder dat we de klus doen. Wat dacht je daarvan?' Hij toetste het nummer in zijn gsm. 'Toe maar, bel haar op.' Hij gooide het ding op bed. 'Ik heb haar trouwens al verteld dat jij zou proberen om het uit mijn hoofd te praten.'

Ik liet de gsm liggen. 'Stel dat we vanavond niet naar binnen kunnen? Is er een plan B?'

'Nee. Nu of nooit. Toe maar, bel haar op.'

Hij stopte met zijn eigen pogingen om het ondrinkbare op te drinken. 'Ik blijf, knul. Ik heb geen keus. Ze denkt trouwens dat we nog steeds in Turkije zijn. Vertel haar dat je me morgen thuisbrengt.' De glimlach was verdwenen. Dit was ernst. 'Alsjeblieft.'

Ik pakte de gsm en drukte op de beltoets. Het duurde een eeuwigheid voordat de telefoon aan de andere kant begon over te gaan, maar na de eerste keer werd hij al opgenomen.

'Nee,' zei ik. 'Het is Nick.'

'Wanneer is jullie vlucht? Moeten we jullie van het vliegveld halen?'

'Morgen. Hij is eindelijk bij zijn verstand.'

'Vreselijk bedankt, Nick.' Ik dacht niet dat ik iemand ooit zo opgelucht had horen klinken. 'Dank je, dank je. Wanneer komen jullie aan?'

'Dat zal ervan afhangen of er directe vluchten zijn vanuit Istanbul. Het is een nachtmerrie. Is Silky daar?'

Ik hoorde Hazels gedempte antwoord en toen Silky's stem. 'Ik mis je, Nick Stein. Kom je morgen terug?'

'Hmm, luister, we bellen met een gsm en dat kost een fortuin. Ik zal je bellen zodra we een vlucht hebben, goed?'

'Best.'

'En Silky?'

'Wat?'

'Ik mis jou ook, vetkop.'

Ik verbrak de verbinding en gooide de gsm weer op bed. 'Maar verrekte goed dat dit geen beeldtelefoon is.'

'Wil je niet dat ze ziet dat je een ellendig gezicht trekt?'

'Nee, ik wil niet dat ze deze trui ziet.'

Ik pakte de kaart. 'Goed,' zei ik. 'Hoe gaan we deze kraak verdomme zetten?'

7

De lucht was zwaar en grijs en sneed telkens de toppen van de heuvels af. Auto's spetterden door plassen die zo groot waren als een tennisbaan. De bestrating glinsterde rond de bushalte waar ik zat te wachten tot Bebop kwam opdagen. Het zou een vreselijk drukkende dag worden.

Ik stond aan de overkant van de straat en hield de ingang van het hotel in het oog. De bedoeling was dat ik Charlie bijtijds zou waarschuwen als er een 'gegadigde' naar binnen ging. De camcorder stond in zijn kamer opgesteld om het overhandigen van het gereedschap en zijn antwoorden op de vragen van Charlie vast te leggen. De tape zou een belangrijk gedeelte van ons vangnet worden, mochten de wielen eraf lopen. We zouden die netjes opbergen – samen met al het andere waar we de hand op hadden kunnen leggen – en ervoor zorgen dat Crazy Dave wist dat we een paar dingen in de knip hadden zitten om te voorkomen dat Bebop of wie dan ook ons besodemieterde.

Ik stond rechts naast de etalage van een vuurwapenwinkel. Klanten die op de bus stonden te wachten, konden een bijna eindeloze verzameling jachtgeweren, geweren en verchroomde pistolen voor allerhande doeleinden bekijken. Ik had al een paar kerels voorbij zien lopen met schouderholsters over hun trui die ze niet gebruikten om hun deodorant in op te bergen. De truien waren natuurlijk zwart. In Georgië was zwart helemaal in. De mannen droegen meestal zwart leer over zwarte stof. Iedereen van boven de dertig zag eruit alsof hij de hele nacht buiten de beste striptent van Tbilisi mensen had staan wegsturen.

De straten die van de hoofdstraat heuvel op liepen, zagen er allemaal uit alsof ze al een hele tijd geen nieuw asfalt meer hadden gezien. Er waren meer kuilen dan er Lada's waren om erin te donderen en de bestrating was zo kapot dat er ook geen trottoir meer was.

Hele meutes schurftige honden deden de hele dag kennelijk niets anders dan op vuil jagen dat werd opgewaaid door de wind. Er lag genoeg rommel op de grond en er hingen genoeg verschoten plastic zakken in de bomen om een vierde heuvel te vormen die de afsluiting rond de stad compleet zou maken.

Er verstreken weer tien minuten. Afgezien van de vuurwapenwinkel, een paar winkels voor mobiele telefoons en een paar cafés leek de hele hoofdstraat alleen te bestaan uit boekwinkels. Terwijl ik toekeek hoe de oude-bunkervormige Russische vrachtwagens alle ruimte op de boulevard probeerden af te pakken van gloednieuwe Volvo's en Mercedessen, drong het tot me door dat er geen verkeerslichten waren. Nu ik erover nadacht, besefte ik dat we de hele weg van het vliegveld ook geen enkel verkeerslicht waren gepasseerd. Ofwel waren de chauffeurs hier erg beleefd, of mogelijk zou toch niemand zich er iets van hebben aangetrokken.

Vlak voor negen uur stopte een tweekleurige Mitsubishi Pajero 4x4, zilveren onderkant, donkerblauw dak, buiten het hotel. Hij stond driedubbel geparkeerd. Zelfs van deze afstand kon ik zien dat de passagier op de achterbank het formaat had van een kleine tank. Hij stapte waggelend op het wegdek, opende de achterklep om een grote lichtgekleurde tas te pakken en verdween toen door de glazen deuren. De chauffeur liet de Pajero staan. Er was een behoorlijk aantal limousines en 4x4's geweest die mensen ophaalden en afzetten, maar dit voelde aan als Bebop.

Ik drukte op de toets van mijn gsm. De SOP voor deze klus was om alleen Charlies nummer achter te laten als het laatste telefoontje en dat deed ik voor het geval ik het vergat. 'Ik heb een gegadigde met een grote tas.'

Ik besloot met de dood te dobbelen, terwijl ik wachtte tot de mogelijke Bebop weer naar buiten kwam, en ik stak de weg over om de twee op de voorstoelen beter te bekijken. Ze stonden met de zijkant naar me toe, recht voor me, toen ik slalommend het laatste stuk weg overstak. De twee jongens kwamen recht uit de bak Zware Uitsmijters van een castingbureau. Midden dertig, veel zwart leer. Allebei gladgeschoren en kaal en de chauffeur had fraai gemanicuurde handen die op het stuur lagen en een bril met een donker montuur.

De nummerplaat was van geperst staal, witte achtergrond, zwarte letters voor het getal 960; een plaatselijk nummer, niet militair of diplomatiek. De motor liep nog, dus was de passagier van de achterbank niet van plan lang binnen te blijven.

Ik voelde de telefoon in de zak van mijn spijkerbroek trillen. Ik sloeg bij de eerste gelegenheid rechtsaf om uit het zicht te komen en drukte op de groene toets.

'Hij is op weg naar beneden, knul. Zie je over tien.'

8

Charlie haalde de tape uit de camcorder. Hij had zijn handschoenen al aan.

De DV-apparatuur lag klaar op het bed naast een marineblauwe rugzak ter grootte van de schoenenzak van Imelda Marcos waar we alles in konden stoppen. Hij had niet de moeite hoeven nemen om zijn eigen lopers te maken; zo te zien had Bebop er een afgeleverd van elk type dat ooit was gemaakt.

'Bebop had twee plaatselijke kaalkoppen op sleeptouw. Maffia of olie? Zet je aan het denken, nietwaar?'

'Zou kunnen, als ik de moeite zou nemen om erover te denken. Maar dat ga ik niet doen, knul. Ik krijg er koppijn van.'

'Logisch.'

Ik pakte een paar rubberen handschoenen van het bed en begon ze aan te trekken. Als Bebop of zijn kaalkoppen DNA of vingerafdrukken op het gereedschap hadden achtergelaten, was dat hun zaak, maar ik wilde niet dat er iets van Charlie en mij op terechtkwam.

'Kom op, ouwe. Hoe ging het?'

'Ik zei tegen hem dat ik de klus alleen maar wilde doen als ik wist waarom het ging. Dus praatte hij me bij terwijl ik handschoenen aantrok en de onderdelen van de uitrusting een voor een voor hem uitstalde.'

Alles wat een ontluikende inbreker kon wensen was er, van slothaken, lopers en krammen tot mini-Maglites, een sleutelringlampje en rubberen deurwiggen, maar één bepaald onderdeel ontbrak. 'Waar is het wapen, makker? Iedere vent hier heeft er een.'

'Niet nodig. Zoals ik zei – in en uit zonder een scheet achter te laten.'

Hij pakte de vezeloptische apparatuur op en schudde aan de kabel, zodat het uiteinde kronkelde als een worm. 'Onze man Baz schijnt zijn vieze vingertjes overal in de pap te hebben. Hij heeft connecties met de militanten in het noorden en krijgt smeergeld van de Russen. Beide groepen willen de pijpleiding saboteren, wat niet alleen de aanvoer zal stoppen, maar ook het leven van Amerikaanse en Britse arbeiders die bij de bouw zijn betrokken, in gevaar brengt.

Bebob wil dat stevig de kop indrukken, maar eerst moet hij weten wat Baz in die safe van hem heeft weggestopt – je kent dat wel: wie is om te kopen, wie heeft het semtex onder zijn bed verstopt en dat soort dingen. Zodra hij al die gegevens in het handje heeft, kan hij – en ik vermoed dat het gaat om de Amerikaanse regering en nu ik erover nadenk, dus ook de oliemaatschappijen – naar de Georgische topmannen stappen en hem verlinken. De geëigende autoriteiten kunnen in actie komen en bingo, iedereen kan een leuk feestje bouwen.'

Hij draaide zich om en keek me aan. Deze keer glimlachte hij niet. 'Ben je nou tevreden? Je mag de tape zien als je wilt.'

Ik schudde mijn hoofd. Niet nodig. 'Niet als jij hem gelooft.'

'Klinkt me logisch in de oren. Niet dat het iets uitmaakt. Zoals ik zei, knul, ik doe het. Als die harige militanten de pijpleiding gaan aanvallen, zal het levens kosten. De hoofdaannemers kennen de gevaren; ze worden er goed voor betaald. Maar dat geldt niet voor die andere arme sukkels – de kerels die het stomme ding moeten bewaken...'

Ik herinnerde me de jongens met de frisse gezichten uit het rekruteringsspotje. En toen begreep ik het. 'Ik neem aan dat ze ongeveer zo oud zijn als Steven...'

'Je slaat de spijker op zijn kop, maat. Goede kerels die verneukt worden; het is in elke taal hetzelfde. Wie weet? Misschien kan ik een paar andere ouders de nachtmerrie besparen die Hazel en ik hebben meegemaakt. Daarom doe ik dit niet, maar het zou een verrekt aardige bonus zijn.'

Zijn gezicht vertoonde geen enkele uitdrukking toen hij een ogenblik aan zijn jongen dacht, maar hij slaagde erin het gevoel bijna even snel te onderdrukken als het was opgekomen. Ik kende dat proces maar al te goed. Ik hoopte altijd dat het met de jaren gemakkelijker zou worden.

De rimpels in zijn gezicht kwamen terug. 'Het geld kan eigenlijk verrekken. Ik zou hier een Georgische medaille voor moeten krijgen! Wil jij er eentje?'

'Maakt mij niet uit,' zei ik. 'Wat is het plan?'

'Twee mogelijkheden. Bebop zegt dat Baz tot zondagochtend uithuizig zal zijn. Hij is naar een of ander nationaal park om baby's te zoenen of wat je in deze contreien ook moet doen om stemmen te winnen. Dus moeten we vanavond zodra het mogelijk is, naar binnen gaan, de safe vinden en aanpakken. We pakken wat erin ligt, sluiten alles weer achter ons af en nemen morgenochtend de eerste vlucht.'

'Hoe staat het met de GBB? Waar dumpen we het spul?'

Hij was de GBB vergeten, ik kon het zien. 'Heb ik je dat niet verteld? Een kerkhof, ongeveer tien minuten van het huis. Wat we vinden, gaat in een plastic zak en in een stenen bank naast iemand die Tengiz heet. Het is geen probleem, want hij ligt aan het hoofdpad begraven.' Zijn uitdrukking veranderde van een stomme grijns in een vriendelijke glimlach. 'Wat vrolijker! Ik frons misschien niet zo zwaar als jij, maar dat wil nog niet zeggen dat ik niet aan het werk ben.'

Hij vouwde de kaart open.

'Nog iets wat je bent vergeten me te vertellen, ouwe stomkop? Hoe staat het met plan B? Je zei dat je twee mogelijkheden had.'

Hij keek nogal schaapachtig. 'Plan B bestaat niet, knul. Ik vond het beter klinken als het leek alsof we een paar mogelijkheden hadden om mee te spelen.' Dat vond hij leuk. Zijn glimlach was even breed als de Mtkvari, maar het was duidelijk dat hij zich nog probeerde te herstellen van zijn blunder.

'Ik heb een voorstel, Charlie. Als ik nu vast eens langs het doelwit loop? Dan kun jij wat tijd nemen om vertrouwd te raken met deze troep.' Het was een voorzichtige manier om hem eraan te herinneren dat hij voor zijn verkenning moest controleren of alles op het bed werkte. 'We zullen een RV in het centrum afspreken en die GBB opzoeken. Dan gaan we uiteen en komen hier terug voor de briefing.'

Ik knikte naar de tape naast de tv. 'Wat ben je daarmee van plan? Weet je wat' – ik pakte de tape en stopte hem in mijn jack – 'ik neem hem mee. Jij hebt al genoeg troep mee te sjouwen.'

Ik deed mijn jack dicht. 'Weet je zeker dat je hiermee door wilt gaan?'

De glimlach verdween. Hij ging me op mijn flikker geven. Ik hief mijn handen op. 'Ik weet het, ik weet het. Dit is de laatste keer, ik beloof het. Ik wil alleen zeker weten of jouw stomme seniele hersenen alle risico's in kaart hebben gebracht.'

Hij speelde met de set om sloten open te breken. 'Het moet gedaan worden.' Hij probeerde een van de haken uit het etui te trekken, maar scheen er moeite mee te hebben. Hij liet alles snel op het bed vallen, voordat hij dacht dat ik het had gemerkt.

Ik draaide me om, maar werd teruggeroepen. 'Ai, waar zijn mijn hersenen – laten we eens kijken of er nog iets is blijven hangen van alle jaren dat ik geprobeerd heb om je wat bij te brengen. Eén: Bebop is er niet in geslaagd de geboortedatum van Baz te vinden, kan jij dat wel? En twee: we hebben vijf à zes handdoeken en de patronen van een paar brandblussers nodig voor vanavond...'

Ik knikte en draaide me weer naar de deur.

'En zorg ervoor dat je ze van de penthouseverdieping jat. Als er brand komt, mogen die opgeblazen klootzakken fikken...'

Deel vijf

I

Ik kwam het hotel uit en sloeg rechtsaf de hoofdstraat in, waarbij ik op de kaart keek die ik bij de receptie had gekregen. Ieder ander op straat was een in het zwart gehulde inwoner of een westerling in het voorgeschreven Gore-Tex-jack met poloshirt en Rohan-broek. Het was in elk geval de kleding van de dag in het Marriott geweest. De receptie had vol gestaan met lui die zo gekleed op weg waren naar het ontbijt; het café was een zee van lui die eropuit gingen.

Ik volgde de hoofdstraat die evenwijdig aan de rivier, ergens rechts van mij, liep. Het was 11.26 uur en een heel stuk drukker nu ik langs de opgedofte opera, theaters, musea en het parlementsgebouw liep. Het waren prachtige gebouwen uit een tijdperk van voor Josef Stalin, die was langsgekomen met een paar miljoen vrachtwagenladingen kant-en-klaar beton. Ik begreep er niets van. Uit wat ik had gelezen, begreep ik dat er nog steeds een paar standbeelden van hem overeind stonden en dat er genoeg oude sovjets waren die hem beschouwden als hun grootste leider – nogal beangstigend als je naging dat hij zo'n miljoen van zijn toegewijde kameraden om zeep had gebracht.

Boven me, vlak voordat de wolken voor de hemel trokken, torende een radio- en tv-mast omhoog die even hoog leek als de Eiffeltoren en die doorlopend beelden uitzond van Amerikaanse vlaggen en glimlachende Russische huisvrouwen.

Op dit uur van de dag liepen er behoorlijk wat plaatselijke bewoners op straat, maar ik was niet de man die hier op kon gaan in de menigte. Ik had geen huid die in vijf minuten was gebruind zoals die van hen, mijn haar was niet zwart en mijn ogen waren blauw. Ik paste hier even goed in het straatbeeld als de kerstman in de Congo. Mensen keken naar me alsof ze allemaal tot de conclusie waren gekomen dat ik een spion moest zijn of van plan was een aantal heel verkeerde dingen te doen.

Een blauw-met-witte Passat van de politie reed voorbij. De twee kerels erin hadden AK's op de achterbank liggen. Ze namen me allebei van top tot teen op, voordat de chauffeur iets tegen zijn maat zei over die vreemde vogel. Ze konden verrekken, ik zou hier snel genoeg weer vertrokken zijn. Bovendien waren ze waarschijnlijk gewoon jaloers op mijn trui.

Toch begon ik me meer zorgen te maken over deze klus – of eerlijk gezegd, begon ik me meer zorgen te maken over Charlie. Wat waarschijnlijk inhield dat ik een beetje bezorgd was over mezelf, omdat ik stom genoeg was om met hem mee te doen. Ik kon niet helemaal volgen hoe hij de lijst met gereedschap kon opdreunen en tegelijk de GBB kon vergeten...

Toen dacht ik: Verrek, nou en? Ik zou hiermee doorgaan. Charlie had me nodig. Alleen hij was belangrijk. Hij mocht dan discohanden hebben en misschien had hij moeite om zich te herinneren wat er ging gebeuren, maar hij was er tenminste. Elke andere vriend die ik ooit had gehad, ongeacht of de vriendschap zich in een embryonaal stadium had bevonden of het punt had bereikt waarop we elkaars kleren droegen, was dood.

Ik deed dit voor Charlie; hij deed het voor Hazel. Ik kon hem niet in de steek laten. Hij zat op dit ogenblik in het hotel en maakte zich waarschijnlijk druk over het feit of ik al dan niet had gemerkt dat er momenten waren dat hij niet eens in zijn eigen neus kon peuteren. Misschien maakte hij zich wel erg druk over het feit dat hij niet wist of hij zijn zaakje lang genoeg onder controle kon houden om deze klus af te werken. Waar hij nu het meeste behoefte aan had, was de wetenschap dat hij op mij kon rekenen en dat gaf me een goed gevoel.

Misschien zou ik ook mijn steentje bijdragen aan het redden van een paar jochies langs de pijpleiding. Ik had gezien wat het in een gezin aanrichtte als de geliefde zoon omkwam en ik besefte dat ik dat helemaal niet leuk vond.

Ik had een flauw vermoeden dat ik me zo sterk op Steven en Hazel probeerde de concentreren dat ik niet aan Kelly en mij hoefde te denken, maar ik had niet het lef om dat toe te geven. Dus dacht ik in plaats daarvan aan Silky en dat voelde veel beter. Ik wist dat ik liever met haar op een strand zat dan dat ik ging klooien in de achtertuin van een Georgische politicus.

Ik stak de straat over en kwam voorbij een Engelse boekhandel/pub/ internetcafé. Een hoge, Amerikaanse vrouwenstem klonk gillend door de open deur. 'O-mijn-god... dat-is-*zooo*-cool.' Ik prentte me in dat ik deze kroeg links moest laten liggen.

Ik voelde dat ik glimlachte. Het was een feit dat ik Silky miste. Maanden op de bank van een psychiater hadden mijn hoofd lang niet zo doeltreffend geleegd als een paar maanden rondzwerven met een gemakkelijk levende, onconventionele vetkop.

Misschien keerde ik gewoon naar haar terug om in de komende jaren het continent in die camper te doorkruisen. Misschien zou deze klus ook mijn zwanenzang zijn.

Ik kwam langs het nieuwste herkenningspunt van de stad. Zonder twijfel was de nieuwe McDonald's het blinkendste en stralendste gebouw aan de hoofdstraat. De bruine marmeren muren glommen vanochtend extra door de coating van regen. Nieuwe bekeerlingen stonden met hun kinderen in de rij voor een Georgische McBrunch.

Buiten stonden niet al te veel Lada's geparkeerd. Als nieuwigheid in de stad was de parkeerplaats het domein van Mercedessen met getinte ramen en zelfs een Porsche 4x4. Je kreeg dergelijke auto's in dit deel van de wereld niet door te werken voor je geld. Alle chauffeurs – annex lijfwachten – stonden bij elkaar onder een naburige boom, trokken aan Marlboro's en onderbraken dat af en toe om as van hun verplichte zwartleren mouwen te slaan.

Een oude man in een nog ouder zwart colbertje wees met een houten stokje parkeerplaatsen aan, toen steeds meer glanzende auto's kwamen aanrijden vol rijke kinderen die zich wilden volstoppen met imperialistische Amerikaanse calorieën. Ik dacht er zelfs over om ook een supergrote burger te halen.

Niet veel verder zou ik de hoofdstraat verlaten; op de kaart was het gemakkelijk te zien, omdat McD's er heel groot op stond aangegeven. Maar goed ook, want de straatnamen in het Russisch en Paperclip kon ik niet lezen.

Mijn plan was eenvoudig. Zo mogelijk zou ik een volledige 360 doen rond het huis dat het doelwit was, tot ik zoveel mogelijk had gezien. Mijn prioriteiten waren verdediging en ontsnappingsroutes. Dat wil zeggen, als ik niet werd opgepikt door een van de blauw-witte VW's. Ze zoemden als vliegen door de stad of stonden verscholen tussen rijen geparkeerde auto's, terwijl de inzittenden oplettend rondkeken en rookten.

Ik sloeg linksaf bij de tweede kruising en liep heuvelopwaarts een buurt met smalle straten en kleine huizen in die nog niet waren gewassen en opgeborsteld. Plotseling was ik in het echte Tbilisi, het gedeelte dat arm en vervallen was, en plotseling besefte ik dat ik me er thuis voelde, weg van het land van nieuwe verf en glanzend nieuw asfalt.

Bakkerijtjes verkochten brood en koeken door een gat in de muur. Auto's weken uit voor ronde gaten en voor voetgangers die de straat op waren gestapt om kraters op het trottoir te ontwijken. Achtergelaten auto's en uitpuilende vuilnisbakken stonden langs de stoeprand. Misschien werd vandaag afval opgehaald. Of misschien was het gewoon een overblijfsel van het communisme, want de overtuiging dat alles binnen je vier muren jouw verantwoordelijkheid was en alles daarbuiten de zorg van de staat, was hand in hand met de hamer en sikkel gegaan.

Het was gemakkelijk genoeg om de huisnummers te achterhalen. Ze waren aan de muur bevestigd op een plastic plaat van een halve meter in het vierkant waarop ook de straatnaam in Paperclip en Russisch stond. Het voelde aan als een treurige, uniforme terugkeer naar het verleden, maar ik nam aan dat de postbode daardoor zeker geen fouten zou maken met de kerstkaarten – tenzij je in een van de mooiere huizen woonde. Die schenen zichzelf niet te hoeven aanprijzen.

Elektrische kabels liepen boven mijn hoofd in elke denkbare richting en kwamen uit schijnbaar zelfgemaakte schakelkasten die aan bomen hingen. Misschien waren ze ook wel zelfgemaakt. Als de stroomvoorziening zo onbetrouwbaar is, zullen mensen altijd manieren verzinnen om ervoor te zorgen dat ze hun deel krijgen. Regenwater druppelde uit regenpijpen die hun inhoud rechtstreeks op straat lieten stromen. Ik begon door het klimmen een onplezierig laagje zweet op mijn rug te voelen.

Ik liep verder de heuvel op en het zweet stroomde nu ongehinderd. Na drie kruisingen te zijn gepasseerd hoopte ik in de Barnovstraat te zijn. Het doelwit moest hier ergens aan de linkerkant liggen.

Oude, ooit elegante huizen stonden naast excentrieke moderne blokken van glas en staal. Zonder uitzondering werden ze beschermd door hoge muren, sommige gepleisterd en geschilderd, andere gewoon van ruwe betonblokken.

Ik kwam langs de Franse en Chinese ambassade. Buiten elke ambassade stond een hokje compleet met verveeld kijkende bewaker die de ochtendkrant stond te lezen. Ondanks het aanzien en de gaten in de weg, was dit kennelijk het beste deel van de stad.

Lada's waren hier ook niet de limousines waaraan de voorkeur werd gegeven. De enige merken die de laatste paar minuten het smalle trottoir hadden geblokkeerd, waren VW en Mercedes. Maar vreemd genoeg droegen niet veel chauffeurs zwart. Een oogverblindend hawaïhemd reed voorbij in een Saab, terwijl hij tegelijk een sigaar rookte, in zijn gsm brulde en ook nog de tijd vond om zijn glad naar achteren gekamde zwarte haar in het achteruitkijkspiegeltje te controleren. Hij zag er niet uit alsof hij op weg was naar een receptie van een ambassadeur.

Dit moest maffiaterritorium zijn. Leuk voor hen, maar niet zo leuk voor Charlie en mij. Er zou een ongezonde hoeveelheid bewaking in deze buurt zijn.

2

Ik kende het nummer niet, maar van wat ik me herinnerde van de opnames met de video in een zak, zag ik dat ik bij het doelwit was.

Op de bovenkant van de drie meter hoge muur glinsterde gebroken glas. Geen probleem om overheen te klimmen als het nodig was, alleen wat tijdrovend. En ik had gelijk, er waren hierboven geen huisnummers voor de chique huizen.

Ik liep langs de roestige stalen poort. Tot dusver had ik bij deze verkenning niet meer gezien dan wat de film me had getoond. Er was alleen wat nieuwe graffiti in Paperclip en Russisch op de poort gespoten. Het sleutelgat was een simpel geval met drie klavieren dat Charlie met zijn spullen in een paar tellen kon openen.

Door de spleet tussen de poortdelen ving ik een glimp op van een blauwe auto. Er was vijf centimeter ruimte aan de onderkant en daar stak aan de binnenkant van elke deur een stalen pen in de grond. Tenzij er een andere uitgang was, zat het er dik in dat Baz thuis was.

De hoge muur liep nog drie tot vier meter door alvorens bij de kruising naar links te buigen. Ik volgde de muur en zag meteen dat ik niet meer over het doelwit te weten zou komen dan ik al wist.

Aan de overkant van de straat lag een nachtclub/restaurant/bar die Primorski heette. De neonverlichting brandde niet, maar foto's buiten de zware, zwarte deuren toonden dansmeisjes die recht uit Las Vegas kwamen, veren in hun haar droegen en verder bijna niets.

De gepleisterde muur ging na een paar meter over in kale betonblokken om daarna bij de volgende zijstraat weer de hoek om te gaan. Ik sloeg niet mee linksaf. Er stond een blauw-witte auto geparkeerd. In plaats daarvan ging ik rechtsaf naar het kerkhof. Charlie zou via die weg komen en precies hetzelfde zien wat ik zag op de plaats waar ik stond: dat de vervallen huizen zo dicht tegen elkaar stonden dat het doelwit net zogoed een terraswoning had kunnen zijn met een andere rij erachter.

Als we er een rotzooi van maakten en het op een rennen moesten zetten, zou de gemakkelijkste ontsnappingsroute bergop naar de tv-mast zijn. Daarboven was geen bebouwing. Misschien zouden we zelfs over de heuvel onder dekking van de duisternis ter hoogte van het Marriott kunnen afdalen om een taxi naar het vliegveld te nemen. Ik moest nu de GBB controleren op het kerkhof dat iets verder heuvelop lag. Misschien konden we wel van daaruit in de tuin van het doelwit kijken. Ik liep langs een rij winkels die alleen maar schoenen leken te verkopen. Ik stuurde Charlie een sms: *Neem verrekijker mee.*

Ik kreeg een *OK* terug, wiste die en liep verder.

De allerlaatste winkel verkocht voedsel. Ik ging naar binnen en kocht een fles water. Het was hetzelfde spul dat in de minibar en naast de tv van het Marriott stond, de trots van Georgië.

Eén ding had Charlie zich ten minste goed herinnerd. Het kerkhof was echt niet meer dan tien minuten lopen en het was gemakkelijk te vinden. Ik hoefde alleen maar de oude lui te volgen die met hun wandelstokken tegen de stroom van een terugkerende begrafenisstoet in strompelden.

Auto's die eerder in de steek gelaten dan geparkeerd leken, vulden een groot open terrein aan de overkant van de weg. Misschien stonden ze te wachten om te gaan tanken bij het gloednieuwe, vrolijk verlichte benzinestation aan de rechterkant, dat pas zo kortgeleden was geopend dat het betonnen voorplein nog wit was. Ik betrad de begraafplaats door een oud ijzeren hek dat was bevestigd aan de restanten van een kapotte muur en liep spitsroeden tussen een tiental oude vrouwtjes die bloemen en lange dunne kaarsen verkochten.

Het kerkhof zelf was even druk als een winkelcentrum en leek totaal niet op wat ik in het Westen gewend was. In plaats van keurige rijen grafstenen, was dit een labyrint van grote begraafplaatsen voor families die stuk voor stuk waren omgeven door een smeedijzeren hek of een laag muurtje.

Mannen en vrouwen zaten met elkaar te kletsen en dronken thee of koffie aan tafeltjes die dicht bij de graven in de grond waren vastgezet. Een oude vent was dronken, ook al was het nog erg vroeg op de dag, en stond te tieren tegen een van de stenen. Ik had het gevoel dat hij zijn gram haalde voor een leven lang vitten.

Om de twintig meter was er langs het hoofdpad een waterkraan en mensen waren bij de meeste ervan kopjes aan het uitwassen of vazen aan het vullen.

Een vrouw die aan een tafeltje vol kaarsen zat, probeerde me er een paar te verkopen toen ze zag dat ik met lege handen kwam, maar ik bleef doorlopen over het centrale pad. Ik zag dat de meest luxe plaatsen meteen aan het pad lagen. Je betaalde in dit land kennelijk een meerprijs voor het schoonhouden van je schoenen. Buiten het pad moesten mensen zich tussen andere grafplaatsen door wringen om bij hun eigen plek te komen. Op één graf stond een met glas afgedekt olieverfschilderij van een clown.

Een fijn zwart soort korrel of grint was op de grond tussen de grafplaatsen gestrooid en dat werkte kennelijk. Er was geen grassprietje te zien.

Ik probeerde de indruk te wekken dat ik hetzelfde deed als ieder ander en andere grafstenen bekeek terwijl ik rustig op weg was naar de graven van mijn eigen familie. Ik was op zoek naar de laatste rustplaats van Tengiz. Het enige dat Charlie me had verteld, was dat die aan het hoofdpad lag. Ik had er geen idee van of ik op zoek was naar een man of een vrouw, ook al maakte dat niet uit. We zouden in de aap zijn gelogeerd als de inscriptie in Paperclip was.

Het zat ons mee. Ik kwam bij een grote grafsteen van zwart marmer op een vierkante grafplaats die was bedekt met wit steensplit en afgezet met een pas geverfd smeedijzeren hek van iets meer dan een halve meter hoog. Ik zag nu waarom Bebop het had gekozen. De gegraveerde portretten van vier uitdagend kijkende mannen staarden me aan en onder een heleboel Russisch en Paperclip stond Tengiz als het enige leesbare woord.

Opzij ervan stonden naast het pad een tweezitsbank van zwart marmer met een stevig ogend onderstel en een roestige afvalbak vol dode bloemen. Als de bak daar voorgoed was achtergelaten, zou ik die als oriëntatie gebruiken.

Een rij vrouwen zat bij de volgende grafplaats te breien en op zonnepitten te kauwen. Ze zaten met supersonische snelheid te kletsen en toen ik voorbijkwam werd er een heleboel gemompeld en werden er ogen naar de wolken gericht. Ik vroeg me af of het iets had te maken met de trui.

Ik controleerde de rest van het hoofdpad voor het geval er nog vijf Tengiz-graven waren om uit te kiezen, maar die waren er niet. Het werd tijd om te kijken of er hierboven een punt was vanwaar ik in de tuin van het doelwit kon kijken. Als dat er niet was, zouden we blind naar binnen gaan.

Ik zag een plek helemaal aan de rand van het kerkhof, waar een eenzame houten bank uitkeek over het getto. Er was een steile helling van ongeveer zes meter naar de weg beneden; de hoofdingang zou ergens links aan de weg liggen. Om er te komen moest ik langs rijen en nog eens rijen pas aangebrachte grafstenen lopen met elk een foto van een jonge man of vrouw die in 1956 leek te zijn overleden. Het zag ernaar uit dat de nabestaanden na de val van het communisme eindelijk de kans hadden gekregen om enkelen van de miljoen slachtoffers van Stalin te gedenken.

Ik kwam bij de bank en ging zitten. Ik hoefde nu alleen maar te kijken of ik het huis van Baz kon ontdekken.

Ik belde Charlie die nog op pad was om een kijker te kopen. 'Ik heb een mogelijke plek langs het hoofdpad gevonden. We hoeven alleen maar te controleren of het blok dat de steen ondersteund niet massief is, anders heb ik de verkeerde. Als je de omheining links van de hoofdingang volgt, dan zit ik op het hogere terrein.'

3

Charlie voegde zich ongeveer twintig minuten later bij mij op de bank. Inmiddels had ik achterhaald waar het doelwit lag en ik kon nog net de blauwe auto in de tuin en het grootste deel van de voorgevel zien. Er was een voordeur met een raam aan weerszijden en nog twee er recht boven op de eerste verdieping. Maar op deze afstand zouden we een kijker nodig hebben om details te onderscheiden.

Hij had een boodschappenzak in zijn hand. 'Verrek zeg, ik dacht dat kerkhoven plaatsen van ingetogen stilte waren. Hier is het net een kermis.'

'Wat dacht je van de GBB, ouwe?'

'De vier kerels die naast de afvalbak voor bloemen naar God loeren? Dat moet hem zijn. De bank wordt ondersteund door een vierkant bestaande uit vier delen. Het moet van binnen hol zijn. Hoe dan ook, daar kom ik vanavond wel achter, hè? Ik heb in het hotel een stripboekje voor je meegenomen. Iets om je bezig te houden, terwijl ik al het werk doe.' Hij viste een krant uit de zak, gevolgd door een groene miniatuur verrekijker die nog in de verpakking zat.

Het was de *Georgian Times*, een Engelstalig weekblad dat elke maandag uitkwam. Ik bekeek de voorpagina, terwijl hij de kijker uitpakte.

George Bush zou na de viering van VE-Day (Victorie in Europa) in Moskou tijdens zijn terugreis op 10 mei een bezoek brengen aan Tbilisi. *TBILISI IN AFWACHTING VAN BELANGRIJK BEZOEK*, schreeuwde de kop. Dan: *TBILISI OOGT ALS EEN PAPAGAAI*.

Kennelijk maakten de inwoners zich druk over het geel en roze dat op alle gebouwen was gesmeerd om het vuil te verbergen.

'Nu begrijp ik het. George W. komt eraan, dus nieuw asfalt. Ik durf te wedden dat hij net als de koningin denkt dat de hele wereld naar nieuwe verf en boenwas ruikt.'

Charlie snoof van het lachen. 'Dacht wel dat je het leuk zou vinden. Misschien heeft de haast van deze klus iets te maken met zijn bezoek. Je weet wel, plaatselijke problemen oplossen voordat de hoofdpersoon verschijnt.' Hij bracht de verrekijker naar zijn gezicht en begon scherp te stellen.

Ik bladerde door de rest van de krant. Veel wereldnieuws stond er niet in. De meeste pagina's waren gewijd aan groepen glimlachende mensen die buiten het hoofdkantoor van een plaatselijk bedrijf handen stonden te schudden, met onder de foto lovende woorden over bedrijfscontacten en het belang van het wereldwijd verspreiden van de boodschap van het Georgische zakenleven. Een kort artikel vermeldde dat de regering nogmaals had geëist dat de Russen hun troepen zouden terugtrekken. Maar weer was het Russische antwoord: ja, ja, ja, wacht maar tot 2008, hebben we toch gezegd – of woorden van gelijke strekking.

Ik bekeek de rest van de pagina. 'Nieuws van de pijpleiding,' zei ik. 'Hier staat dat ze op schema liggen. Eind mei begint het pompen.'

'Interesseert me niet, knul.' De kijker werd op het doelwit gericht. 'Ik ben rechtstreeks naar pagina drie gegaan. Kijk zelf maar – prachtige bergtoppen.'

Ik bladerde terug. 'O ja, dat is mooi.' Ik keek naar een foto van de bergen in het Borjomi Nationaal Park. 'Daar komt het water vandaan.' Ik las het artikel nauwkeuriger. 'Hemel, kennelijk heeft iemand er een rommeltje van gemaakt. De pijpleiding loopt er recht doorheen en veel te dicht bij de natuurlijke bronnen. Het belangrijkste exportartikel van Georgië zal meteen tot het verleden behoren als de pijpleiding breekt door een landverschuiving. De regering zit in de stront. "Pressiegroepen eisen een onderzoek," staat hier. Het World Wildlife Fund staat op zijn achterste poten. Er is van alles aan de hand. Heb je de horoscoop ook gevonden?'

Charlie was het doelwit nog aan het bestuderen. 'Barst, Nick.' De kijker trilde in zijn handen. 'Zo te zien is er verlichting met bewegingsmelders – en een paar camera's bestrijken de tuin. Hier, wat denk jij ervan?'

Ik ruilde de krant voor de verrekijker. Een groep oude vrouwtjes kwam achter ons langs, elk met een kaars in de ene hand en een bos bloemen in de andere. Ze waren allemaal in het zwart gekleed en droegen een hoofddoek.

Ik keek naar het huis.

'Is dat zijn Audi?'

'Ja, blauw en een oude bak. Ik heb zelfs het nummer voor later. Als hij corrupt is, wat Bebop beweert, zou je toch denken dat hij zich een fatsoenlijke kar kon veroorloven.'

Hij had gelijk wat het licht betrof; op de hoek aan onze kant zat een camera van een gesloten tv-circuit en op beide hoeken van de voorgevel waren lampen gemonteerd. Onder elke lamp zat een zwarte plastic cilinder waarvan we moesten aannemen dat het een bewegingsmelder was. We hadden er niets van gezien toen we erlangs liepen, omdat ze ter hoogte van de eerste verdieping zaten en werden verborgen door de muur.

Een camera in de rechterhoek was op de poort gericht en een andere bestreek de zijkant van het huis en was naar achteren gericht, net als de camera op de linkerhoek. Zonder twijfel was er nog eentje aan de achterkant. Ik bekeek de poort.

— 'Ik denk nog steeds dat de grendels met de hand worden bediend.' Ik liet de kijker zakken. 'Heb je ze in het voorbijlopen gezien?'

'Nee. Wat vind je van de twee bijgebouwen?'

De kijker kwam weer omhoog. De enige ramen die wat licht in de benedenverdieping zouden brengen, waren die naast de voordeur. Aan de achterkant en de zijkanten was de afstand tussen muur en huis niet meer dan twee meter. Misschien had het gebouw oorspronkelijk een hek gehad en geen buren.

Twee bakstenen bijgebouwtjes stonden tegenover het huis, aan de andere kant van de ongeveer tien meter brede gescheurde betonnen binnenplaats. Als we door de poort binnenkwamen, zouden ze zich rechts van ons bevinden, met de Audi pal voor ons en de voordeur aan onze linkerkant. 'Goede plaats om ons te verbergen, terwijl we onze spullen klaarmaken? Als hij thuis is, hebben we tenminste een plek om te gaan zitten nadenken.'

De voorkant van het huis was vlak. Drie treden gaven toegang tot een terugspringende portiek. De deur was van massief, natuurlijk gekleurd hout met twee klaviersloten aan de rechterkant, één op een derde van boven en de andere op een derde van onder en de deurkruk in het midden. Op deze afstand kon ik niet bepalen of de deurkruk ook een slot had. Op de grond lagen gebarsten, bloedrode vierkante tegels en een kokosmat.

Ik voelde een paar spatjes regen op mijn gezicht. Mist kwam aanrollen van de andere kant van de stad. Drie jongemannen kwamen voorbijlopen. Ze hadden de capuchon van hun veelkleurige trainingspak over hun hoofd getrokken en deden tevergeefs hun best om er niet steels uit te zien.

Charlie grinnikte. 'Op zoek naar een plek om wat eigen geteelde papaver uit het noorden te proberen, denk ik.' Hij veegde het vocht van zijn wang. 'Goed, het huis – makkie of niet?'

'Weet ik nog niet. Ik moet er nog even over nadenken als we terug zijn in het hotel. Jij?'

'Simpel. De kans is groot dat de bewegingsmelders daar beneden alleen voor de lampen zijn en misschien stellen ze ook het gesloten tv-circuit in werking. Waarom zouden ze verbonden zijn met een alarm? Het zou elke keer dat een vleermuis langsvliegt, afgaan. De arme Baz zou de hele nacht wakker liggen, nietwaar?' Hij pakte de verrekijker van me over. 'Zal ik je wat zeggen, knul? Ik vind dat we er gewoon op af moeten gaan. De straatverlichting is waardeloos. Door de poort, dan de oude antidetector sluipgang naar de voordeur. Ik zal die openmaken, het karwei uitvoeren en dan sjouwen we hier naar boven en dumpen het spul in de GBB. Dan op tijd terug naar het hotel voor het ontbijt. Denk eraan, een lekker vroeg ontbijt, omdat we een erg belangrijke afspraak hebben met Air Georgia.' Hij liet de verrekijker zakken en keek me grijnzend aan. 'Klinkt dat als een plan?'

'Het klinkt als een vervloekte nachtmerrie.'

Hij ritste zijn jack open en stopte de verrekijker erin. 'Geef me een paar minuten. Ik kan langs die nachtclub lopen voor ontsnappingsroutes aan de zijkant.'

Ik pakte de krant weer op. 'Best, ik kom over een kwartiertje.'

Charlie stond op en legde zijn hand op mijn schouder. 'Luister, knul, ik wil je bedanken...' Hij zweeg even en leek moeite te hebben met slikken. 'Ik heb even gedacht dat je niet meedeed. Daar maakte ik me zorgen over. Ik heb jouw hulp echt nodig, dus bedankt.'

Ik wist niet wat ik moest doen. Mijn brein leek te bevriezen. Verdomme, wat was hij van plan? Me zoenen? 'Ik hoop dat je je de terugweg nog weet te herinneren, stomme ouwe klootzak...'

Charlie glimlachte; hij wist dat het een beetje te veel voor me was. Man tegenover man, dan voelde ik me alleen op mijn gemak bij emoties die niet verdergingen dan de boodschap op zijn glazen bierkroes.

'Misschien, misschien niet. Als ik verdwaal zal ik het aan een aardige politieman vragen. Er lopen er verdorie genoeg rond, nietwaar?'

Hij liep weg en ik had er meteen spijt van dat ik hem niet had verteld hoe ik me voelde. Hij was mijn vriend en natuurlijk zou ik hem nooit in de steek hebben gelaten. Maar dat was slechts een van mijn vele problemen. Pas achteraf wist ik altijd wat ik had moeten zeggen.

Ik bladerde nog eens tien minuten in de krant, met een hoofd vol van stel dat, wat dan... Stel dat Baz thuis was? Stel dat hij ons tegemoetkwam als wij door de gang slopen? Stel dat er helemaal geen safe was?

Voor mij was drie uur plannen maken voor drie minuten werk altijd goed bestede tijd. Maar misschien had Charlie gelijk. Waar maakte ik me druk over? We zouden in het hotel het plan en alle 'stel dat'-gevallen nog doornemen.

Ik merkte dat ik weer aan Silky zat te denken en concentreerde me op alle positieve dingen. Het kostte me nog eens ongeveer vijf minuten om tot het besef te komen dat het niet werkte. Hoe hard ik ook mijn best deed, ik kon mijn voornaamste zorg niet wegdrukken: dat Charlie zou kunnen vergeten wat het plan was, zodra we bij het doel waren.

Ik stond op van de bank en begon de helling af te lopen, langs de ene na de andere rij jonge glimlachende gezichten van de overledenen uit 1956. Ze zagen er allemaal ongeveer even oud als Steven toen ook hij als een brave knul werd verneukt.

4

Het regende niet meer en er waren zelfs een paar sterren die door het opengescheurde wolkendek fonkelden.

Ik zocht mijn weg langs de opera waarbij ik dezelfde route volgde als eerder. Het was mijn taak het gebied in de richting van het hotel te beveiligen; Charlie deed hetzelfde vanaf de andere kant van de Primorski.

Zelfs een halfuur voor middernacht was het nog druk op de straten en trottoirs. In de meeste winkels brandde licht en de McD's was afgeladen vol. Ik had gehoopt dat Tbilisi geen stad was van nachtbrakers, zodat ons het leven wat gemakkelijker werd gemaakt, maar dat geluk hadden we niet.

Ik had het hotel om ongeveer halfnegen verlaten, nadat ik de portier had gevraagd of hij me een paar goede adressen kon geven om te gaan eten. Het klonk volstrekt normaal, omdat het hotel vol zat met de Gore-Tex-versie van de VN. De conferentie van BP Georgië was afgelopen en in het restaurant en de bar waren zo mogelijk meer Europese talen aanwezig dan er poloshirts waren.

Niet dat ik in de positie verkeerde om daarover te lachen. Charlie had zich belast met het kopen van de uitdossing van een olieman voor ons allebei, zodat we ons voor de vlucht konden verkleden. We zouden straks nat en vuil worden, dus zouden we ons wat moeten fatsoeneren voordat we het land verlieten. Ik had een aardige blauwe trui met een bijpassende Rohanbroek en een iets gewatteerd kaki jack om mee naar huis te gaan. Als ik dat morgen droeg, zou ik bijna onzichtbaar zijn.

Ik had even gekeken of dat Amerikaanse gilmens Prospero Books, het Engelse boekhandel/pub/internetcafé, had verlaten, stapte naar binnen en logde in met een warme chocomel en een kleverig broodje. Het leek een ontmoetingsplaats te zijn voor Engelsen en Amerikanen die aan de pijpleiding en op de respectievelijke ambassades werkten. Of misschien was het de enige zaak in de buurt met een eigen generator, zodat ze online konden blijven als de stroom uitviel.

Mijn eerste grote vraag voor Google was de geboortedatum van Baz.

Met een beetje geluk was er ergens een lijst met persoonlijke informatie over Georgische politici; ik zou hoe dan ook gewoon het web opgaan en het vinden.

Eén benadering bij het kraken van de combinatie van een safe, bestaat uit het kraken van de psychologie van de eigenaar. Verrassend vaak bleef het combinatieslot op de fabrieksinstelling staan – meestal 100, 50, 100. Ik kende de standaardinstelling in het Oostblok niet, maar Charlie ongetwijfeld wel.

Als je de standaardinstelling vervangt door een andere combinatie, is de kans groot dat je de hele tijd bang bent dat je die niet meer weet; het is hetzelfde als met pincodes. Mensen gebruiken dus het liefst getallen die ze kennen, zoals hun geboortejaar, nummerbord, of telefoonnummer. Als ze willekeurige cijfers kiezen, zullen ze die bijna zeker ergens opschrijven. Een adresboek is meestal een goede plaats om met zoeken te beginnen.

Het was gemakkelijker dan ik had durven hopen. De Georgische regering had een website waarop ze persoonlijke details publiceerden. Baz was pas vijfenveertig; hij was geboren op 22 oktober 1959. Hij moest wel een zwaar leven hebben gehad, want op zijn foto was een kalende man met een paar plukjes grijs haar te zien die zo mager was als een lat. Hij had een paar van de broodjes kunnen gebruiken die ik naar binnen aan het werken was.

Een bordje boven elke pc herinnerde gebruikers eraan dat ze hun geschiedenis niet moesten wissen. Misschien moest de zaak elke vierentwintig uur een print-out aan de politie overhandigen of controleerden ze het zelf na elke gebruiker. In een poging mijn sporen zo goed mogelijk te verbergen, wiste ik mijn geschiedenis en wierp toen snel een blik op de dagelijkse portie onheil en treurnis op de website van CNN.

Twee kruisingen na McD's sloeg ik linksaf de heuvel op naar Barnov. De rivier lag achter me, de grote tv-mast met rood knipperende waarschuwingslichten schuin links voor me. De lichtgloed van de hoofdstraat doofde uit toen ik verder de woonbuurt inliep en er kwam weinig anders voor in de plaats dan licht dat tussen gordijnen naar buiten viel en af en toe de koplampen van een auto. Hier was de straatverlichting niet even slecht als in de buurt van het doelwit, er bestond gewoon geen verlichting.

Mijn gsm trilde in mijn zak op het moment dat een blauw-witte naar beneden kwam rijden. Ik haalde hem tevoorschijn en drukte op de groene toets.

'Alles veilig aan mijn kant en de je-weet-wel is behoorlijk druk.' Hij had de straat gecontroleerd die evenwijdig liep aan de straat van het doelwit liep en naar de je-weet-wel leidde, de Primorski club, om te zien of er geen moord of zoiets was gepleegd waardoor de blauw-witten en masse de straat zouden blokkeren. Hij had gezegd dat hij er een kwartier voor mij wilde zijn; teamleider en zo. Het was niet aan mij om tegenwerpingen te maken; hij was de techneut, ik alleen maar de poetslap.

Charlie droeg de hele MVI-uitrusting in de rugzak. Om het uiterlijk van de bejaarde student te vervolmaken had hij alleen nog een coltrui en een wollen muts nodig. Om niet op te vallen had ik een zwarte baseball-pet van Dynamo Tbilisi gekocht. Die bedekte ook het zwarte skimasker dat opgevouwen bovenop mijn hoofd zat voor het geval dat het misging en de camera's gingen draaien die we konden zien of andere die we niet konden zien. Hij had er zo op vertrouwd dat ik zou blijven, dat Charlie het masker al voor mij had gekocht voordat ik er was.

Ik begon weer een zweetdruppeltje op mijn rug te voelen toen ik mijn laatste controle uitvoerde. Ik voelde in mijn broekzakken voor het geval dat ik er per ongeluk wat losse munten in had laten zitten na het verlaten van de boekhandel en om er zeker van te zijn dat de doorzichtige rubberhandschoenen er nog in zaten. Niet dat ze er vanzelf vandoor zouden gaan, maar het gaf me een beter gevoel als ik nogmaals controleerde dat ze dat niet hadden gedaan. Controleren en testen, controleren en testen; daar ging het om in dit spelletje.

Ik had de handschoenen, maar geen kleingeld; de collectebus had flink geprofiteerd van mijn vakkennis. Verder lag alles in de safe van mijn kamer en de toegangskaart van die kamer was achter het toilet naast het restaurant van het hotel geschoven. Steriel een klus uitvoeren gaf me altijd een onbehaaglijk gevoel. Geen paspoort bij me dragen betekende geen mogelijkheid tot ontsnappen hebben. Maar als we gepakt werden, waren we onze paspoorten kwijt en wisten ze wie we waren. Als we werden gepakt en ontsnapten, hadden we op deze manier nog een kans om het land uit te komen. Ik had ook vierhonderd dollar in opgerolde bankbiljetten in de zak van mijn spijkerbroek zitten. Niet voor een bijzondere reden, maar gewoon omdat ik me daardoor iets beter voelde.

Ik verzekerde me ervan dat de mini-Maglite in de linkerzak van mijn bomberjack zat. Als ik die nog een keer testte, zou de batterij leeg raken. De zware stalen CO_2-patroon uit een van de brandblussers zat veilig in de rechterzak. Hij was een kleine vijfentwintig centimeter lang en de doeltreffendste knuppel die ik me kon wensen.

Charlie had de andere van de twee die ik uit de brandblussers op de bovenste verdieping van het Marriott had gehaald. Zij vormden onze imitatie-inbrekersuitrusting. Als we werden ontdekt zou 'actie' hetzelfde zijn als we aan de overkant van het water hadden toegepast: ons een weg naar buiten vechten en wat deuken achterlaten, misschien zelfs de persoon die ons had ontdekt een beuk geven.

Ik keek voor een laatste keer naar steentjes in mijn schoenzolen en na even op en neer te hebben gesprongen voor het geluid en om er zeker van te zijn dat de patroon niet uit mijn zak zou vallen, was ik klaar. Ik wilde dit gewoon zo snel mogelijk achter de rug hebben zodat ik kon gaan luisteren naar stewardessen met een Australisch accent.

5

De Franse en Chinese ambassades waren verlicht als een kerstboom en uit de hokjes van de bewakers klonk jankende, bijna Arabische muziek. Nu en dan reed een paar koplampen de straat op of af, maar Barnov lag grotendeels in duisternis gehuld.

Het doelwit kwam links van me dichterbij. Geen licht achter de ramen van de bovenverdieping. Ook ramen van buren met uitzicht op de poort of tuin waren niet verlicht. Tot zover niets aan de hand.

Ik belde Charlie. 'Alles in orde.'

'Deze kant ook. Zie je over twee.'

De telefoon zweeg en deze keer had ik zijn nummer onthouden, dus wiste ik het voordat ik de gsm uitzette. Op de telefoon stond nu niets meer, ook al wilde dat niet veel zeggen als we werden opgepakt. Ze konden alle ontvangen en gebelde nummers nog steeds traceren.

Ik sloeg de oude student gade die heuvelafwaarts kwam van de kant van de Primorski. De straat achter hem zag er leeg uit. Ik had geen idee wat er achter me gebeurde, maar dat maakte niet uit. Als Charlie een probleem zag, zou hij gewoon doorlopen als hij bij de poort was. Voor mij gold hetzelfde. We zouden dan een volledige ronde maken en terugkomen om het nog eens te proberen. Hij was voor mij bij de poort, haalde de rugzak van zijn schouders en zette die zacht op de grond. Sinds de vorige keer was een nieuwe laag graffiti in Paperclip op de poort gespoten. Het bedekte in elk geval de roest. Hij keek een laatste keer rond en zakte toen op zijn knieën. Ik leunde met mijn rug tegen de linkerpoort en bleef de omgeving afspeuren, terwijl ik mijn rubberen handschoenen aantrok.

Charlie gluurde door de opening van vijf centimeter aan de onderkant. Ook aan de andere kant moest alles in orde zijn. De Audi stond er kennelijk niet, want hij haalde zijn zelfgemaakte slothaken uit de zak en begon aan het slot te werken. Misschien voelde hij zich beter als hij zijn eigen spullen gebruikte in plaats van de bouwmarktspullen die Bebop had afgeleverd. Wie kon het wat schelen als hij maar zorgde dat we snel in de tuin waren?

Er klonk een zacht schrapen van metaal op metaal toen hij het slot begon aan te pakken. Ik had zelfs even een déjà vu uit de tijd dat we aan de overkant van het water opereerden en samen een DV deden op een huis in de wijk Shantello in Derry. We waren op zoek naar een tijdmechanisme van de IRA waaraan ze van plan waren vier pond semtex te hangen om dat dan in een buurthuis aan de overkant van de rivier te plaatsen. Een team in de Bogside, een paar kilometer de weg af, hield een medeplichtige en zijn vrouw in de gaten die aan de zwier waren. Voor sluitingstijd, over een uur, moesten we proberen in hun huis te komen om het mechanisme te vinden en ervoor te zorgen dat het nooit zou doen waarvoor het gemaakt was.

We kwamen binnen door een raam aan de achterkant en het eerste doel was alle kamers te controleren om er zeker van te zijn dat ze boven geen slapende kinderen hadden thuisgelaten of dat iemand in de voorkamer met een koptelefoon naar muziek zat te luisteren.

Ten slotte kwamen we op de overloop van de bovenverdieping. Ik klom op Charlies schouders, duwde het valluik omhoog en trok mezelf op de vliering. Het was zijn taak om me een Maglite aan te geven, zodat ik eerst goed kon rondkijken voordat ik begon te zoeken.

Ik liet mijn hand naar beneden hangen om de lamp aan te pakken, maar er gebeurde niets. Ik boog verder naar beneden voor het geval dat hij me niet kon bereiken en toen nog iets verder tot ik bijna naar beneden viel. Ik keek naar beneden om te zien wat het probleem was en zag toen dat hij de Maglite voor de grap steeds lager hield.

Charlie moest twee handen voor zijn mond slaan om het niet uit te proesten van het lachen. Hij vond het althans grappig. Uiteindelijk, zoals bij de meeste DV's, vonden we geen barst. De pubs gingen sluiten en we hadden tien minuten om naar buiten te komen en alles precies zo achter te laten als we het hadden gevonden.

Charlie had een eeuwigheid nodig. Een klavierslot is heel simpel; zelfs met geïmproviseerd gereedschap had het openen niet langer dan dertig tellen moeten duren. Ik haalde mijn ogen van de straat en gaf hem een schopje. 'Wel verdomme, schiet een beetje op, seniele klootzak.'

Zijn schouders schokten toen hij stil lachte en op dat moment kwamen van links koplampen de heuvel af. Ik duwde me af en begon de straat op te lopen in de richting van de Primorski. Ik wist dat Charlie overeind zou komen en hetzelfde zou doen, net als ik met zijn handen in zijn zakken om de handschoenen te verbergen. We zouden allebei een ronde maken.

De auto, een grote Mercedes, sloeg rechtsaf naar de Primorski op het moment dat ik dezelfde hoek omsloeg. Hij stopte langs de stoep en drie meisjes van begin twintig stapten uit gevolgd door een man van in de vijftig. De meisjes waren gekleed in glinsterende jurkjes die fonkelden en schitterden in roze en blauw neonlicht. Misschien had grootvader daarom zijn zonnebril nog op. De walm van sterke parfum en sigarenrook vulde de lucht toen ik erlangs liep. De achterdeur van de club werd door de bewaking voor hen opengehouden en ik hoorde een gedempt geroezemoes van gepraat, muziek en gelach.

Ik sloeg linksaf om verder te gaan met mijn ronde. Ik maakte me zorgen over Charlie. Het had hem veel te veel tijd gekost om de poort open te krijgen. Ik zette de gsm aan. Als hij eraan had gedacht zou hij hetzelfde hebben gedaan. 'Luister, gaan we daar nog naar binnen of hoe zit het? Laat je handen wapperen en schiet eens op.'

Een auto reed langs hem heen toen hij antwoordde, maar ik durfde er een eed op te doen dat hij lachte. 'Laten we de wijsheid en de ervaring nog een kans geven, daarna mag de ongedurige jeugd het proberen.'

De verbinding werd verbroken, maar ik hield de telefoon in mijn hand. Nog een paar auto's hotsten en plasten door de kuilen. Ten slotte was ik weer op Barnov.

Ik belde Charlie. 'Met mij. Ik ben weer in de straat.'

Hij had zijn ronde aan de overkant van de straat gemaakt zodat we elkaar niet te dicht passeerden. Maar algauw kon ik hem voor me de straat zien oversteken, zodat hij aan de kant van het doelwit kwam. Een Lada rammelde me van achteren voorbij, passeerde de kruising naar de club en reed verder de heuvel op.

Charlie verdeed geen tijd toen we weer bij de poort stonden. Hij zakte op zijn knieën maar deed de rugzak deze keer niet af. Ik keek naar beneden en zag dat hij twee gevechten leverde, één met het slot en het andere met zijn handen. Ik stootte tegen zijn been. 'Verdorie, kom in de benen. Ik zal het proberen.'

Hij keek op en schokschouderde. We wisselden van plaats. 'Klote,' mopperde ik toen ik aan het werk ging. 'Dit slot is bijna even oud als jij.'

De slothaak zat nog op zijn plaats. Ik voelde de tegendruk van het klavier boven in het slot voordat hij draaide en toen was de poort open. Ik trok de haak eruit en gaf hem aan Charlie.

Ik zette de baseballpet af, rolde het skimasker over mijn gezicht en zette de pet weer op. Charlie deed hetzelfde. Ik maakte me verder nergens zorgen over; dat was zijn taak. Als hij iets zag dat niet klopte, zou hij ermee afrekenen.

Ik duwde de linkerpoort heel voorzichtig naar binnen, net genoeg om mezelf door de opening te wringen. Niemand kon zeggen hoe gevoelig de bewegingsmelders waren afgesteld of wat hun bereik was. Ik schoof langs de rechterpoort in de richting van de muur. Zolang je ver genoeg uit de buurt van de sensor bent en tegen een massieve achtergrond staat, doet hij negen van de tien keer niets.

Zodra ik bij de muur was, bleef ik er plat tegenaan gedrukt op Charlie wachten. Hij schoof zijn hoofd en schouders van achter tegen de poort en duwde die voorzichtig dicht zonder hem af te sluiten of te grendelen. Dit was onze enige bekende ontsnappingsroute en dat wilden we zo houden.

Een mannenstem stak vlakbij op de straat een luide Paperclip-monoloog af. Ik hoorde geen antwoord; waarschijnlijk was hij gek, dronken of aan het bellen.

Ik keek naar rechts. We stonden op zo'n drie of vier meter van de bijgebouwtjes die ons dekking zouden verschaffen terwijl we het doelwit bekeken en de laatste controles uitvoerden voordat we ons toegang verschaften.

Met mijn rug tegen de muur begon ik te bewegen. Langzaam, heel langzaam.

Het orkest in de Primorski zette 'Brown Girl In The Ring' van Boney M in. Het beleefde applaus van het publiek werd een paar tellen later gevolgd door een uitbarsting van rauw gejoel. De Vegas-meiden moesten op het podium zijn verschenen.

Een minuut of twee later stonden we veilig achter de bijgebouwtjes en bracht Charlie zijn mond bij mijn oor. 'Ik vind dit leuk. Het is het liedje van Hazel en mij.' Hij draaide even met zijn schouders. 'Brengt een paar herinneringen naar boven.'

Ik onderdrukte een lach. 'Ik ben erg blij voor jullie allebei. Maar laten we ervoor zorgen dat die handen van jou niet te veel op de muziek bewegen.'

Hij grijnsde waarschijnlijk als een dwaas onder zijn skimasker, maar ik wist dat hij zich evenveel zorgen moest maken over zijn toestand als ik.

Hij draaide zijn hoofd om en sprak zachtjes door de stof. 'We wachten nog even en dan gaan we een fatsoenlijke blik op dat deurslot werpen, hè?' Charlie had altijd geprobeerd om net te doen alsof dit soort operaties neerkwam op een beetje DHZ, maar nu overdreef hij de nonchalance een beetje.

Hij pakte de verrekijker uit de rugzak en gluurde om de hoek van de bakstenen schuurtjes. Hij gaf hem aan mij. Het was geen NZK (nachtzichtkijker), maar het was wel een steun voor mijn nachtzicht. Ik controleerde eerst het gesloten televisiecircuit en daarna de deur. Er was niets veranderd.

Het orkest ging van Boney M over op Sinatra. Een groep van drie of vier erg opgewonden mannenstemmen kwam langs de poort. Misschien keken ze uit naar de mogelijkheid om een paar veren weg te trekken of mogelijk dachten ze dat New York hun 'kind of town' was.

We controleerden nog eens of onze telefoons uit stonden en niets uit de rugzak zou vallen. Charlie bracht zijn mond weer bij mijn oor. 'Hup maar, knul, we kunnen net zo goed aan de slag gaan, nietwaar?'

Deel zes

I

Tot dusver leken we de bewegingsmelders voor licht en camera's, als ze dat tenminste waren, juist te hebben ingeschat. Ze bestreken de voorkant van het huis en het gedeelte van de binnenplaats tussen het huis en de poort. De twee op elke hoek van het gebouw waren gericht op de smalle gang tussen het huis en de tuinmuur. We hoopten dat het niet nodig zou zijn de opstelling aan de achterkant te controleren.

Eén aspect van de beveiliging kwam vreemd over. De muur aan de andere kant van de binnenplaats, die tegenover ons had gelegen toen we door de poort naar binnen kwamen, leek helemaal niet te zijn beveiligd. We kwamen algauw tot de conclusie dat het voor ons de beste route naar de voordeur was.

We slopen verder, Charlie voorop, met onze rug tegen de vervallen bakstenen muur. Het was nog steeds erg drukkend en de binnenkant van mijn skimasker was al gauw klam van zweet en gecondenseerde adem.

De enige geluiden waren tot nu toe van de club of een langslopende idioot gekomen, maar ineens klonken er meer voetstappen op het trottoir bij de muur aan de voorkant. Er liepen daarbuiten minstens twee mensen en een van hen kwam hoestend en snotterend onze kant uit.

Hij bleef net aan de andere kant van de poort staan voor een goede fluim; ik kon het silhouet van zijn schoenen in het midden van de vijf centimeter hoge spleet eronder zien. Ik hoopte dat hij niet besloot naar binnen te komen om te pissen. Ik schoof verder terug de schaduw in. Er klonk een uitbarsting van ruwe en spottende Franse woorden van zijn metgezel. Ik sprak niet veel Frans, maar genoeg om te weten dat onze keel schrapende vriend een spoor van snot op de voorkant van zijn hemd had achtergelaten.

Ze gingen verder en dat deden wij ook, langzaam rond de hoek van het huis. De camera die op de poort was gericht, zat op de muur boven ons gemonteerd met de bewegingsmelder vlak eronder. We moesten aannemen dat hij op de portiek was gericht, zodat het licht aan zou gaan als Baz naar binnen ging of naar buiten kwam. Deze keer moesten we het ding laten denken dat we deel uitmaakten van de grond in plaats van de muur.

Toen we onszelf lieten zakken begon het orkest in de Primorski aan een eerbetoon aan Johnny Cash wat een brede glimlach op het gezicht van de mannen in het zwart moest hebben gebracht. Terwijl zij Johnny volgden, begonnen wij de laatste vier of vijf meter te tijgeren. Tegen de grond gedrukt duwden we ons zo langzaam mogelijk op ellebogen en tenen verder, net voldoende om vijf centimeter per keer over het natte pad van gescheurd beton naar voren te schuiven. We bewogen onze ogen en niet onze hoofden om te zien wat er voor ons lag. Die van mij deden al pijn van de inspanning om ze helemaal naar boven gedraaid te houden.

Charlie moest de rugzak vooruitduwen voordat hij zelf verder kon schuiven. Eindelijk was zijn hoofd op gelijke hoogte met de drie betegelde treden naar de voordeur en hij stopte om te kijken of er misschien een bewegingsmelder in de portiek zat. Met de verrekijker hadden we er geen enkele kunnen ontdekken, maar we hadden er bij ons plan vanuit moeten gaan dat er eentje was.

Hij bleef daar zo'n vijftien tellen liggen en begon de rugzak weer naar voren te duwen. Langzaam en uiterst voorzichtig kropen de rugzak en hij de treden op en verdwenen uit mijn gezichtsveld. Het enige wat ik kon horen was zijn zware ademhaling die van tijd tot tijd werd begeleid door het klikken van hoge hakken en een lachsalvo uit de richting van de club. Sliep in deze stad dan helemaal niemand?

Ik zoog mijn longen vol lucht, duwde mezelf op ellebogen en tenen omhoog en schoof weer tien centimeter naar voren. Ik ademde uit toen mijn natte jeans en dijen weer contact maakten met het beton.

Applaus golfde uit de Primorski toen het orkest de laatste maten van de Georgische versie van 'Jumping Jack Flash' uitvoerde en in de korte stilte die daarop volgde was er een ander geluid dat ik eerder voelde dan hoorde. Het was of ergens veel dichterbij iets werd weggesleept.

Het voelde aan alsof het uit het raam boven me was gekomen, maar ik durfde mijn hoofd niet te bewegen om te kijken. Ik hield met open mond mijn adem in om elk inwendig geluid van mijn lichaam te vermijden en luisterde.

Ik hief mijn ogen zover mogelijk op naar de portiek. Er was geen teken van Charlie. Hij zou hetzelfde aan het doen zijn: stoppen, luisteren, afstemmen op de omgeving.

Wat het ook was geweest, er kwam geen herhaling. De enige geluiden waren nu gelach in de verte en de muziek van de nacht.

Ik ademde uit, ademde in, hield mijn mond open en spande me in om zelfs de geringste trilling op te vangen. Nog steeds niets. Was het uit het raam gekomen? Niets van te zeggen.

Ik wachtte nog eens een halve minuut. Als boven iemand ons had gezien, zouden ze inmiddels zeker iets hebben gedaan.

Ik begon vooruit te kruipen. We hadden geen andere keus dan dit te behandelen als een voorloper van een contact. Als je telkens stopte bij het horen van een schot, kwam je nooit in de buurt van de vijand. Als er iemand in het huis was of als we waren gezien, zouden we daar snel genoeg achter komen.

2

Mijn hoofd kwam ten slotte op gelijke hoogte met de onderste tree. Ik bood weerstand aan de verleiding om de laatste meter te rennen. Dat is altijd het moment waarop je betrapt wordt.

Charlie was rechts van me, de kant van de deur waar het slot zat. Hij had zijn masker ver genoeg omhooggetrokken om zijn oor tegen het hout te drukken.

Eindelijk was ik in de portiek en ging tegen het vervallen metselwerk zitten. Ik wist niet wat erger aanvoelde: het zweet op mijn rug of het vuil van het natgeregende beton op mijn borst. Charlies linkerknie steunde op de deurmat. Hij zou eerder hebben gezocht naar een sleutel – je wist tenslotte nooit of je geluk had – en hebben gekeken of er een drukschakelaar onder verborgen zat. Hij haalde zijn knie van de mat en wees naar beneden, terwijl hij bleef luisteren.

Ik trok het rubber omhoog en zag dat om een van de tegeltjes van tien centimeter in het vierkant geen cement zat. Ik tilde het op en Baz bleek genoeg beton te hebben weggekrabd om heel netjes een bos sleutels te verbergen. Maar natuurlijk waren ze er niet. Misschien was Baz wat tot inkeer gekomen sinds hij dit had verzonnen. Waarom denken mensen dat niemand er ooit aan zou denken vlak bij de deur te kijken?

Ik haalde de CO_2-patroon uit mijn jaszak en schoof hem in mijn linkermouw. Het elastiek van de manchet zou hem op zijn plaats houden. Hem in je rechtermouw stoppen om hem in je hand te laten vallen als het nodig was, deden ze alleen in de film. Je kreeg zelden een stevige greep op het ding, zelfs als het goed door je vingers gleed.

De twee sleutelgaten zaten op een derde van de onderkant en de bovenkant van de deur. De deurknop in het midden was er niet mee verbonden.

Het was niet nodig om te praten over wat er nu ging gebeuren; we hadden dat allebei vaak genoeg gedaan, van Noord-Ierland tot Waco. Charlie scheen met zijn sleutelringlampje in het onderste slot om te kijken waarmee hij te maken had. Ik hoopte dat zijn handen tot rust waren gekomen, want ik wilde het niet nog een keer overnemen.

Ik trok zijn masker weer over zijn oor, leunde toen over hem heen en duwde langzaam maar stevig tegen de bovenkant van de deur om te proberen of die meegaf. Als hij niet naar binnen boog, was de kans groot dat er een grendel op zat en dat zou een nachtmerrie zijn, omdat we dan niet heimelijk naar binnen konden. Nog erger, het zou betekenen dat Baz binnen was of dat hij een andere uitgang had gebruikt en wij zouden opnieuw de spitsroeden van de bewegingsmelders moeten lopen om die te vinden.

Hij gaf mee. Geen probleem.

Charlie richtte zijn aandacht op het bovenste slot en ik behandelde de onderkant van de deur op dezelfde manier. Daar gaf hij ook mee. Dat wilde niet zeggen dat er halverwege geen grendel zat, maar dat zouden we gauw genoeg ontdekken.

Een helikopter vloog ratelend aan de andere kant van de rivier voorbij en het orkest zette een jazznummer in met hetzelfde ritme om hem te begeleiden. Charlie wees op het bovenste slot en gaf me de niet-discoversie van de opgestoken duim. Dat was een meevaller. Toen wees hij op het onderste en zijn duim ging naar beneden. Vervolgens ging hij aan de slag met de slothaak.

Ik liet hem zijn gang gaan en ging zitten met mijn knieën tegen mijn borst. Nat spijkerstof plakte aan mijn dijen en zweet voelde koud aan op mijn rug. Het was altijd beter wanneer degene die aan het slot werkte alles zelf deed. Als ik de zaklamp vasthield, zou ik schaduwen werpen op alle verkeerde plaatsen en we zouden elkaar gewoon in de weg zitten.

Het enige probleem was dat ik zo wat te veel tijd had om na te denken. Waarom gebruikte Baz maar één van de sloten? Had hij besloten rustig thuis te blijven. Was hij even voor een drankje naar de Primorski gegaan? Of was hij gewoon een luilak die haast had? Het zou niet de eerste keer zijn. Ik had DV's uitgevoerd in huizen en fabrieken die waren beveiligd door de beste alarmsystemen die er bestonden – of dat zouden ze geweest zijn als iemand de moeite had genomen ze aan te zetten. Ik begon hoe dan ook gevoelloze billen te krijgen van de vierkante tegeltjes. Charlie deed er veel te lang over.

Ik boog naar voren. Zelfs in de duisternis kon ik zien dat zijn vingers een heel beweeglijk eigen leven leidden. Barst maar. Ik schoof naar hem toe en legde mijn handen over die van hem om hem te beletten verder te gaan.

Charlie stak zijn gereedschap als eetstokjes naar voren om te proberen mij ervan te overtuigen dat alles in orde was. Ik pakte de zaklamp en scheen ermee op zijn rechterhand. Hij trilde als die van een alcoholicus met een delirium.

Hij leunde moedeloos met zijn rug tegen de muur en bracht vijf vingers in de lichtbundel, waarna hij ze twee keer opende en sloot.

Ik knikte. Ik zou hem tien minuten geven, misschien vijftien. Hij wilde dit doen, hij moest het doen; niet alleen omdat hij ervoor betaald werd, maar omdat we allebei wisten dat het zijn allerlaatste keer buiten in de paddock zou zijn.

Ik begreep dat, maar we hadden niet zoveel tijd om aan te rotzooien. Even na halfzeven zou het licht beginnen te worden en dan moesten we de GBB hebben gevuld.

Ik besloot er het beste van te maken. Het bood ons in elk geval de mogelijkheid om te luisteren of er iets aan de andere kant van de deur gebeurde.

Tijd om te luisteren en kijken was goed besteed, bleef ik tegen mezelf zeggen. Het klonk nu niet overtuigender dan de eerste keer.

3

Ik wachtte de volle vijftien minuten, maar tegen het eind had Charlie het onderste slot open. Nog steeds op zijn knieën pakte hij zijn gereedschap weg voordat hij de deur heel langzaam een paar centimeter openduwde, zodat die niet kraakte of met een klap een veiligheidsketting spande. Hij wachtte een ogenblik om te kijken of er een alarm afging en stak toen zijn hoofd door de opening om even te luisteren en kijken.

Het werd tijd om mijn schoenen uit te trekken en me klaar te maken voor mijn aandeel in het werk. Het skimasker was klam rond mijn mond, de achterkant van mijn nek dreef van het zweet en de rest voelde ook niet echt lekker aan, maar verrek, bij het eerste licht zouden we klaar zijn en 's middags zouden we in het vliegtuig een biertje achteroverslaan.

Ik stopte mijn schoenen voor in mijn bomberjack en ritste dat dicht. Vervolgens haalde ik mijn Maglite en de CO_2-patroon tevoorschijn.

Charlie kroop naar de plaats waar ik had gezeten. Hij zou zijn eigen schoenen uittrekken, de camcorder gereedmaken en de portiek droogwrijven met een van de handdoeken die ik in het hotel had gepikt. Wanneer Baz thuiskwam, mocht er niet het geringste spoor van ons bezoek zijn. Het onderbewuste neemt alles op; als de mat niet op precies dezelfde plaats ligt, als het stof op de tafel onverklaarbaar is verdwenen, beginnen alarmbelletjes te rinkelen. De meesten van ons horen ze niet, omdat we niet slim genoeg zijn om naar alle dingen te luisteren die onze hersenen ons proberen te vertellen. Maar sommige mensen doen dat wel en Baz zou daar één van kunnen zijn.

Ik gluurde om de deur. De woning rook als het huis van elke tante waar ik als kind was geweest: naar te lang getrokken thee, oude kranten en verschaalde margarine.

Ik hield mijn adem in, opende mijn mond en spitste mijn oren. Het enige geluid was het zachte tikken van een klok rechts van me. Het 's nachts openen van een deur verandert de atmosferische druk in huis slechts heel weinig, maar soms net genoeg om zelfs door de zintuigen van een slapende persoon te worden opgevangen. Ik liet de deur los en terwijl ik hem in bedwang hield met mijn linkerschouder, stapte ik naar binnen. Ik dekte het glas van mijn Maglite met mijn vingers af en liet net genoeg licht door om te zien dat er een steile trap was tegen de buitenmuur aan mijn linkerkant en een vrij lange gang recht voor me met twee deuren aan elke kant.

Een gebloemde loper lag in het midden van wat eruitzag als een parketvloer. Het parket was wat mij betreft het eerste goede nieuws sinds we de poort waren gepasseerd; het zou niet kraken. De muren waren kaal, op een paar ingelijste foto's na boven een houten stoel waarop wat jassen waren gesmeten.

Baz leek op het eerste oog niet echt huiselijk te zijn, maar hij was wel erg gebrand op veiligheid. Toen ik de Maglite naar rechts richtte, glansde een hekwerk van vloer tot plafond met stalen tralies in de lichtbundel. Het kon voor de hoofdingang gedraaid worden, maar stond nu plat tegen de muur. Er waren twee haken aan elke kant van de deur en platte stangen die met een paar hangsloten op de vloer lagen.

Ik keek op Baby-G. Het was 2.28. We moesten de safe nog vinden om over het openen maar te zwijgen. In dit tempo zouden we hier misschien nog uren zijn – en we hadden nog maar iets meer dan vier uur over tot het eerste licht.

Charlie maakte een paar heel zachte geluiden toen hij de rugzak omhing en achter me naar binnen kwam. Ik zou de leiding hebben over de volgende fase, het zekeren van de kamers; hij zou zich bezighouden met de herriemaker, de rugzak.

Ik bedekte het glas van de lamp met een vinger, zodat er net genoeg licht was om te zien waar we liepen, boog naar achteren en zei zacht in zijn oor. 'Laten we even kijken of er een andere uitgang is. We moeten ons concentreren op het vinden van de safe.'

Charlie dacht even na, wierp een blik op zijn horloge en knikte toen. Ik liep weg, bleef op de bijna vijfentwintig centimeter brede strook parket rechts van de loper om geen afdruk achter te laten in de pool van het tapijt en probeerde niet tegen de muur te schuren.

Ik zette twee stappen en stopte om Charlie ruimte te geven naar binnen te komen. Hij was al een IR-opname aan het maken met de camcorder, maar overhandigde mij in het voorbijgaan twee rubberen deurstoppen. De hemel zij dank had zijn hoofd niet in de 'O, vergeten'-stand gestaan toen hij zijn verlanglijstje opschreef.

Ik sloot de deur zacht achter me en schoof er eentje vlak onder elk van de twee sloten. Als Baz onverhoeds terugkwam, zouden ze ons wat tijd verschaffen om inbrekertje te spelen.

Als hij al boven lag te slapen en het op een lopen probeerde te zetten, zouden ze er mede voor zorgen dat hij niet snel buiten kwam en om hulp begon te schreeuwen.

Charlie zette de camcorder op stand-by. De bedoeling was om overal waar we kwamen de inrichting vast te leggen en dat op de weg naar buiten te controleren om er zeker van te zijn dat we alles precies zo achterlieten als we het hadden gevonden.

De deuren die op de gang uitkwamen stonden allemaal open en ik liep naar de eerste aan mijn rechterkant. Het was een zitkamer en zo te zien was de mevrouw Poets van Baz de laatste tijd niet al te energiek met haar plumeau in de weer geweest, hoewel ze eraan had gedacht de staande klok op te winden. Het donkerhouten meubilair en verschoten behang pasten wel bij de geur.

Zwart-witfoto's van een echtpaar op de schoorsteenmantel. Misschien zijn ouders. Foto's van hem als kind. De vloer lag bezaaid met tijdschriften, sommige vrij recent in het Russisch, sommige in Paperclip.

De eerste fase bij het doorzoeken van een huis is altijd een snelle rondgang. Het zou zinloos zijn om alle kamers achtereenvolgens aan een minutieuze inspectie te onderwerpen om datgene waarnaar je op zoek bent drie uur later midden in de allerlaatste kamer aan te treffen. Pas in fase twee begin je banken te verschuiven, kleden op te tillen en in schoorstenen te kijken.

De twee lijsten in de gang bevatten grote, sepiakleurige foto's van het huis in gelukkiger tijden. Er zaten geen tralies voor de ramen, er waren geen andere gebouwen te zien en geen muur, alleen een hek van een meter hoog dat de paarden weg moest houden van het gras dat op de plek van de betonnen binnenplaats had gelegen.

We kwamen bij de laatste deur. Die ging linksom naar binnen open en was niet helemaal dicht. Ik ging met de zaklamp over het deurkozijn. Ik zag niets verdachts. Ik wenkte Charlie en hij filmde de opening van een paar centimeter.

Ik duwde de deur open met de punt van de patroon. Het duurde niet lang voordat ik begreep dat het de keuken was. Zelfs door het skimasker was de stank van margarine en oude kranten hier zo sterk dat ik bijna moest kokhalzen. Meer oude meubels; een houten tafel en een paar stoelen. Het fornuis zag eruit alsof Stalin zijn gebakken bonen er nog op had klaargemaakt. Had Bebop ons naar de verkeerde plaats gestuurd?

Ik opende de deur helemaal en zag dat ik tegenover de buitenmuur stond. Daar, recht voor me, was de achterdeur – of wat de achterdeur zou zijn geweest als die niet volledig aan het oog was onttrokken door een grote stalen plaat die stevig was vastgeschroefd.

Ik draaide me om naar Charlie en knikte. We waren in het goede huis.

4

Ik scheen vanuit de deuropening met de zaklamp door de keuken, zag gedeukte oude aluminium potten en pannen die aan haken boven het fornuis hingen en een half lege fles rode wijn op de tafel naast een opengeslagen krant. Een hordeur in de hoek leek naar een soort provisiekamer te leiden. Potten en blikken glinsterden achter het gaas.

Ik bleef nog eens drie of vier tellen staan luisteren, maar het enige geluid was het zware tikken van de klok. Ik draaide me om naar de gang, tikte Charlie op zijn schouder en richtte de zaklamp op de deur rechts van ons, ongeveer drie passen verder. Het rode led-lampje van de camcorder begon weer te knipperen.

Hij stond net op een kier. Ik controleerde het deurkozijn op verdachte dingen en gaf toen een zacht duwtje. Er was een raam aan de andere kant dat werd beveiligd door traliewerk aan de buitenkant. Erachter was alleen de muur te zien.

Het leek wel alsof ik in iemands naaikamertje was. Een Singer trapnaaimachine stond in de verste hoek naast een houten werkbank, maar er lagen geen half afgemaakte kleren of stukjes stof. Er waren geen kasten. Een opkrullend tapijt bedekte het grootste deel van de houten vloer met uitzondering van een halve meter langs de rand. De open haard was zo te zien jarenlang niet gebruikt, niet sinds de laatste keer dat de schilderijen aan weerszijden ervan een plumeau hadden gezien.

Ik liep langs de rand van het kleed en controleerde de schilderijen op verdachte tekenen. Het linker beeldde een bloemenvaas af. Er zat niets anders achter dan een lichter stuk behang. Ook achter het schilderij van een berg zat geen safe.

Ik liep terug naar de gang en gebaarde naar de overkant; Charlie liep meteen achter me te filmen.

Dit zag er hoopvoller uit. Het was duidelijk de werkkamer van Baz; wat eruitzag als het allereerste prototype van Bill Gates stond op een bureau voor het raam. Mappen en krantenknipsels lagen overal, ook op de grond. De plank aan de muur rechts boog door onder het gewicht van te veel boeken. In de verste hoek stond een kast – een bouwpakket van licht eikenfineer waarin ome Jozef zijn uniformen nog wel zou hebben opgehangen.

Ik stapte opzij om Charlie door te laten. Hij liet de camera van links naar rechts pannen, voordat we spullen begonnen te verplaatsen. Ik gebruikte de zaklamp om ervoor te zorgen dat ik niet op de papieren op de grond stapte en liep eerst naar het bureau, voor het geval er een nummer op de telefoon stond. Dat was niet het geval.

We hadden meer geluk met de kast.

Na te hebben gecontroleerd op verklikkers trok ik de deur open en bingo, we hadden gevonden waarvoor we waren gekomen.

Ik stapte achteruit om Charlie de prijs te laten zien. Hij filmde het ding centimeter voor centimeter, elk stukje van de afgebladderde grijze verf, alle Russische woorden in Cyrillische letters die ongetwijfeld trots verkondigden dat hij was gefabriceerd met koninklijke goedkeuring van de tsaar. Hij was ongeveer een halve meter in het vierkant en massief. De scharnieren van de deur zaten aan de rechterkant, met een behoorlijk afgesleten chromen hendel aan de linkerkant, dan een groot sleutelgat en een combinatiecilinder precies in het midden. Zodra Charlie de plaats van alles op film had, gaf hij mij de camcorder, probeerde de hendel, haalde zijn schouders op en viste in zijn rugzak.

Ik schoof de patroon weer in mijn mouw en liet hem zijn gang gaan.

Hij haalde een handdoek tevoorschijn en legde die voor de safe. De rugzak was nat en hij wilde geen sporen achterlaten.

5

Charlie knielde op de handdoek voor de safe, de rugzak rechts van hem, en ontrolde voorzichtig het vezeloptische apparaat uit een strook hotelhanddoek. Elk ding in de rugzak was ingepakt om geluid of beschadiging te voorkomen.

Ik zette de camcorder aan en liep naar het bureau van Baz om eerst alles op het bovenblad te filmen en daarna de posities van elk van de laden. Er waren er ongeveer tien aan elke kant, ontworpen om een dunne dossiermap te bevatten of een aantal pennen. Sommige stonden iets open, andere waren gesloten; sommige waren verder naar binnen geduwd dan eigenlijk hoorde.

Ik pakte de telefoon op, maar er zat niets onder geplakt. Ernaast stond een houten kistje vol met pennen, potloden, elastiekjes en paperclips. Ook niets om vrolijk van te worden.

Ik controleerde elke la op verklikkers en opende ze een voor een. Ik vond het ene na het andere vel in Russisch en Paperclip, maar geen sleutel van de safe of opgeschreven getallen die op een combinatie leken.

Ik keek naar Charlie. Met de zaklamp tussen zijn tanden achter het skimasker en de vezeloptiek in het sleutelgat hanteerde hij de cilinder als een chirurg die een artroscopie verrichtte – alleen deed hij het op zijn knieën en met zijn kont in de lucht. Hij was begonnen met het dagslot voor het geval dat alleen dat werd gebruikt.

Het was tijd om een besluit te nemen. De eerste speurtocht had niets opgeleverd en ik kon de hele nacht besteden aan het doorzoeken van dit huis om de sleutel of zoiets als een combinatie te vinden en hoe meer ik zocht des te meer zou ik alles verstoren. Ik stopte ermee en knielde op de handdoek om te wachten tot Charlie met me kon praten.

Het was nu even stil als het graf van Tengiz – stiller waarschijnlijk als het breiclubje er nog vlak naast zat te kletsen. De enige geluiden waren de gejaagde ademhaling van de oude discodanser, het tikken van de klok en één of twee keer een auto in de verte.

Uiteindelijk verwijderde hij de vezeloptiek en boog naar mij toe. Ik bracht mijn mond naar zijn oor. 'Hoe lang, denk je?

Hij rolde de vezeloptiek in het stuk handdoek en stopte het weer in de rugzak.

Dat was een goed teken; je laat nooit iets liggen dat je niet meer gebruikt; het wordt meteen opgeborgen voor het geval je er als een haas vandoor moet.

'Makkie, knul. Het dagslot is een gewoon klavierslot en de combinatie... nou ja, dat is een combinatie. Van een paar minuten tot vier uur. Maak je geen zorgen, in Bosnië stonden massa's van dit soort dingen.' Hij zweeg even en ik wist dat er een grap kwam. 'Als het langer duurt, mag jij hem opblazen.' Deze keer kon ik zelfs achter het nylon de grijns zien. Hij schoof het sleutelringlampje weer in zijn mond en duwde tegelijk het masker naar binnen.

Hij had gelijk; het slotwerk zou in elk geval gemakkelijk zijn. In wezen was het een slotbout die door een veer werd vastgehouden en waarin een keep was gesneden. Deze dingen waren er in de klassieke Romeinse tijd al geweest. De sleutel paste in de keep en schoof de slotbout naar achteren en naar voren. De naam klavierslot is ontleend aan de vaste plaatjes of klavieren in het mechanisme en rond het sleutelgat die moeten voorkomen dat de verkeerde sleutel het slot opent.

Charlie schoof de vezeloptiek in de rugzak opzij en pakte zo te zien een stel knopenhaakjes van dun, sterk staal. Als het klopte, moest een ervan langs de klavieren schuiven en de slotbout in de positie brengen waarin die kon worden geopend.

In minder dan geen tijd hoorde ik het slot openklikken en Charlies hoofd zwaaide triomfantelijk van de ene naar de andere kant, terwijl hij de haken wegborg.

Vervolgens kwam de combinatiecilinder aan de beurt. Deze keer zou het slot opengaan zodra de juiste opcenvolging van getallen naar een pijl aan de linkerkant van de wijzerplaat was gedraaid. Ons probleem was, dat we op geen enkele manier konden weten wanneer de tuimelaars de juiste positie hadden bereikt; het enige geluid dat we zouden horen was wanneer de bout ten slotte in de gleuf viel nadat de juiste combinatie was gedraaid.

Charlie begon de cilinder naar links en rechts te draaien. Hij kon eerst het kenteken van Baz proberen of de Russische fabrieksinstellingen doornemen.

Zodra de voor de hand liggende combinaties waren uitgeput, zou hij elke mogelijke permutatie moeten proberen. In theorie waren er ongeveer een miljoen maar het prettige van oude en kwalitatief mindere cilinders als deze was, dat de getallen niet precies hoefden te lijnen; tot maximaal twee cijfers aan weerszijden van de juiste instelling was ook voldoende om het slot te openen, wat het aantal mogelijke combinaties terugbracht tot zo'n achtduizend. Het was niet wat Charlie een makkie zou noemen, maar zelfs met zijn waardeloze handen moest hij er in een paar uur doorheen kunnen rammelen. Hij had me ooit verteld dat hij eigenlijk nooit nadacht over wat hij aan het doen was; hij schakelde gewoon over op de automatische piloot.

Hij boog naar mij toe. 'G-datum?'

Hij had er na mijn uitstapje naar de boekhandel niet naar gevraagd, omdat het niet nodig was. Als ik de geboortedatum van Baz niet had gevonden, zou ik het hem hebben verteld.

'Tweeëntwintig tien negenenvijftig.'

Zijn handen begonnen de cilinder te verdraaien: 22 tegen de klok in... 10 met de klok mee... 59 tegen de klok in...

Om de een of andere reden was dat de meest gebruikte opeenvolging. Ik besefte dat ik mijn adem inhield.

Niets. Geen geluid. Geen vallende slotbout; geen sprake van eenvoudig de kruk omdraaien en horen hoe de slotbouten in de deur schuiven.

Charlie speelde met dezelfde volgorde van de drie getallen, maar varieerde de draairichting.

Na een tiental andere pogingen, probeerde hij 22 tegen de klok in, 59 met de klok mee, 22 tegen de klok in.

In de deur klonk een zachte bons.

Charlie pakte zijn zaklamp en scheen ermee over de vloer om er driedubbel zeker van te zijn dat hij niets had laten liggen.

Ik had de safe kunnen openen terwijl hij dat deed, maar er was een protocol voor dit soort momenten. Die eer kwam Charlie toe.

Toen hij zich ervan overtuigd had dat alles was ingepakt, keerde hij zich weer naar de safe en duwde de kruk naar beneden. De pallen aan de kant van de scharnieren en aan de kant van de kruk werden teruggetrokken in de deur, die met een metalig geknars openzwaaide.

Charlie had de sleutelringlamp nog in zijn mond en zijn hoofd verdween in de safe. Ik boog over hem heen. In het midden was een plank waarop slechts twee dingen lagen: een open doos met antieke juwelen, mogelijk van zijn moeder, en een map van blauw plastic.

Charlie had de camcorder niet nodig om hem eraan te herinneren hoe de map lag; hij pakte hem gewoon op en gaf hem aan mij. Een snelle blik bij het licht van de Maglite onthulde ongeveer twintig vellen handgeschreven Paperclip.

Het zag er niet belangrijk uit, maar kennelijk was het iemand tweehonderdduizend Amerikaanse dollars waard.

Hij had nauwelijks tijd om zijn schouders op te halen, toen de deur werd opengestoten en het licht aanging.

6

Ze waren met hun tweeën en schreeuwden tegen ons in het Russisch of Paperclip. Allebei hadden ze een pistool met een grote, zware geluiddemper op de loop. We staken heel langzaam onze handen omhoog, zodat het hun niet kon ontgaan dat wij zoiets helaas niet hadden. Ik hield mijn linkerelleboog iets gebogen om de CO_2-patroon op zijn plaats te houden.

Ze waren begin dertig, hadden kort zwart haar, een spijkerbroek, een leren jack en een heleboel gouden ringen en armbanden. Allebei leken ze verbaasd over de toestand.

Ze waren niet gemaskerd en dat betekende slecht nieuws. Het kon hun niet schelen als hun gezicht werd gezien. De ene was donker met een stoppelbaard; de andere had bloeddoorlopen ogen. Ik vroeg me af of hij onderweg bij Primorski had aangelegd.

Hun geschreeuw werd luider en weergalmde door de kamer. Alleen onze handen omhoogsteken was kennelijk niet voldoende.

Het leek erop dat de vent met de bloeddoorlopen ogen de leiding had. Hij keek me kwaad aan en opende herhaaldelijk zijn leren jack met zijn vrije hand. Ik begreep de boodschap. Met mijn rechterhand in de lucht ritste ik met mijn linker heel langzaam mijn bomberjack open. Mijn schoenen vielen op het kleed. Charlie deed hetzelfde.

Ze wisten nu dat we geen van beiden gewapend waren, maar daarmee was het geschreeuw nog niet afgelopen. Ik wist niet wat ze verder nog wilden en ik ging het niet vragen. Ze hoefden van mij niet te weten dat we Engelsen waren. Ik haalde mijn schouders op en draaide met mijn handen.

Ze wauwelden heel snel en agressief met elkaar en toen liep Roodoog met gericht pistool naar Charlie, terwijl Stoppel hem dekte. Hij zwaaide met zijn vrije hand, schreeuwde en gebaarde naar de vloer.

Charlie begreep het: de kerel wilde de map hebben.

Hij stak zijn linkerhand naar beneden en pakte hem op, terwijl hij zijn rechterhand omhooghield. Roodoog zette een stap naar voren, greep de map en ramde zijn wapen in Charlies nek. Ik kon zien dat er op de loop

Chinese karakters waren gegraveerd. Het wapen was oud en behoorlijk afgesleten, maar dat maakte niet uit. Het zou nog steeds een troep van Charlie maken als hij de trekker overhaalde. Terwijl hij de loop op dezelfde plaats hield, boog Roodoog voorover en stak een hand in de safe. De juwelen verdwenen in zijn jaszak met de snelheid en precisie van een goocheltruc. Bij wijze van afsluiting rukte hij Charlies masker af en gaf mij toen dezelfde behandeling.

Hij zette een paar stappen achteruit en bekeek zijn handwerk. Ze stonden daar allebei een paar tellen, elk aan een kant van de deur. Roodoog mompelde iets tegen zijn ongeschoren vriend, legde de map op het bureau en begon door de inhoud te bladeren. Stoppel bewoog de loop van zijn wapen van mijn hoofd naar dat van Charlie en terug voor het geval dat we de boodschap niet hadden begrepen.

Ze blaften dingen tegen elkaar, terwijl Roodoog de bladzijden omsloeg. Ze wisten niet wat ze nu moesten doen. Ik had vaak genoeg zelf in die situatie verkeerd om de blik en klank van onzekerheid te herkennen. Eindelijk keek hij op, schonk ons een dreigende blik en haalde een gsm tevoorschijn.

Ik wierp een blik op Charlie die de vloer zo intens bestudeerde dat het leek of hij elk draad van het kleed in zijn geheugen wilde prenten. Ik kende die blik. Hij vroeg zich af hoe hij ons hier verdomme uit moest krijgen. Ik hoopte dat de ouwe dwaas iets zou bedenken voordat deze jongens toestemming kregen om ons een kopje kleiner te maken.

Er klonk een reeks snelle piepjes toen Roodoog het nummer intoetste. Wie er ook aan de andere kant zat, hij nam meteen op. Roodoog bekeek ons om de beurt, gaf zo te horen een beschrijving, pakte toen het document op en citeerde er een paar stukken uit. Toen keek hij weer naar ons. Ik begreep niet wat hij zei, maar de strekking was duidelijk. Welke problemen ze ook in het huis hadden verwacht, ze hadden er nu twee bij waarmee ze helemaal niet blij waren. Net als ik.

Er was niets dat we konden doen om onszelf direct te helpen, dus bestudeerde ik in plaats daarvan het wapen van Stoppel, zodat ik wist wat ik ermee moest doen als ik mijn handen om de kolf kreeg. De kracht van positief denken.

Zijn vinger lag om de trekker en de veiligheidspal stond op vrij; de hendel aan de linkerkant van de kolf stond naar beneden. Dit soort wapens had normaal zowel een enkelschotsinstelling als een semi-automatische mogelijkheid. Bij het enkele schot laadde je handmatig door de slee naar achteren te trekken en naar voren te laten schieten om een nieuwe patroon uit het magazijn in de kamer te brengen telkens als je had geschoten. Bij de andere mogelijkheid was de slee niet geblokkeerd en bleef je vuren tot het magazijn leeg was.

Ik wist niet welke instelling Stoppel had gekozen, maar iets zei me dat het niet enkelschots was.

Roodoog was nog in de telefoon aan het wauwelen en door de papieren aan het ritselen toen we een metalig gerammel uit de richting van de stad hoorden. Hij zweeg midden in een zin. Er klonk een luid gekraak, toen de poort openzwaaide.

Roodoog beëindigde het gesprek door de gang in te rennen.

Hij was binnen tien seconden terug en helemaal niet blij. Hij rolde de map op, stopte die in zijn jack, schreeuwde een paar instructies tegen Stoppel en verdween weer.

Stoppel zette zich schrap en bracht zijn wapen een paar centimeter omhoog.

Er was geen tijd om na te denken.

Ik dook op hem af en mikte mijn schouder op zijn maag. Hij wankelde achteruit onder de klap, sloeg tegen de muur en voordat hij zich kon herstellen trok ik hem met me mee naar beneden, terwijl ik wild met mijn handen zwaaide. Het kon me niet veel schelen of ik iets te pakken kreeg, zolang ik maar kon voorkomen dat hij zijn pistool richtte.

Ik voelde Charlies benen tegen me aan duwen en toen hoorde ik een geluid als van een watermeloen die op straat viel. Hij had Stoppels schedel met zijn CO_2-knuppel het goede nieuws meegedeeld.

Ik liet hem los en trapte mezelf los. Het was Charlies man; hij mocht hem verder afwerken als het nodig was.

Ik zocht op de vloer naar het wapen, maar zag het niet meteen en ik had geen tijd om te zoeken.

Ik rende de kamer uit en stak onder het lopen mijn rechterhand in de mouw van mijn bomberjack. Roodoog was voor me en rukte de rubberen stoppen los. De deur zwaaide open en de gang baadde in het licht.

De poort naar de straat stond open.

De Audi van Baz reed de binnenplaats op.

Ik sprintte langs de loper, terwijl Roodoog half rennend, half struikelend de paar treden naar de portiek nam.

Er was een waterval van glas toen hij zijn magazijn in het raampje aan de bestuurderskant leegde. Hij maakte een pirouette als een matador toen de auto langs hem raasde en tegen de muur botste.

Ik nam het trapje met één sprong, patroon in mijn hand. Ik dook op hem af voor hij de kans kreeg zich te herstellen en liet de zware metalen buis met een zwaai boven op zijn hoofd belanden. Het gewicht van mijn lichaam dat terugviel naar de grond, gaf de klap genoeg kracht om zijn schedel te horen kraken.

Hij viel als een koe onder een verdovingspistool en met mij gebeurde hetzelfde, omdat ik neerging door mijn eigen snelheid. Zijn wapen schoof over het natte beton. Ik greep het, draaide het om en vuurde in zijn schedel. De derde keer dat ik de trekker overhaalde, gebeurde er niets. De slee bleef achteraan wachten op het herladen van een nieuw magazijn.

De poort kon even wachten. Ik liet het lege wapen vallen en rende het huis weer in voor het geval dat mijn disco dansende maat een handje moest worden geholpen.

Er zaten kogelwonden in de borst en vlak onder het rechterjukbeen van Stoppel en een plas donker, zuurstofloos bloed verspreidde zich over het kleed. Charlie was even koel als een komkommer. Hij had zijn masker weer over zijn hoofd getrokken en hees de rugzak over zijn schouder. 'Geef me vijf,' zei hij. 'Ik zal de monitors van het gesloten tv-circuit proberen te vinden. Misschien zijn er banden.'

Ik greep mijn eigen masker van de vloer en trok het over mijn hoofd, terwijl ik terugbeende naar de voordeur.

7

Ik liep recht naar de poort. Ik verrekte het om buiten te kijken, smeet hem gewoon dicht en schoof de grendels ervoor. Toen ging ik moeizaam verder met het aantrekken van mijn masker. Ik had slechts één oog vrij waardoor ik eruit moest hebben gezien als het spook van die stomme opera.

Er klonk luid tromgeroffel en bekkengerinkel uit de Primorski gevolgd door een klaterend applaus. Als ik niet zo afgepeigerd was geweest, had ik een buiging gemaakt.

Gebroken glas, lege koperen hulzen, nat beton en twee plassen bloed glommen in het licht van de lampen op de binnenplaats. Happend naar adem rende ik naar de auto.

Het leek alsof iemand een emmer rode verf in de auto had leeggegooid. Het lichaam van de bestuurder lag onderuitgezakt met het gezicht opzij over de middenconsole. Het was Baz en hij zag er niet goed uit. Hij was geraakt in hoofd, nek en schouder en zijn eens grijze haar was rood.

Ik controleerde de voorkant. De bumper had de klap grotendeels opgevangen en er zat een barst in één van de koplampen, maar ik nam aan dat Technik nog steeds Vorsprung betekende. Ik trok de deur open, pakte de arm van Baz en sleepte hem naar buiten.

Tegen de tijd dat ik terugkeerde naar het huis, was mijn keel zo droog als schuurpapier.

'Charlie!'

'Boven.' Zijn stem kwam van de overloop.

'Dood lichaam. Breng wat beddengoed mee, wat dan ook. Moeten de autostoelen afdekken.'

Ik rende het kantoor in en pakte mijn schoenen. Geen tijd om ze fatsoenlijk aan te trekken; ik schoof de veters onder de tong, zodat ik er niet over zou struikelen. Snelheid was alles; we moesten hier weg.

Weer op de binnenplaats rolde ik Roodoog op zijn rug en trok de map uit zijn jack. Charlie sprong van het trapje af met twee veelkleurige bedspreien op sleeptouw.

'Banden gevonden?'

Hij schudde zijn hoofd. 'Zouden overal kunnen zijn – misschien is het die pc wel. Laten we oprotten en die vlucht pakken. Ben je het daarmee eens? Of blijven we nog wat langer zoeken? Als jij dat wilt, doe ik mee.'

Ik stond bij de auto. Hij had gelijk. Waarom tijd verspillen in een doel vol bloed met ook nog eens drie lijken? 'We gaan.'

We legden de spreien over de voorstoelen.

Charlie gooide de rugzak achterin en ik sprong achter het stuur. Ik sloeg de resterende scherven uit het raampje, terwijl Charlie de straat controleerde.

Op het moment dat de poort open was, schakelde ik in de achteruit. Charlie sloot de poort zo goed mogelijk af, sprong naast me en klemde zijn pistool onder zijn dijbeen. We reden de heuvel op in de richting van de knipperende rode lichten van de tv-mast.

Toen we de zijstraat links naar de Primorski passeerden, waren twee verlengde Mercedessen een groep heel jonge vrouwen en heel oude mannen aan het inladen.

Eindelijk konden we onze maskers aftrekken en Charlie begon te giechelen. 'Nou, je hebt er daar wel een rotzooi van gemaakt, hè, knul?'

'Hoofden omhoog, daar is politie.'

Een blauw-witte was onze straat ingedraaid en kwam heuvelafwaarts in onze richting. Hij reed langzaam en nam de tijd. Ik keek naar Charlie – had hij bloed op zijn gezicht? Hij controleerde mij – als ik iets had, was het te laat. We passeerden ze; ze keken opzij en twee rode, hete aspuntjes gloeiden op, toen ze trokken.

Charlie knikte naar hen. 'Avond.'

Ze reden zonder te stoppen langs het huis van Baz.

'Avond? Als ze je hadden gehoord, zouden ze ons hebben aangehouden om een onderzoek in te stellen naar dat accent.' Ik kon mijn lachen niet inhouden. Het kwam niet door de grap, het was pure opluchting.

Wind joeg door het kapotte raampje naar binnen. Ik haalde een hand van het stuur en trok de map uit mijn jack. Hij zag er een beetje verfomfaaid uit, maar er zaten tenminste geen kogelgaten in.

Charlie speurde de straat af naar blauw-witten. 'Ze moeten al in het huis geweest zijn om te wachten tot Baz thuiskwam. Ze wilden hem de safe laten openen, pakken wat erin zat en hem dan omleggen.'

'Ik dacht dat Bebop had gezegd dat hij tot de ochtend naar een of ander nationaal park was? En nu daar geen barst van blijkt te kloppen, wat moeten we dan van de rest denken?'

Ik draaide het stuur naar rechts en links om de gaten te ontwijken. 'Misschien verwachtten ze dat hij in de ochtend terug zou komen. Ze moeten ons hebben gezien toen we door de poort kwamen. Dat moet zijn geweest wat we hoorden – die klootzakken in de voorkamer. Toen wij de safe voor hen openden, moeten ze hebben gedacht dat het Kerstmis was.'

Ik sloeg linksaf naar het kerkhof. 'Ik wist dat ik in de provisiekamer had moeten kijken...'

'Als je dat had gedaan, hadden ze ons waarschijnlijk gewoon omgelegd.' Hij begon weer te lachen. 'Maar hé, we zijn er nog, nietwaar? Een snel ritje naar de GBB en dan is het vaarwel Georgië.'

We hotsten over het open terrein tegenover het kerkhof. Er stonden nog steeds een paar auto's geparkeerd en Charlie wees naar een boom waaronder het strooilicht van het benzinestation eindelijk niet meer probeerde de duisternis te doorboren.

Ik zette de motor af en schakelde de koplampen uit. Ik zat daar alleen te kijken en te luisteren. 'Alles goed met jou?'

'Met mij is het prima. Maar de oude poten zijn een beetje beverig. Misschien zou jij de bezorging in de GBB kunnen uitvoeren. Ik weet niet of ik nog in staat ben stenen te verschuiven.'

'Best.' Ik glimlachte. 'En dan terug naar het hotel om te schijten, scheren en douchen. Goddank is het zondag. Met wat geluk zal Baz pas morgen worden gemist.'

8

Charlie stopte het stapeltje papier in een plastic zak. 'Elke pagina is genummerd, maat, met een handtekening op de laatste en alle doorhalingen hebben een paraaf. Ik denk dat het een verklaring is.'

'Wie waren Roodoog en Stoppel dan?'

'Kan ons dat een barst schelen? Laten we het spul afleveren en maken dat we hier weg komen.'

'Heb jij nog patronen over?'

Hij pakte het pistool onder zijn dij en drukte op de magazijnknop links op de kolf. 'Hierin nog twee.' Hij trok de slee naar achteren. 'Eén in de kamer.' Hij liet de slee terugspringen, plaatste het magazijn terug, zette de pal op veilig en gaf hem aan mij. 'Schietklaar en veilig.'

Ik controleerde de veiligheidspal nog een keer voordat ik het pistool voor in mijn spijkerbroek schoof en de plastic zak in mijn jaszak. Toen ik uit de Audi was gestapt, controleerde ik me van top tot teen. We moesten vannacht nog terug naar het hotel en de blikken van het personeel doorstaan. Zelfs in Tbilisi vonden ze het niet leuk als hun gasten onder het bloed van andere mensen zaten.

Ik pakte mijn gsm en zette hem aan. 'Ik zal bellen wanneer ik klaar ben. Als jij ellende aan ziet komen, geef dan een belletje, goed?'

Charlie knikte, terwijl hij achter het stuur schoof. Het was zijn taak om de ingang in de gaten te houden.

'Ik heb ook jouw zaklamp nodig.'

Hij gaf hem aan.

'Tot straks.'

Ik liep recht op de open poort af. Er was geen tijd om me in de schaduwen te verschuilen. Het was gewoon een kwestie van recht naar binnen, afwerken en terug naar het hotel voor het eerste licht.

Ik controleerde het signaal van de telefoon toen ik het hoofdpad tussen de graven bereikte. De gloed van het benzinestation deed zijn best om alles – grafstenen, banken, bomen, stammen – in BP-groen licht te zetten. Ik klaagde niet; het betekende dat ik kon zien waar ik liep.

Een auto reed langs de ingang en zo te horen stuiterde de uitlaat er over de weg achteraan. Afgezien daarvan was het stil. Zelfs het breiclubje was ermee gestopt.

Mijn oriëntatiepunt, de afvalbak, doemde op uit de schaduwen. De vier kerels op de grafsteen van Tengiz staarden nog steeds naar de hemel. Ik kon niet uitmaken of ze het uit pure bewondering deden of dat ze alleen maar op een antwoord wachtten dat nooit kwam. Ik scheen met de lichtbundel langs het smeedijzeren hek om me te oriënteren en ontdekte de bank. Ik liep over de grafplaats en probeerde de topsteen van de voet te schuiven. Ik had niet meer nodig dan een opening van twee centimeter, maar het zag ernaar uit dat dit blok marmer vannacht nergens meer naartoe ging.

Ik boog en duwde nog een keer, ditmaal met mijn schouder. Er klonk een zacht, knarsend geluid toen de steen bewoon en een snel schijnsel van de zaklamp bevestigde dat ik de benodigde opening had. De zak met papier ging erin, de lamp keerde terug in mijn zak en ik begon de steen terug te trekken.

Er was een geknars van voeten op het grint achter me.

Ik draaide me met een ruk om. Een gestalte kwam met opgeheven armen op me af en blokkeerde elk sprankje omgevingslicht. Deze kerel was kolossaal.

Ik stapte naar links toen de arm neerkwam en probeerde die halverwege te blokkeren. Ik had geluk. Staal kletterde op steen toen iets erg onvriendelijks uit zijn handen viel.

Ik greep de zoom van mijn bomberjack met mijn linkerhand en trok die naar boven om te proberen met mijn rechter de pistoolkolf te pakken. Maar hij was me voor. Hij schreeuwde en sprong. Handen zo groot als werpankers grepen mijn armen en probeerden ze van mijn lijf te rukken. Ik struikelde achteruit over het lage hek en we dreunden op het pad.

Mijn schouder sloeg tegen de rand en mijn aanvaller viel boven op me en perste de lucht uit mijn longen. Ik boog mijn rug, trapte, bokte en worstelde om mijn handen naar beneden te krijgen en hem van me af te gooien om het wapen te kunnen trekken.

De kruin van zijn hoofd stootte hard tegen mijn kin. Mijn tanden waren niet op elkaar geklemd en daardoor beet ik op mijn tong.

Honderdvijftien, misschien wel honderdtwintig kilo drukte me plat en hield mijn handen boven mijn hoofd.

'Charlie!'

Ik kon tijdens het schreeuwen het bloed uit mijn mond voelen stromen. Ik bokte en trapte, maar zijn lichaam bleef op het mijne en drukte tegen het wapen.

'Charlie!'

Hij liet mijn armen los en besloot me in plaats daarvan te wurgen. Massieve vingers sloten zich om mijn keel en ik voelde zijn speeksel over mijn gezicht sproeien, terwijl hij zich inspande om mijn adamsappel achter door mijn nek naar buiten te drukken. Mijn hoofd voelde aan alsof het op ploffen stond.

Ik kon niets anders doen dan trappen en kronkelen als een wilde. Ik slaagde erin ook mijn handen rond zijn nek te krijgen, maar zijn spieren spanden zich gewoon als kabels onder mijn vingers. Ik schoof ze naar beneden om de revers van zijn jack te grijpen en die als hefboom te gebruiken voor mijn duimen die ik begroef in het zachte, vlezige gedeelte naast elk sleutelbeen aan de onderkant van zijn keel.

Hij zou zijn handen moeten gebruiken om de mijne los te krijgen. Zo niet, dan zou hij stikken. Tenzij ik dat eerst deed.

Mijn gezicht leek op springen te staan onder de druk van zijn handen.

Hij duwde zijn kin naar beneden en spande zijn nek nog meer. Verrek, wat was hij groot. Zijn stoppels haalden twee lagen huid van mijn handen.

Mijn hoofd bonsde, mijn ogen vertroebelden.

Ik groef dieper en hij hief zijn hoofd op.

Zijn haren sloegen in mijn gezicht. Ik voelde zijn stoppels over mijn wang schuren en rook zijn zurige, alcoholische adem. Ik wist dat hij ging proberen er een eind aan te maken met zijn tanden.

9

Ik schudde mijn hoofd en probeerde het in beweging te houden in de hoop dat ik als eerste een kans zou krijgen.

Toen zijn neus een paar centimeter van de mijne verwijderd was, kreeg ik mijn kans. Ik schoot omhoog en mijn tanden grepen hem precies op de neusbrug. Ik beet in het harde bot boven het kraakbeen en bleef vasthouden. Hij schudde zijn hoofd van de ene naar de andere kant in een poging me af te schudden, maar ik was net een terriër die een stok beet had.

Eindelijk verslapte zijn greep om mijn nek en zijn handen bewogen over mijn gezicht. Ik slaagde erin mijn ogen dicht te persen voordat hij er met zijn duimen was. Hij duwde ze in mijn kassen, maar ik beet alleen maar harder. Bloed spoot over mijn gezicht.

Hij werd dol van de pijn en ging tekeer als een vis aan een harpoen.

Ik liet zijn keel los, sloeg mijn handen achter om zijn hoofd en trok het naar me toe om beter vat te krijgen met mijn tanden. Toen beet ik zo hard als ik kon en wrikte tegelijk met mijn hoofd van de ene naar de andere kant.

Mijn kaken sloten zich en het bot knapte als een pindaschil. Zijn voorhoofdsholten ontploften.

Bloed en snot spoten uit het gat in mijn gezicht en hij slaakte een gil van woede en pijn.

Ik trok me schoppend en stompend terug in een poging hem van me af te krijgen. Maar hij bleef vasthouden.

Ik slaagde erin ons op onze zij te draaien en wrong mijn hand naar beneden tussen ons in tot ik hem kon sluiten om het koude metaal van de pistoolkolf. Ik bracht de loop omhoog onder zijn oksel, zette de veiligheidspal om en haalde de trekker over.

Hij kreeg de kogel vol in zijn borst.

Ik schoot nog een keer.

Niets.

Er was geen ruimte tussen ons geweest om de slee voldoende gelegenheid te geven voor het herladen naar voor en achter te schuiven.

Ik duwde mezelf van hem weg, graaide met mijn vingers naar de slee tot ik genoeg houvast had om er een ruk aan te geven.

Ik bleef even op mijn rug liggen, terwijl hij naast me lag te kronkelen. Toen ramde ik de loop in zijn borst en haalde twee keer de trekker over.

Ik kroop weg en ging tegen de steen van Tengiz zitten. Het enige geluid dat luider klonk dan mijn snakkende pogingen om op adem te komen, was een andere auto die op de weg voorbijreed. Deze leek zijn uitlaat helemaal kwijt te zijn.

Mijn tong drukte gezwollen tegen mijn verhemelte. Mijn adamsappel voelde aan alsof hij tegen de achterkant van mijn keel was getrapt. Ik zat daar bloed op te geven tussen mijn overhemd en trui in een poging zo weinig mogelijk DNA op de grond achter te laten.

Ik viste de gsm uit mijn zak en hapte naar zuurstof om tot rust te komen, zodat Charlie me zou verstaan. Hij ging één keer over en toen nam hij op.

'Rijd de auto achteruit naar de poort. Open de kofferbak. We hebben een drama.'

Hij gaf geen antwoord, maar hing gewoon op. Hij wist wat er in de kofferbak ging.

Ik rolde opzij en tastte in het rond, omdat ik moest proberen te vinden waarmee de Hulk me in stukken had willen snijden. Mijn vingers beroerden het koele staal van een golok. Geen halve maatregelen voor deze jongen; mogelijk had hij het een machete of kapmes genoemd, het deed er niet toe. Belangrijk was alleen dat het ding niet in mijn hoofd had gehakt.

Verrek zeg. Ik had deze keer geluk gehad.

Ik kroop naar de bank, terwijl ik nog steeds lucht naar binnen probeerde slokken en mijn mond zich bleef vullen met bloed. Ik spuwde het in mijn trui en slaagde erin de steen ver genoeg op te tillen om mijn hand door de opening te steken. Ik tastte rond tot mijn vingers in aanraking kwamen met de plastic zak. De papieren verdwenen weer in mijn jaszak. Tot de Hulk was opgedoken, had ik Bebop en wie er bij hem aan de touwtjes mocht trekken, het voordeel van de twijfel gegund, maar nu niet meer. Charlie en ik waren grotelijks belazerd. Niemand kreeg dit. Het was van ons.

Ik scheen rond met de zaklamp en vond het pistool. Ik duwde het weer voor in mijn jeans en de machete schoof ik voor in de broek van zijn voormalige eigenaar.

Ik greep zijn handen en begon hem over het pad te slepen. We konden hem hier niet achterlaten. Oudjes staan altijd vroeg op en voor zover we wisten, kon er vanaf het eerste licht een gestage stroom weduwen komen.

Ik kon zien hoe Charlie met de Audi over de weg hotste, draaide en achteruitreed.

Ik kwam bij de kraan en begon mezelf te wassen.

Charlie kwam door de poort lopen en zag het lijk op het pad. 'Verdomme, knul.'

'Je bent verneukt, maat. Die rotzak van een Bebop had zijn dommekracht hier neergezet om met een golok op jou te wachten.' Ik wees naar het handvat dat uit zijn broekband stak. 'Ik moet me schoonmaken, dan zal ik je een handje helpen.'

Ik waste me zo goed mogelijk en streek mijn natte haren naar achteren in een poging er een beetje fatsoenlijk uit te zien voor het hotel. Ik vulde een paar plastic flessen die iemand bij de kranen had achtergelaten en liep terug naar de grafplaats om de meest opvallende bloedspatten weg te spoelen. Ik wilde niet dat het breiclubje van de zondagochtend een steek liet vallen en de blauw-witten riep.

Charlie en ik slaagden er op de een of andere manier in de Hulk met zijn hoofd eerst in de kofferbak te hijsen. Een ogenblik lang hing de rest van hem over de achterbumper van de Audi alsof hij gebogen stond over te geven.

Er klonk geritsel en het geknars van grint achter ons. Kerels op het pad.

Geen tijd om te praten: ik greep de golok en rende terug de duisternis in. Met mijn ogen op steeltjes controleerde ik elke kant van het pad, terwijl ik naar de plek rende waar volgens mij het geluid vandaan was gekomen.

Ik stopte vlak na Tengiz, zocht dekking achter een grafsteen en luisterde.

Meer geritsel, links van het pad.

Ik rende er tussen twee grafplaatsen naar toe. Ze hoorden mij en gingen ervandoor. Ik ging op de angstige kreten in Paperclip af.

Springend over een muurtje, rende ik knarsend over het grint van een grafplaats. Ik onderscheidde twee gedaantes die misschien twee grafplaatsen verderop over hekken en muurtjes struikelden in een poging om weg te komen. Ik sprong weer en viel op een plastic dekzeil. Er lag iemand onder die kreunde maar zich niet bewoog.

Met de golok geheven trapte ik mezelf los en trok het plastic weg.

Een van de trainingspakken staarde naar me op met de tourniquet nog om zijn arm en bleef doodstil liggen. Het plastic was tussen twee graven gespannen om een schuilplaats te vormen. Ik scheen met de lichtbundel in zijn ogen en zijn pupillen bleven wijd openstaan. Als hij in de toekomst aan het kijken was, hoefde hij niet ver te kijken.

De anderen waren nu wel verdwenen. Ik kon niets anders doen dan teruglopen naar Charlie en hopen dat ze te ver heen waren om iets te hebben gezien. Maar in mijn achterhoofd wist ik dat ze in dat geval niet zo zouden hebben rondgesprongen.

We grepen ieder een been en zwaaiden hem naar binnen. Ik sloot de koffer en Charlie deed zijn jack en trui uit om bloed van de achterkant van de auto te vegen.

'Hij stond me op te wachten,' zei ik. 'Hij wist dat jij hier zou zijn. Dat houdt in dat ik best durf te wedden dat die twee in het huis er ook niet toevallig waren.'

Charlie ging door met zijn schoonmaakwerk, terwijl ik de omgeving afzocht naar loslopende trainingspakken en andere met een machete zwaaiende psychopaten.

'Ik hoop dat je de hele bom duiten vooraf hebt gekregen, maat. Het is een complete rotzooi, maar we zullen ons beschermen met het document. Wat erin staat moet behoorlijk belangrijk zijn; elke klootzak lijkt het in handen te willen krijgen.'

Het schoonmaken duurde te lang. 'Laten we afnokken en alles bespreken als we weer in dekking zijn.'

We stapten in, ik achter het stuur.

'Ik heb een probleem, knul.' Charlie keek alsof hij net een geest had gezien.

'Wat?'

'Ik heb maar de helft gekregen.'

'Jij wat? Waar had je verdomme je hoofd zitten?'

Charlie stak een hand op. 'Wacht even. De beste stuurlui staan aan wal. Ik had twee keuzes. De klus onder die voorwaarde aannemen of ervan afzien.'

Ik reed naar het dichtstbijzijnde donkere gebied, omhoog in de richting van de tv-toren. Ik kon niet geloven dat hij zo stom was geweest. Je eist al het geld altijd van tevoren. Je weet nooit wie jou probeert te belazeren. Ik begon tegen hem te schreeuwen toen we de duisternis van de bomen weer in hotsten. 'Heb je er niet bij stilgestaan dat je verneukt kon worden? Wat is er verdomme door die seniele oude kop van jou gegaan?'

Hij zei niets toen we draaiend en kerend onze weg naar de duisternis zochten.

Toen ik parkeerde in wat volgens mij een brandgang was in het dennenbos dat de berg bedekte, draaide hij zich eindelijk om en keek me aan. Het was zijn beurt om te schreeuwen en ik kon de kracht van zijn geluidsgolven niet alleen in mijn oor, maar ook op mijn gezicht voelen. 'Ik ben verdomme aan het doodgaan, weet je nog wel? Ik heb de poen nodig. Wat zou jij hebben gedaan? Eerst Crazy Dave smeken en dan weglopen? Denk eens na?'

Ik had geweten dat ik miszat, zodra ik mijn mond had geopend. 'Het spijt me, Charlie. Verdomme, het maakt niet uit. Laten we de uitrusting in de koffer leggen en dan als de gesmeerde bliksem hier verdwijnen. Zolang we dat document hebben, kan ons niets gebeuren. Dat weet ik zeker.'

'Ja,' grapte Charlie. 'We kunnen het altijd nog op eBay aanbieden.'

Deel zeven

I

Zondag, 1 mei

De vertrekhal zat vol passagiers die wachtten op de internationale vluchten en stuk voor stuk waren ze vertraagd.

Het was zondag 10.09 uur; slechts een kwestie van tijd voordat de Audi zou worden ontdekt. Zelfs in Georgië moesten met bloed bevlekte stoelen en kapotgeschoten raampjes een bezienswaardigheid zijn.

Onze vlucht naar Wenen zou om halfelf moeten vertrekken, maar we mochten niet eens inchecken. Er was maar één gate voor vertrekkende vluchten en slechts genoeg ruimte achter de douane voor één vliegtuiglading passagiers.

We hadden onze sporen zo doeltreffend mogelijk uitgewist, maar desondanks voelde ik me niet op mijn gemak. Roodoog en zijn makker hadden ons geen gunst bewezen toen ze onze maskers hadden afgerukt en er zou geen inspecteur Morse voor nodig zijn om ons in verband te brengen met de Audi van Baz en de lijken op zijn inrit. Ik wilde gewoon verrekte gauw vertrekken. De vrijheid was zo dichtbij dat ik ernaar kon spugen, maar we zaten nog steeds aan de verkeerde kant van de glazen afscheiding.

Ik zat bij de koffiehuisjes aan de overkant van de weg. De banken waren tenminste droog; de zon had zijn werk gedaan en gluurde bij tijd en wijle tussen de langzaam voortdrijvende wolken door.

We waren met een heleboel naar buiten gegaan om de drukte te ontvluchten en de taxichauffeurs waren daar behoorlijk nijdig over. Ze wilden hun wereld niet delen met een massa buitenlanders. De eigenaars van de keten waren er ook niet zo blij mee. Allemaal zaten ze achter hun identieke toonbank vol chocola en kauwgum en lieten heel duidelijk blijken dat de draagbare zwart-wit-tv op de plank achter hen veel aantrekkelijker was dan de mogelijke klanten aan de voorkant.

Een verveeld kijkende presentatrice met een grote bos zwart haar deed een nieuwsprogramma op alle drie de schermen. Het was kennelijk weer een slappe dag bij de omroep. We werden getrakteerd op eindeloze panorama's van grote gebouwen of trage opnames van Georgische soldaten in

Amerikaanse battledress vol Richard-Leeuwenhartinsignes, die doelbewust achterin vrachtwagens zaten of dapper heuvels op en af renden.

We waren vlak voor vier uur in het hotel teruggekeerd. De uitrusting bleef bij het lijk in de kofferbak. We moesten schoon teruglopen naar de stad voor het geval dat een nieuwsgierige blauw-witte wilde weten wat we op dit tijdstip van de ochtend meesleepten. Charlies trui ging met het wapen in een open mangat waar geen enkel verstandig mens of dier zelfs maar in de buurt zou komen en toen speelden we een paar dronken stomkoppen die terugkwamen na een nacht zuipen. We hadden onze jacks binnenstebuiten rond ons middel geknoopt om bloed en modder zoveel mogelijk te verbergen. Uiteindelijk bleek niemand een wenkbrauw op te trekken. Het was een gewone zaterdagnacht in het centrum van Tbilisi.

Ik haalde mijn kaart achter de stortbak vandaan, maakte gebruik van toilet, scheerapparaat en douche, en liep toen met mijn oude kleren onder mijn arm naar Charlies kamer om serieus tijd te besteden aan het uitwissen van onze sporen. Ik haalde de DV-tape uit de behuizing en verbrandde hem met de gratis lucifers van het hotel en spoelde de as door het toilet. Zelfs onze gsm's kregen het goede nieuws van mijn hak, nadat ze waren afgeveegd om vingerafdrukken te verwijderen. We waren steriel het land ingekomen en moesten zo ook weer vertrekken.

De tape van het Marriott bleef bij ons; die was te kostbaar om te laten verdwijnen. Er lag een wereld van mogelijke ellende tussen ons en Brisbane en we moesten zoveel mogelijk onderhandelingsruimte behouden.

Na een ontbijt van roomservice dat voldoende was om een paar van Charlies paarden te voederen, gooiden we onze kleren bij het keukenafval achter het hotel, samen met wat er over was van de camcorder. De tape zat in mijn nieuwe, chique Rohan-broek en de eerste tien vellen van het document uit de safe van Baz zaten veilig opgevouwen in een tijdschrift in de zak van mijn kaki jack. Charlie die stond te wachten in de vertrekhal, had de andere helft. Hij zou naar buiten komen om iets uit de winkel te kopen als het tijd was om te vertrekken. Dat zou voor mij het teken zijn om hem naar binnen te volgen.

Ik had medelijden met die arme oude kerel. Ooit zo'n sterke, solide en betrouwbare kracht en nu zo kapotgemaakt door zijn ziekte dat hij moeite had om iets langer dan vijf minuten stevig vast te houden. Ik kon me zijn frustratie slechts bij benadering voorstellen. Net als Mohammed Ali – de ene minuut koning van de wereld, de volgende een wrak. Maar in tegenstelling tot Ali had Charlie er slechts een half lege portefeuille aan overgehouden.

Sinds vanochtend had ik een heleboel over die portefeuille nagedacht. In plaats van de papieren als verzekering te houden moesten we het misschien op een akkoordje gooien.

Ik voelde dat er vanuit Wenen een telefoontje naar Crazy Dave zou gaan. Ik zou hem overhalen ons in contact te brengen met de vent die deze verdomde klus had bedacht en hem de kans geven de papieren te kopen voor de rest van Charlies tweehonderd ruggen.

Bij wijze van bonus zou ik de neiging proberen te onderdrukken om hun kop eraf te rukken, omdat ze waren vergeten te vermelden dat wij het Baz-huis zouden delen met een paar maniakale juwelendieven en een kerkhof met een machete zwaaiende neef van de Hulk. We zouden de twee tapes van Bebop en een kopie van de papieren bewaren als een kleine herinnering aan ons Georgische avontuur voor het geval dat ze later van gedachten veranderden of plotseling in de stemming kwamen om ons voor twee ton pijn te bezorgen.

Ik koesterde niet te veel illusies over Bebop. Hij was waarschijnlijk even vervangbaar als wij en ze zouden hem even gemakkelijk dumpen als ze van plan waren geweest Charlie te dumpen. Maar wij hadden tenminste iets achter de hand waar hij geen familievoorstelling voor de zondagmiddag van zou willen maken.

Plotseling drong het tot met door dat het geld me voor het eerst van mijn leven geen barst kon schelen. Ik wilde het voor Charlie en Hazel, uiteraard, en omdat ik het niet leuk vond te worden afgezet, maar dat was het. Waar ik echt naar uitkeek, was Silky bellen. Ik moest haar stem weer horen.

Maar wat ik minder leuk vond, was dat we de meisjes moesten uitleggen dat we naar huis kwamen via Hereford – dat we een oude makker moesten opzoeken en daarom twee dagen later thuis zouden zijn dan we hadden beloofd – dus besloot ik dat gedeelte van het gesprek aan Charlie over te laten.

2

De volgende keer dat ik op mijn horloge keek, was het vijf over elf. Ik zat over een espresso gebogen die dik genoeg was om een weg mee te teren en keek naar een Georgische tv-kok die iets belangwekkends deed met een ui en een paar runderen.

De vertraging begon me zorgen te baren. Zodra de Audi van Baz was gevonden met het aardigheidje in de kofferbak, zou het hele huis wemelen van de politie die probeerde te achterhalen hoe het kon dat de kerstman daar ook langs was geweest. Of andersom. Het maakte trouwens niet uit hoe de nachtmerrie zich ontvouwde. Als er opnames waren van het gesloten tv-circuit, dan zou het niet lang duren voordat de hele club rond een monitor zat te kijken naar de rotzooi op de binnenplaats.

Had ik DNA achtergelaten op het kerkhof? Het was te laat om me daar nu nog zorgen over te maken. Maar ik deed het wel een beetje.

Adrenaline en cafeïne waren hun tol aan het eisen. Ik kon de spanning bijna door mijn lijf voelen pompen. Maar de pijn in mijn adamsappel begon tenminste wat minder te worden.

Ik nam nog een slokje van mijn inmiddels lauwe brouwsel en concentreerde me op even verveeld kijken als alle anderen, maar mijn kapotte en gezwollen tong maakte dat gemakkelijker gezegd dan gedaan. Verdomme, wat deed dat pijn. Ik zou het een poosje zonder zout en azijn moeten stellen.

Vijf vluchten waren tot dusver vertraagd. Ik hoorde af en toe een Britse en Amerikaanse stem en nu en dan een paar woorden Frans en Duits, maar het meeste geklets leek in het Russisch en Paperclip te zijn.

Een hardtop Land Rover 110 stond nog buiten de terminal te wachten om iemand op te halen of tot de chauffeur er zeker van was dat de vlucht van zijn passagier echt was vertrokken. Ik hoopte voor hem dat hij zijn thermosfles en een krant had meegenomen.

Twee mannen kwamen, hun koffers achter zich aan zeulend, het gebouw uit en stevenden op de keten af. Ze droegen het standaarduniform van de reizende, leidinggevende Amerikaanse vijftigplusser: blauwe blazer, conservatief overhemd, katoenen broek, erg glimmende instappers en een laptoptas voor de goede orde. Ze waren duidelijk in een opperbeste stemming en wilden iets kwijt. Een paar kerels die in het Frans hadden staan kletsen en meteen overschakelden op Engels toen zij aan kwamen lopen, waren vandaag de gelukkigen. 'Hé, goed nieuws, mannen. De vlucht naar Wenen gaat om 12.25 uur. We kunnen nu inchecken.'

Er werd gezucht van opluchting en gelachen om de Georgische inefficiëntie, toen ze hun bagage pakten en naar de vertrekhal liepen.

Ik stond op toen Charlie door de hoofdingang naar buiten kwam met een laptoptas over zijn schouder. Hij zag dat ik klaarstond en draaide zich om.

Ik stond op het punt hem te volgen toen ik een glimp opving van het laatste nieuwsbulletin op de tv. En wat ik zag deed mijn lichaam ineens zo zwaar aanvoelen dat ik weer moest gaan zitten.

De Audi van Baz vulde het scherm.

Toen draaide de camera naar een glinsterende plas bloed in de modder onder de kofferbak. Er moesten een paar rubber doppen hebben ontbroken in de lekopeningen.

De verslaggever ratelde door en toen beantwoordde een politieman een aantal vragen. Een snoer van Paperclip flitste langs de onderkant van het scherm. Ik nam aan dat het een samenvatting was van het belangrijkste nieuws van deze ochtend.

De camera zoomde in op de open kofferbak waarin de Hulk lag opgekruld als een baby, de rugzak nog steeds achter zijn rug geschoven. Hij was groot en een stuk donkerder dan de meeste autochtonen.

De camera zoomde nog verder in op de kogelwonden. Een ambulancebemanning stond in de buurt, terwijl forensische deskundigen met wattenstokjes bezig waren en vingerafdrukken probeerden te vinden.

Ik nam achteloos een slok steenkoude koffie. Denk aan de omgeving: ik mocht niet de indruk wekken dat ik in paniek was. Er stonden nog steeds mensen in de buurt te wachten op hun vlucht, te kletsen, te roken of niet naar de tv te kijken.

Ik probeerde mezelf tot rust te brengen. Wat maakte het tenslotte uit? Dadelijk zouden we inchecken. Over iets meer dan een uur zouden we in de lucht zijn.

Toen begon mijn hart weer tekeer te gaan en het kwam niet door de koffie.

Met een foto van de Audi die nog steeds de helft van het scherm achter hem vulde, duwde een verslaggever buiten het kerkhof een microfoon onder de neus van drie tieners in veelkleurige trainingspakken. Twee ervan leken uit te leggen wat ze hadden gezien. De derde zag er zo afwezig uit, dat hij niet eens zou hebben geweten als er iemand bovenop hem was gevallen. De handen van de eerste twee gaven een koers aan over hun puistige, door heroïne getekende gezicht; ik probeerde het niet onder ogen te zien, maar wat had het voor zin – ze gaven een beschrijving van mijn uiterlijk.

Toen schakelde het beeld terug naar de studio waar de presentatrice enkele ogenblikken sprak. Ze vertoonden een opname van het doelwit met een straat vol blauw-witten en gaven een close-up van de camera's die op de muur waren gemonteerd.

Een paar tellen later zonden ze de beelden uit die elke hoop om aan boord van de vlucht van 12.25 naar Wenen te stappen, de grond in boorden.

3

Een paar seconden van wazige zwart-witbeelden flitsten over het scherm tot het punt waarop ik terugkeerde naar het huis nadat ik Roodoog had omgelegd.

Ze draaiden de opname nog eens af en bevroren het beeld toen op mijn gezicht. Het was een wazig beeld, maar dat maakten ze goed door over te schakelen op een tekening. Het was de eerste tekening die ooit van mij was gemaakt en ik wenste dat ze het niet hadden gedaan.

De volgende opname van het gesloten tv-circuit toonde ons allebei gemaskerd toen ik in de Audi stapte en Charlie de poort opende. Het was dus officieel. Ik zat in de stront. Het maakte niet uit of ze mij de moordenaar van Baz noemden of Roodoog of zelfs ons alle drie. Ze hadden een gezicht en waren ernaar op zoek.

Met gebogen hoofd stak ik de weg over naar de vertrekhal en de eindeloze rij bij de incheckbalie. Ik vond Charlie en maakte oogcontact. Toen ik wegliep, volgde hij me.

Ik liep naar de toiletten. Ik ging voor een urinoir staan en Charlie nam de plaats naast me. Alle deuren van de hokjes stonden open; we waren alleen.

'Het is op het nieuws. Voor jou is er niets aan de hand, maar ze hebben mijn gezicht.'

Charlie raakte niet van streek. 'Wat gaan we doen?'

'*Wij* gaan niets doen, maat. *Jij* stapt aan boord van die vlucht. Ik kan het niet riskeren – zelfs als het me lukt de lucht in te gaan. Er zijn daar tv's aan boord, maat. Ik kan beter op de grond blijven. Misschien probeer ik Turkije over de weg te bereiken.'

Hij aarzelde geen moment. 'Ik zal een auto huren. Vannacht kunnen we bij de grens zijn, we laten de auto achter en lopen naar de overkant. Een makkie. Kom mee.'

Hij kwam in beweging, maar ik greep zijn arm. 'Je hoeft voor mij niet met je discohanden het hele land door te rijden. Bovendien zullen ze ook controleren waar je online naar zoekt. Ze zullen zeker naar huurauto's kijken en vragen stellen voordat jij de sleuteltjes krijgt. Te riskant. Neem de papieren mee. Stap in het vliegtuig, ga naar Crazy Dave en houd je klaar. Zodra ik in Turkije ben zal ik je bellen en dan ontmoet ik je in H. Ik denk nog steeds dat we voor jou de rest van het geld kunnen krijgen.'

Charlie luisterde niet. 'Wacht hier.' Hij duwde zijn laptoptas in mijn handen. 'Stop de tape en de papieren hierin. Als je wordt ingerekend, heb ik hier misschien iets om je mee uit de stront te halen. Volg me, knul.'

Hij draaide zich om, liep het toilet uit en beende naar de uitgang, terwijl ik, als een klungelende assistent in het kielzog van zijn baas, alles in de tas schoof.

Waarom kon hij voor de verandering niet eens doen wat hem gezegd werd. Ik haalde hem in.

'Verdomme, Charlie, stap in dat vliegtuig. Ik heb een idee hoe we aan jouw geld kunnen komen en dat kan me misschien wel tegelijk uit de rotzooi halen.'

Hij luisterde nog steeds niet. Zijn ogen waren op de glazen deuren van de uitgang gericht. 'We verdoen tijd, knul. Zodra we hier weg zijn, kunnen we ons druk maken over het geld. Maar nu houd je gewoon je bek en komt mee.'

We liepen de terminal uit. 'Wacht hier.' Charlie beende recht op een jonge kerel in een blauwe trui af die achter het stuur van de 110 zat.

Charlie had zijn ernstige, doelbewuste gezicht van adjudant-onderofficier opgezet, terwijl hij naar het voertuig marcheerde. De chauffeur, een jonge blanke vent met een stekeltjeskapsel, sloeg hem de hele tijd gade tot hij bij zijn raampje stond. Een groene hoes van dik plastic lag op het dashboard. Het was de werkmap van de 110, een logboek van gereden uren en kilometers, waarop met grote letters DIENSTVOERTUIG was gedrukt.

Charlie tikte op het glas en gebaarde hem het raampje open te draaien.

'Chauffeur van dienst? Ben je aan het afzetten of ophalen?' Charlie sprak alsof hij de kerel een schrobbering gaf omdat hij iets verkeerds had gedaan. Soldaten reageren vaak beter op die toon, omdat ze negen van de tien keer wel moeten reageren.

'Afzetten.'

Charlie ontplofte. 'Afzetten, *meneer*! Van welk kamp ben je, jongeman?' Hij draaide zich om en wees naar mij. 'Blijf waar je bent! Ik heb je geen toestemming gegeven om ergens heen te gaan. Breng mijn tas hier.'

Ik hief met een ruk mijn hoofd op. 'Jawel, meneer.'

'Nou, breng hier, man. Doe eens wat nuttigs. Ik weet eigenlijk niet hoe ik erbij kom om hem aan jou te geven. Wat is er verdomme mis met dit leger?'

Ik voegde me bij hem en overhandigde de tas. Charlie zocht met veel vertoon naar papieren in het zijvak en keek ten slotte de chauffeur weer aan. 'Van welk kamp ben jij?'

'Kamp Vasiani, meneer.'

'Enige kamp in dit gebied?'

'Jawel, meneer.'

'Dan gaan we daarheen.'

Charlie draaide zich weer naar mij en bleef blaffen. 'Waarom zijn me geen instructies gestuurd om me aan te melden?'

'Ik weet het niet, meneer,' zei ik. 'Ik heb een e-mail gestuurd met het verzoek...'

'Niet goed genoeg.' Charlie was nu helemaal op stoom. 'Waarom is er hier niemand om ons op te halen?'

'Ik... ik weet het niet, meneer.'

'Jij weet het niet, meneer? Is dat zo?' Charlie opende het achterportier schoof de laptop naar binnen en wees naar mij. 'Erin!'

Ik begreep het nu. Charlie wilde mij voorin hebben, omdat we een beetje aan kapen gingen doen.

Hij keek kwaad naar de chauffeur, terwijl ik voor op de passagiersstoel ging zitten. 'Hoe ver is het naar het kamp?'

'Iets minder dan een uur, meneer. Maar ik moet toestemming hebben om...'

Charlies hand vertelde hem te zwijgen. 'Rijden. De vluchten gaan nu allemaal vertrekken; je laat niemand staan. We lossen het onderweg wel op. Kunnen die stomme officieren van jullie niet eens regelen dat er iemand wordt opgehaald?'

Hij sprong achterin, terwijl de chauffeur van dienst opzij leunde en een schakelaar omzette op zijn radio, een klein groen ding in het dashboard.

Charlie had het meteen door. 'Vooruit, rijden, ik hoef met niemand te praten. Niemand schijnt trouwens te weten welke dag van de week het is.'

De chauffeur deed erg nerveus toen hij achteroverboog naar Charlie. 'Maar, meneer, ik moet melden wanneer ik vertrek en ik moet ze vertellen of het afzetten goed is gegaan. Dat is me bevolen.'

We konden hem op geen enkele manier tegenhouden; het moest allemaal routine lijken. Tenslotte was het Charlie die klaagde over inefficiëntie. Hij kon nauwelijks de man zijn die een standaardbevel zou doorkruisen.

'Nou, vooruit dan. Laten we gaan.'

De chauffeur startte de 110 en we verlieten het terrein van de luchthaven. Charlie gaf me een knipoog, terwijl hij wachtte tot de jongeman klaar was met praten in de microfoon van zijn headset.

'Dat klopt. Twee passagiers voor onze basis. Maar geen opdracht?'

Hij haalde zijn schouders op over wat er als reactie werd gezegd.

Charlies hand verscheen over de schouder van de chauffeur. 'Geef aan mij.'

Hij blafte in de headset: 'Met wie spreek ik?' Er viel een stilte. 'Nou, sergeant Jay DiRita, ik heb geen meldingsinstructies ontvangen, niet eens de naam van de persoon voor wie ik helemaal uit Istanbul ben gekomen om een gesprekje mee te voeren!'

Charlie luisterde naar DiRita. 'O, is dat zo? Je hebt voor vandaag geen bezoekers ingepland staan? Goed, sergeant DiRita, nu dus wel. We zijn er over niet al te lange tijd en zullen dan proberen wat structuur in deze totale ratjetoe te brengen.'

Hij gaf de headset naar voren door aan de chauffeur en zat kwaad uit het raampje te kijken.

Ik keek naar de flatgebouwen met hun papegaaikleuren opzij van de vierbaansweg en hoopte dat we de drukte snel achter ons zouden laten, zodat we de chauffeur konden opbergen om op weg te gaan naar de grens.

Ik keek naar het dashboard. 'Heb je een kaart?'

4

We reden verder over de vierbaansweg naar de stad. Ik wierp van tijd tot tijd een blik op de papegaaikleurige flatgebouwen, terwijl de chauffeur zich extra concentreerde op de weg om maar niet naar het monster achterin te hoeven kijken.

De kaart die hij me had gegeven was niet meer dan een commerciële wegenkaart met de hoofdwegen en belangrijkste steden. Maar ik kon het gebied van Vasiani, ongeveer dertig kilometer ten noorden van de stad er tenminste op ontdekken. Het zag ernaar uit dat de huidige route ons rechts onderlangs Tbilisi zou brengen en dan omhoog naar het kamp.

'Heb je geen betere kaart? Ik weet altijd graag waar ik heen ga.'

Hij hield zijn ogen op de weg. 'Bang van niet, meneer. De dienstauto rijdt alleen op en neer naar het vliegveld en zodra we op deze weg zitten is er niet al te veel keus meer.'

Hij sloeg rechtsaf een dubbelbaans weg op. We waren niet meer in papegaaienland. Een kilometer of drie verder bereikten we de bergen en kronkelden omhoog naar een hemel vol onheilspellende wolken die zich verzamelden voor een volgende stortbui.

Terwijl we aan de andere kant afdaalden, zag ik voor me remlichten opgloeien. Er reden een paar auto's voor ons die allebei vaart minderden. Onze chauffeur schakelde terug tot we stapvoets voortkropen.

Een honderd meter verder waren grijze nylon zandzakken aan weerszijden van de weg opgestapeld als verdedigingswerk met daartussen betonblokken als fuik voor het verkeer.

Ik hoorde Charlie achter me heen en weer schuiven op de bank en wist dat hij het ook had gezien. Dezelfde gedachten moesten door zijn hoofd zijn geschoten: zouden ze naar een paspoort of identificatie vragen? En ook als ze dat niet deden, hadden ze dan de krant gelezen of naar het nieuws gekeken? Hij boog naar voren om de chauffeur weer op zijn donder te geven. 'Waar is die VCP voor? Moeten we stoppen?'

'Jawel, meneer. Er zijn controleposten op alle wegen die naar de stad leiden.'

Aan de andere kant van de VCP hing een roestige, oude autobus gevaarlijk scheef onder de ongelijke lading die op het dak was vastgebonden en erachter stond een rij auto's geduldig te wachten, terwijl soldaten met kogelvrije vesten en AK's de passagiers controleerden.

Charlie gaf mij de laptoptas aan. 'Kijk eens naar dit ding. Ik krijg het niet aan de praat.'

'Jawel, meneer.' Ik nam het aan en boog mijn hoofd. Ik klapte het apparaat met de nodige poespas open en speelde met de aan/uit knop tot het scherm begon te flikkeren.

We waren nu het derde voertuig in de rij. Een Georgische soldaat kwam aan de kant van de chauffeur naar ons toe lopen. Zijn wapen hing aan zijn schouder. Een groepje van zijn makkers stond bij elkaar aan mijn kant van de weg in de schaduw van de zandzakken.

'Mag ik uw identificatie, heren? Ze zullen die naast mijn werkformulier willen hebben.'

'Ongelooflijk,' blies Charlie. 'We zijn hier om die lui te helpen en ze vallen ons alleen maar lastig. Zien wij er verdomme uit als rebellen?'

De soldaat was bij het voertuig voor ons. Hij boog voorover om met de chauffeur te praten die een soort identificatie had laten zien. Ze kletsten een beetje en de soldaat wees schouderophalend naar de lucht, terwijl hij waarschijnlijk over het weer klaagde. Hij deed een stap achteruit, wuifde de chauffeur door en slenterde naar ons toe.

Ik boog nog verder voorover, volledig in beslag genomen door het probleem met de laptop.

'Meneer, ik moet...'

'Barst.' Charlie stapte uit de auto met een rug zo recht als een laadstok en zijn schouders naar achteren getrokken.

'Jij!' Hij stak zijn kin uit naar de Georgiër. 'Sta rechtop, man!'

Sommige bevelen worden door elke soldaat, ongeachte de taal, begrepen. De soldaat sprong in de houding.

'Waarom houd je ons op? Denk je dat we de hele dag de tijd hebben?' Charlie pakte hem nu hard aan. Hij inspecteerde hem van top tot teen. Deze knul was weer op het exercitieplein.

'Alstublieft, meneer, hij kan u niet verstaan.' De chauffeur was half uitgestapt. 'Alstublieft, laat me...' Hij probeerde de boze officier te kalmeren en wisselde tegelijk een veelzeggende blik met zijn Georgische collega.

Charlie tikte tegen de open klep van de kaartenzak op de broek van de Georgische battledress. 'Wat is dit, man? Kleed je aan! Knopen hebben een doel en zijn er niet voor de sier! Zorg dat je er fatsoenlijk bijloopt, soldaat!'

Ik hield mij adem in toen Charlie weer instapte. Ik dacht dat hij misschien te ver was gegaan met zijn vertolking van de Starship Trooper.

De soldaat aarzelde een ogenblik en duistere gedachten trokken rimpels in zijn Slavische voorhoofd. Toen gingen zijn handen naar beneden en frummelden met zijn broek. De andere wachtlopers bleven een eind uit de buurt.

'Goed, laat deze wagen rollen.'

De chauffeur greep de map op het dashboard. Ik gaf het scherm van de laptop mijn onverdeelde aandacht.

Hij draaide zijn raampje open en overhandigde het papierwerk, terwijl Charlie in mijn schouder prikte en me trakteerde op eenzelfde schrobbering.

Ik knikte gehoorzaam, tikte nog wat meer op de toetsen en keek toen naar de lucht alsof daar mijn redding lag. De Georgiër opende snel de map en controleerde de inhoud.

Charlie was witheet. 'Kom op! Rijden!'

Deze jongen wilde absoluut niet getrakteerd worden op nog een portie van wat meneer Nijdas had te bieden. Hij krabbelde een handtekening op het werkformulier en gaf de chauffeur toen zijn schrijfplankje om hetzelfde te doen. Bijna met dezelfde beweging wuifde hij ons door.

We manoeuvreerden door de betonnen chicane en kwamen naast de bus. De chauffeur leek een beetje bezorgd over mijn bezigheden met de laptop en ik kon het hem niet kwalijk nemen, vooral omdat ik hem nu dichtklapte en naar achteren aan Charlie doorgaf.

'Ik denk dat alles in orde is, meneer.' Ik wierp een blik op de chauffeur en rolde met mijn ogen. *Officieren!?*

De chauffeur schakelde de radio in. 'Hallo. Dienstauto door controlepost Alfa. Over.'

'Begrepen, dienstvoertuig Controlepost Alfa. Sluiten.'

Charlie zat nog steeds dreigend te kijken. Ik kon de hitte van zijn woede bijna achter in mijn nek voelen en ik wist dat de jongen links van mij dat ook kon.

Ik probeerde voorzichtig een beetje te vissen. 'Wat een gedoe voor jou... Hoeveel van die controleposten moet je passeren?'

'Eentje maar, meneer,' Ik kon de opluchting in zijn stem horen. Het laatste wat hij wilde, was dat Charlie er weer zo'n toestand van maakte.

We kwamen uit in een enorme vallei met een netwerk van rivieren en stroompjes en minstens tien kilometer golvend terrein tussen de bergen aan weerszijden. Het was een groot, met bomen bedekt gebied – Zwitserland maar dan zonder koeien.

Ook al waren we ontsnapt uit Tbilisi, het zou moeilijk blijven om dit ding te kapen. Er was niet zoveel verkeer als in Tbilisi, maar er was een constante stroom van militaire vrachtwagens vol verveeld kijkende Georgische soldaten van wie het hoofd van de ene naar de andere kant rolde, en volgepakte bussen met zakken aardappelen en allerlei soorten bagage vastgebonden op het dak, die alleen maar afremden om langs elkaar heen te wringen op de smalle strook afbrokkelend asfalt.

We passeerden er weer een die op weg was naar de stad en reden een laagte in van een paar honderd meter lang. We waren niet te zien. De plek was even goed als welke dan ook.

Ik stak een hand op. 'Ik moet pissen.'

De chauffeur remde meteen af en stopte in het gras van de berm.

Ik stapte uit en liep rond de voorkant van de auto, zodat ik aan de kant van het stuur kwam, voordat ik verder naar achteren liep en de gebruikelijke bewegingen maakte. Charlie stapte ook uit om zijn benen te strekken. Hij liep langs de radiatorgrille en leek iets te zien. Hij wees onder de motorkap en keek toen op naar de chauffeur. 'Wat is dit? Chauffeur, kom hier!'

De soldaat sprong gehoorzaam uit het voertuig en voegde zich bij Charlie aan de voorkant. Ik draaide me om en volgde op twee passen afstand.

Charlie bleef tekeergaan. 'Wie is verantwoordelijk voor deze wagen? Kijk eens wat een toestand.'

De chauffeur keek, maar kon niets verkeerds ontdekken. 'Maar meneer, ik kan niet...'

Ik sloot mijn handen om zijn mond en kaak en sprong op zijn rug. Ik trok zijn hoofd tegen mijn borst, sloeg mijn benen om zijn middel en tuimelde achterover.

5

Ik landde in het gras met hem bovenop me en haakte mijn benen door de binnenkant van zijn dijen. Het lichaam bood gedurende een paar tellen geen weerstand en toen begon hij te trappen en met zijn armen te zwaaien.

'Het is in orde, maat, het is in orde,' zei Charlie.

Ik trok nog harder en hield mijn lichaam en benen stijf.

'We gaan je geen pijn doen, maat. Kalmeer gewoon. Kom op, beheers je...' Charlie boog over hem heen en stak zijn vinger op alsof hij een kind een standje gaf. 'Rustig, knul, we zijn hier niet om je kwaad te doen. Je wordt geen haar gekrenkt.'

Bij wijze van reactie schokte en kronkelde hij nog meer, dus pakte ik hem nog steviger vast.

Charlie doorzocht zijn zakken en gooide de inhoud op het gras. Ik wist dat hij controleerde op een gsm. Als hij er eentje had, zou die weggegooid moeten worden zodra we weer onderweg waren. Het zou geen zin hebben om Crazy Dave te bellen met de waarschuwing dat hij een heleboel rotzooi moest opruimen en het had evenmin zin om hem mee te nemen, voor het geval hij kon worden opgespoord.

Hij deed een stap achteruit. 'Nee, hij heeft er geen.'

De jongen ademde nu iets gemakkelijker.

Charlie wees weer op hem en deze keer was zijn toon bijna verontschuldigend. 'Luister, knul, we gaan de wagen meenemen en we gaan jou hier achterlaten. Ik weet dat jij het geen leuke dag zult vinden, maar je zult het moeten accepteren. Als je rare dingen begint te doen, gaan we je een beetje aframmelen en nemen je met ons mee. Als je je gedraagt, laten we je gaan. Dat is toch geen hogere wetenschap, hè?'

Hij knikte zo goed en kwaad als het ging met zijn hoofd nog tegen mijn schouder gedrukt.

'Ik ga je nu loslaten,' zei ik. 'Ik wil dat je gewoon van me afrolt en wegloopt. Dat is alles, maat, meer hoef je niet te doen. Goed?'

Zijn ademhaling ging wat trager en hij gaf iets dat een knikje benaderde.

'Goed, daar gaan we.'

Ik maakte mijn handen en benen los en hij deed precies wat hem was gezegd.

Charlie hield hem in het oog, terwijl ik overeind kwam en om de auto naar het portier aan de kant van het stuur liep. 'Goed zo, knul, gewoon weglopen. Goed gedaan.'

Charlie sprong op de achterbank en ik zette de radio aan. Als iemand over ons begon te kletsen, wilde ik het horen.

We hadden genoeg brandstof. De tank zat driekwart vol. Niet verrassend – dienstwagens werden steeds na elke klus afgetankt, klaar voor de volgende.

Ik wierp een blik over mijn schouder. Charlie zat met de laptoptas op zijn knieën. 'Over de verharde weg of door het land?' Ik wierp hem de kaart toe.

'Daar staat geen barst op.' Hij bekeek hem nog een paar tellen en schudde zijn hoofd. 'Dus denk ik dat we deze moeten aanhouden, tenzij we een kleinere weg zien die ze niet de moeite waard vonden om op te tekenen.'

'Deze voert ons recht door Vasiani...'

Charlie boog zich weer over de kaart. 'Misschien, misschien. Maar als we daar voorbij zijn, kunnen we een bocht om de stad maken en naar het zuiden rijden.'

Hij keek naar het terrein links van ons en toen achter hem. 'Of we rijden door het veld terug tot we voorbij de VCP zijn, dan pakken we de weg weer en rijden naar het zuiden. We kunnen niet terugrijden door de stad. Het zal te gemakkelijk voor hen zijn om ons in dit ding te peilen, als de chauffeur een SOS heeft kunnen rondsturen. Zodra hij de kans krijgt zal hij een voertuig aanhouden.'

Hij zweeg even. 'Wat vind je, moeten we het proberen?'

We reden nog vijf minuten door om er zeker van te zijn dat we een eind uit de buurt van de chauffeur waren en toen schakelde ik de vierwielaandrijving van de 110 in en reed links van de weg af. Zodra we uit het zicht waren, zou ik evenwijdig aan de weg terugrijden langs de VCP. De wagen slingerde en slipte over de zachte grond. De dagenlange zware regen had de bodem verzadigd en week gemaakt. Het was niet ideaal en we hadden niet veel tijd – het zou hooguit een paar uur duren voordat de chauffeur was teruggerend naar de VCP om alarm te slaan en iedereen zou uitkijken naar de 110 – maar veel keus hadden we niet.

Als we vast kwamen te zitten, zouden we het kreng uit moeten graven. We waren tenminste nog niet op de steilere gedeelten. Een combinatie van zware regenval, steile hellingen en een bodem die los genoeg was om niet meer op zijn plaats te worden gehouden door de zwaartekracht was het recept bij uitstek voor landverschuivingen.

Zodra we uit het zicht van de weg waren, draaide ik naar links, maar dat was geen reden om te juichen. De omstandigheden werden alleen maar slechter. Kleverige modder trok aan de wielen en we zakten er bijna tot de assen in. Ik keek op Baby-G en wierp toen een blik op het dashboard. We hadden iets meer dan een halfuur gereden en nog maar een paar kilometer afgelegd..

Ik draaide me om naar Charlie. 'Dit gaat niet werken, makker. In dit tempo zijn we nooit voorbij de VCP op het moment dat hij alarm slaat. Hij zou er nu al kunnen zijn, als hij een lift heeft gekregen.'

'Er is niets veranderd, knul. Als we terugkeren naar de weg, kunnen we verder geen kant uit.'

Ik greep de kaart en bekeek de route ten noorden van de stad, voor het geval we naar het westen konden rijden om dan linksaf te slaan naar Turkije. Ik zocht ook naar benzinestations, maar zag er geen aangegeven.

'Alles is toch beter dan hier vast blijven zitten? We zouden in elk geval kilometers afleggen. Dat hebben we nodig, makker. Wat zeg je ervan, pakken we ons verlies?'

6

Ik stopte vlak voor de top van de heuvel en Charlie stapte uit.

Hij klauterde naar boven om het terrein voor ons te controleren, liet zich op zijn knieën zakken toen hij de rand naderde en kroop de laatste paar meter op zijn buik. We wilden niet het gevaar lopen om domweg over de top te rijden en dan tot de ontdekking te komen dat onze kameraden van de controlepost recht voor ons stonden.

Hij zwaaide me naar boven en klom er weer in toen ik op gelijke hoogte met hem kwam. Hij boog naar voren door de opening tussen de voorstoelen. 'De weg ligt aan de andere kant op tweehonderd. We kunnen nooit langs die VCP zijn.'

Ik reed de wagen langzaam de heuvel op. 'Dat ontdekken we hoe dan ook gauw genoeg. Ze kunnen verrekken.'

Het ogenblik breekt aan dat je moet accepteren nog maar weinig keus te hebben en dan moet je ervoor gaan.

We reden de weg op, sloegen linksaf en ik ging over op tweewielaandrijving om brandstof te sparen.

Nog geen minuut later zagen we de chauffeur van het dienstvoertuig voor ons. Hij zag de auto en begon te zwaaien.

Charlie lachte. 'Ik wed dat hij van gedachten verandert als hij ziet wie het is.'

Hij had gelijk. Toen we dichterbij kwamen, keek de kerel nog eens goed en verdween tussen de bomen.

Een kwartier later moesten we afremmen voor een tegenligger, een vrachtwagen die te zwaar geladen was met knollen. Er vielen er een paar vanaf op het dak van onze auto toen we langs elkaar manoeuvreerden.

We kwamen op de top van een andere heuvel en het terrein voor ons werd zichtbaar. Het kamp lag in de verte, op misschien een kilometer van de weg aan een zo te zien nieuw aangelegde grindweg.

Het was zo groot als een kleine stad. Tientallen groene twintigmanstenten stonden in keurig gegroepeerde rijen langs de zijkant van een terrein dat was afgezet met gaas. Rechts daarvan lag een doolhof van verplaatsbare keten met satellietschotels op het dak die in terrassen waren opgebouwd rond betonnen wegen.

Vijf of zes Huey's stonden in een keurige rij naast een helikopterveld geparkeerd.

De hoofdweg liep misschien drie kilometer door en dan kwam de afslag naar een ander kamp op hoger gelegen terrein.

Charlie leunde weer naar voren. 'Barst, het hele leger zit hier!'

Hij zat er niet ver naast. 'Heb je nog heldere ideeën?'

Hij schudde zijn hoofd. 'We moeten er gewoon voor gaan, want we kunnen nergens anders heen. En we rijden in een bedrijfswagen, nietwaar? Laten we hopen dat de chauffeur nog niet bij de VCP is, dan krijgen we alleen een knikje.'

Ik drukte het gaspedaal in en we meerderden vaart langs de afslag naar het eerste kamp. Het pad bleek verhard en liep over een lengte van een kilometer naar de hoofdpoort waar een grote Amerikaanse en Georgische vlag wapperden in de bries.

Op de velden aan weerszijden was het een drukte van belang. Het Partnership for Peace-programma draaide op volle toeren. Amerikaanse instructeurs in ongewapend vechten gekleed in een groen T-shirt en de gevlekte camouflagebroek van het US Marine Corps lieten Georgische troepen zien wat mogelijk was. Zo te zien amuseerden ze zich kostelijk bij het aftuigen van de vrolijke jongens uit de rekruteringsreclame, terwijl hun kameraden overlevingstechnieken erin stampten bij infanteriepatrouilles in puntformatie.

Niemand keurde ons een blik waardig.

Prima tot dusver.

De 110 begon te trillen en de rammelen toen het wegdek aan de andere kant van de kruising snel verslechterde. Ik hield het gas op de plank, terwijl we de heuvel op reden naar het tweede kamp.

Ik schakelde terug naar de derde versnelling op de steilere helling waarmee de 110 geen enkele moeite had. Ik begon hier een goed gevoel over te krijgen.

'Hallo, dienstvoertuig, dienstvoertuig. Ben jij dat op de heuvel? Rapporteer. Over.'

Ik keek naar de radio en toen naar Charlie. Hij haalde zijn schouders op. Iemand die niets beters had te doen sloeg ons met een verrekijker gade. Nou en?

Ik schakelde terug naar de tweede om langs het kamp boven op de heuvel te sprinten, voor het geval ze bevel hadden gekregen ons tegen te houden.

'Dienstvoertuig, ga niet verder. Herhaal, ga niet verder. Keer terug naar onze locatie. Over.' Misschien hadden ze de wagen nodig om de broodjes van de commandant op te halen.

We besteedden er weer geen aandacht aan. Het was gas op de plank. De motor krijste toen we de heuvel op reden.

'Steek de demarcatielijn niet over. Passeren van de demarcatielijn is tegen de orders. Herhaal, keer terug naar de locatie. Over.'

'Demarcatielijn?' Charlies hoofd kwam naast het mijne, terwijl hij de heuvel op tuurde. 'Zitten deze twee kampen midden in een vakbondsgeschil?'

'Zoiets.' Ik knikte in de richting van de vlaggen die boven de poort van het kamp wapperden dat nu ongeveer honderdvijftig meter links voor ons lag. Het waren niet de Stars and Stripes en ook niets dat leek op Richard Leeuwenhart, maar de liggende witte, blauwe en rode banen van de Russische federatie.

Charlies hoofd bevond zich ter hoogte van mijn rechterschouder. 'Verrek maar, laten we gewoon doorrijden en het erop wagen. We hebben verdomme geen andere keus.'

We begonnen langs het hek aan de voorkant van het kamp te rijden. Mannen in uniform dromden verbaasd samen tussen eindeloze rijen tenten en voertuigen. Zo te zien werden ze in paraatheid gebracht.

Er was nu grote opwinding bij de hoofdingang. Ik minderde vaart toen gewapende mannen de weg op stroomden. Gingen ze een wegversperring opwerpen?

De radio begon weer te blèren. 'Dienstvoertuig. Statusrapport. Over.'

Ik hield mijn ogen op de uniformen voor ons gericht. Ze hadden zich kennelijk nogal gehaast aangekleed; sommigen hadden hun jasje niet dichtgeknoopt, anderen hadden geen helm. Maar allemaal hadden ze een AK. Als ik er één aanreed, zouden ze allemaal tegelijk het vuur openen.

'Ik ga niet stoppen. Ik blijf gewoon doorrijden, maar heel langzaam. Ben je er klaar voor?'

Ik keek in het achteruitkijkspiegeltje naar Charlie.

Hij knipoogde. 'Wie ben jij, Butch of Sundance?'

7

We waren ter hoogte van de hoofdingang en de snelheidsmeter schommelde in de buurt van de twintig. Niemand op de weg scheen te weten wat er moest gebeuren. Ze leken allemaal in het Russisch te zeggen: 'Wat komt die Britse 110 hier verdomme doen?' Gelukkig hadden ze hun AK's allemaal aan de draagriem hangen en niet tegen de schouder gedrukt.

Charlie begon te zwaaien. 'Hoe gaat het, jongens?'

Ze staarden ons aan en toen begonnen een paar van de jongere mannen te glimlachen en terug te zwaaien. Onderofficieren begonnen kwaad te roepen en probeerden wat orde te scheppen.

We rolden verder, terwijl prins Charlie achterin zijn groet-het-volk-vertoning bleef weggeven. Nog steeds hield niemand ons tegen.

De radio blafte. 'Dienstvoertuig, draai om, draai om. Niet stoppen. Onderneem geen actie die als agressief kan worden uitgelegd. Wanneer u wordt aangehouden, volg hun orders dan op.'

'Bek dicht, stomme zak,' zei Charlie, terwijl hij breed glimlachte naar zijn nieuwe onderdanen.

Ik schakelde de radio uit.

Enkele ogenblikken later waren we uit de drukte. Ik zette me schrap voor schoten die niet kwamen. We reden langzaam de heuvel af, niet langer in het zicht van het Amerikaanse kamp.

Het hek hield op. Charlie draaide zich om en keek achteruit. 'Nog steeds niemand die volgt. Vooruit maar. Gas op de plank, knul.'

Op dat punt was ik het absoluut helemaal met hem eens.

Gedurende misschien dertig minuten zagen we geen kruisingen, geen zijwegen, geen VCP's, alleen maar heel veel golvend groen voor ons, een bos aan onze linker- en een vallei aan de rechterkant. De motor raasde en op plaatsen waar het wegdek het toeliet, haalden we wel negentig per uur. De chauffeur moest de VCP intussen hebben bereikt, maar wat zou het? We waren een heel eind buiten het gebied. Ergens aan de andere kant van de horizon zou een Welkom in Tbilisi-VCP de weg versperren en maar al te graag de kans te baat nemen om ons op elke mogelijke manier tegen te houden, maar dat zagen we dan wel weer. Op dit moment voelde ik me best wel ingenomen met mezelf.

Toen hoorde ik iets heel bekends en mijn stemming daalde.

Ik keek naar Charlie en kon uit zijn gezicht opmaken dat ik gelijk had. Hij draaide zijn raampje naar beneden.

Het geluid was nu luider en onmiskenbaar.

Het gestage ratelen van zware rotorbladen die door de lucht sneden.

Ze moesten een pijpleiding beschermen, dus zouden ze natuurlijk een QRF (Quick Reaction Force) klaar hebben staan. Ik wenste alleen dat ze het gedeelte over de snelheid niet zo ter harte hadden genomen.

Charlie schoof heen en weer op de achterbank om vast te stellen waar het geluid vandaan kwam. Ik boog naar voren over het stuur en keek ingespannen naar een nog steeds lege hemel.

Het gestage geklop leek op gelijke hoogte met ons te komen en toen verscheen de Huey rechts van ons uit de diepte, op niet meer dan een paar meter afstand.

Gedurende de twee seconden dat hij boven ons vloog, stond de 110 bijna stil onder de druk van de rotorwind. Ik kon de piloot heel goed zien. Beide zijdeuren waren naar achteren geschoven en de ruimte ertussenin was afgeladen met lui in donkergroene battledress en twee of drie in de gevlekte camouflage van de US Marines.

Ze zwaaiden dringend met gerichte wapens en gebaarden ons te stoppen.

Barst maar. Ze zouden bovenop me moeten landen voordat ik dat deed.

Ik hield mijn voet op de plank.

De Huey scheerde over de weg en verdween voor ons uit het zicht. Enkele ogenblikken later begon een ander stel rotors de lucht achter ons te ranselen.

Charlie leunde over de achterbank. 'Daar komt hij. Verrek, die zit laag!'

Huey Twee vloog op een paar meter afstand over ons heen en volgde de weg. Ik kon de zolen van gevechtslaarzen zien die op de glijders rustten en de AK-lopen die uit de open deuren staken.

De 110 schudde heftig. Misschien gingen ze echt proberen om boven op ons te landen.

Charlie zocht de hemel af. 'Waar is de eerste gebleven?'

'Ik mag verrekken als ik het weet, maar ik denk dat deze ons aardig vindt. Moet je kijken.'

Hij was ongeveer tweehonderd meter doorgevlogen en de neus schoot omhoog toen hij zich naar ons omdraaide. De glijders van de heli bonsden op de weg en manschappen begonnen eruit te springen in het waas van de uitlaatgassen.

Rechts van ons en dichterbij komend hoorde ik het geratel van een ander stel rotors. Huey Een kwam ongeveer op gelijke hoogte met de 110 voorbij toen hij achter ons positie innam. Hij ging zijn manschappen afzetten om ons af te snijden.

Verdomme. Ik rukte de wagen scherp naar links om over het ruwe terrein naar de bomen te rijden. Ze waren niet met genoeg man om ons daar te vinden.

Huey Een draaide meteen naar ons terug, dook als een valk op een veldmuis en bleef een paar meter boven ons zweven. Een gevlekt uniform boog naar buiten, voeten op de glijder en één hand aan de omlijsting van de deur. Hij keek me strak aan, schudde traag zijn hoofd en ging toen met de wijsvinger van zijn andere hand langzaam over zijn keel.

'Hij kan verrekken. Niet stoppen, knul, we zijn er bijna.'

We hadden misschien nog driehonderd meter te gaan. Door het ruwe terrein bonsde mijn hoofd tegen het dak. De wagen schudde, rammelde en helde van de ene naar de andere kant, maar bleef rijden.

De heli vloog door en landde. Meer manschappen sprongen eruit, verspreidden zich en namen posities in tussen ons en de bomen.

Ik draaide het stuur half naar rechts. De veiligheid was nu tweehonderd meter ver.

Huey twee had zijn mannen van de weg gehaald en deed weer mee in het spel. Hij kwam van rechts naar ons toe.

'Hij komt er laag in, knul...'

Charlie bleef doorlopend commentaar geven, terwijl ik me concentreerde op het rijden. De auto reed nog in tweewielaandrijving, maar ik wilde de vaart er niet uithalen door vier wiclen in te schakelen.

'Ze hebben kraaienpoten!'

Ik hield mijn voet helemaal op de plank en over het stuur gebogen dreef ik de 110 dichter naar de dekking van de bomen. De achterkant van de wagen schoot even de lucht in en de achterwielen sloegen gierend door, als een schroef boven het water. We moesten de kraaienpoten vermijden.

Huey Twee zat boven ons. De luchtstroom deed de wagen van de ene naar de andere kant schommelen. Hij vloog iets naar voren. Een gevlekt uniform zat gehurkt op de glijder; een band van tien meter vol driepuntige stekels zwaaide uit zijn hand naar de grond.

Ik draaide weer naar rechts, evenwijdig aan de bomen. Nog iets meer dan honderd meter.

Charlie haalde de tape en de papieren uit de laptoptas, klaar om het op een rennen te zetten. 'De andere helikopter is in de lucht en elk moment hier! Trap dat vervloekte gas in!'

De kraaienpoten waren nog enkele meters verwijderd en kwamen van links naar rechts op ons af.

'Klaar houden... klaar houden... ze hebben ons!'

De kraaienpoten vielen en de banden klapten bijna meteen.

8

Het stuur schudde een paar tellen heftig in mijn handen en toen stopte de auto gewoon. Met lekke banden groeven de velgen zich gewoon in de modder in.

Beide heli's zaten bovenop ons. Kerels in battledress sprongen er op een paar meter afstand uit, met hun wapen in de aanslag. Die lui zouden geagiteerd zijn. Sommigen zagen er nerveus uit, anderen leken gewoon een kerf in hun kolf te willen maken.

Ik stak mijn handen heel langzaam en nadrukkelijk omhoog en legde ze op het dashboard waar ze zichtbaar waren.

Een zwarte kerel in een gevlekt camouflage-uniform met twee strepen op zijn revers schreeuwde van de voorkant van de auto boven het gebulder van de heli's uit: 'Uit de wagen! Uit de wagen!'

We treuzelden niet.

Georgische jochies zwermden om ons heen en gooiden ons op de grond. Handen fouilleerden ons. Zakken werden naar buiten getrokken, jacks opengerukt.

Een van de Huey's steeg weer op en zweefde boven de 110, terwijl ik op mijn rug werd gedraaid en nog wat meer werd gefouilleerd. Een kabel kwam uit zijn buik zakken met aan het eind een paar grote, nylon stroppen.

De rotorwind stonk erg naar vliegtuigbrandstof. Aarde, zand en regenwater van het gras spatte in mijn gezicht.

Dankzij de kraaienpoten ging de wagen zonder hulp nergens meer naartoe, zelfs als de battledressen een ander internationaal incident met de Russen hadden willen riskeren. De Georgische jochies krioelden er als mieren omheen en maakten de stroppen vast. Dit was veel leuker dan weer een dag les krijgen.

AK's werden op ons gericht en de zwarte kerel verscheen weer in mijn gezichtsveld. Hij fouilleerde me nog een keer, blijkbaar zonder iets te merken van de rotorwind.

'De chauffeur mankeert niets! We hebben hem een paar kilometer van het kamp afgezet. Met hem is het goed.' Ik haalde diep adem om hoorbaar te zijn boven het geraas van de twee rotors. 'We hebben hem niet aangeraakt, hij is in orde!'

Mensen kunnen erg gevaarlijk worden als ze denken dat een van hun kameraden iets is aangedaan.

Mijn handen werden beetgepakt. De handboeien hadden een massief stalen tussenstuk in plaats van een ketting. Dan kun je de polsen niet draaien. Ze werden veel te strak gesloten, maar ik klaagde niet. Ik keek alleen naar beneden, klemde mijn tanden op elkaar en spande mijn spieren, voorbereid op een paar trappen.

De kapitein pakte het tussenstuk en gaf er een ruk aan. Ik was helemaal in zijn macht. Hij sprong over de kraaienpoten en begon naar de tweede Huey te rennen. Het was te pijnlijk om iets anders te doen dan hem zo goed mogelijk te volgen.

Ik keek achterom en zag Charlie hollen om zijn begeleider bij te houden.

De kapitein sprong het eerst aan boord. Hij trok me omhoog en duwde me op een van de draadstoeltjes van rood nylon die in het midden van de cabine tegenover de deuren stonden. De man met Charlie deed precies hetzelfde aan de andere kant.

De Georgiërs sprongen achter ons aan boord en de heli steeg op. Ik had een mooi zicht op de andere Huey die boven de 110 zweefde. Alles zat vast en hij was klaar om te vertrekken.

De manschappen die hij had aangevoerd zouden achterblijven; ik vermoedde dat ze hen zouden ophalen nadat ze ons hadden afgezet.

We vlogen over de hoofdweg en een heleboel opgewonden gezichten keken naar ons omhoog van achter de raampjes van een roestige, oude bus waarvan de imperiaal was afgeladen met koffers, boodschappentassen, kippen in kooitjes en wat al niet meer. Ik nam aan dat het de laatste vrolijke gezichten waren die ik voor een hele tijd te zien zou krijgen.

We vlogen over de bus en maakten een grote boog links om het Russische kamp. De kapitein had een koptelefoon opgezet en praatte snel in de microfoon. De herrie van de motor en het geruis van de wind maakten het onmogelijk om te horen wat hij zei, maar ik wist dat het over ons moest gaan.

Aan de binnenkant van de Huey was niets gedaan sinds hij in de jaren tachtig van de vorige eeuw de fabriek van meneer Bell had verlaten. De wanden waren nog steeds bekleed met het verschoten en zilverkleurige gewatteerde materiaal en de zandkleurige verf van de antislipvloer was al afgesleten voordat een paar van deze soldaatjes begrepen hoe hun eerste waterpistooltje werkte.

We vlogen dicht langs de rand van de vallei en gebruikten die als dekking voor de Russen die daar ergens boven zaten en een voortgangsrapport naar Moskou aan het sturen waren.

We vlogen laag en snel, en bomen, dieren en gebouwen flitsten voorbij.

We helden over naar links en rechts om de contouren van het land te volgen. Wind joeg naar binnen bij een bijzonder scherpe bocht naar rechts. Ik klemde mijn stoel tussen mijn benen om te voorkomen dat ik in de bomen werd gekieperd.

We kwamen recht, schoten over de bergrand en Kamp Vasiani strekte zich voor ons uit.

De training was nog in volle gang, maar ik wist nu dat het alleen maar voor de show was. Het echte Partnership for Peace-programma kreeg hier in de Huey gestalte. Kerels als de marinier in het stoeltje naast me zouden de lakens uitdelen, terwijl de Georgische jongens het huiswerk mochten doen en naar de camera's konden glimlachen.

We zweefden boven de betonnen plaat en zetten de landing in. Uitlaatgassen en rotorwind sloegen in mijn gezicht.

De glijders hadden de grond nog niet geraakt, of we werden al in de richting van een wachtende 110 gesleept.

In de verte verscheen de andere Huey over de heuvelkam, met de bungelende Land Rover onder zijn buik.

Hier beneden heerste verwarring. De Georgiërs duwden ons achterin de 110. Een van hun makkers reed en de anderen vormden een gewapend escorte. Vier begeleiders zaten schrijlings op een dofgroene quad. De marinier die de leiding had, droeg een kogelvrij vest, helm en motorbril en er hing een M16 op zijn rug. Uit de streep op zijn revers en helm bleek dat hij een luitenant was.

We hotsten door het kamp en kwamen uiteindelijk bij het complex met tijdelijke bouwketen. Ik nam niet de moeite om te proberen iets te verzinnen. Ik had geen invloed meer op de gebeurtenissen, dus nam ik de dingen zoals ze kwamen. Ik moest accepteren dat ik diep in de stront zat. Als ze het al niet wisten, zou het niet lang duren voordat ze erachter kwamen dat ze een plaatselijke tv-ster in handen hadden. En zodra ze dat doorhadden... nou ja, elke minuut uitstel voordat ik met een kaalgeschoren kop en duimschroeven aan in een Georgische cel werd gesmeten, was meegenomen.

We draaiden een open plein op tussen groepen crèmekleurige, aluminium Portakabin-modules. De 110 stopte en de quads stelden zich rond ons op.

De luitenant stapte af en brulde een serie orders.

Drie US Marines stonden rechts van ons met kogelvrij vest, kevlarhelm en het wapen geschouderd. Hun boodschap was duidelijk. 'Handen omhoog! Laat je handen zien! Handen in de lucht!'

Ik ontdekte airco's op de daken van de modules. Ik had het gevoel dat we ze wel eens nodig konden hebben.

Deel acht

I

De ene-streep rende rond, terwijl hij orders blafte in de open deur van een van de Portakabins en de mariniers kwamen naar voren. Wij deden precies wat ze zeiden, want we hadden allebei een loop in ons gezicht.

Wij wachtten op aanwijzingen. De kunst is om geen angst of een andere emotie te tonen waardoor mensen misschien doordraaien. Doe neutraal en doe wat je gezegd wordt, wanneer het je gezegd wordt.

'*Jij!* Jij met het donkere haar,' schreeuwde de marinier die het dichtst bij me stond. 'Stap uit de auto en stap heel langzaam uit. De oude kerel blijft waar hij is.'

Ik onderdrukte een grijns. Dat zou Charlie helemaal niet leuk vinden. Meer mariniers buitelden uit de tijdelijke verblijven het plein op, gekleed in kogelvrij vest en kevlarhelm, maar zonder wapen. Ik had het gevoel dat we op het punt stonden het ontvangstcomité te ontmoeten.

Ik stapte langzaam uit en zorgde ervoor dat ze de hele tijd mijn handen zagen en dat ik geen onverhoedse bewegingen maakte.

De kerel die me onder schot hield, kwam naar mijn kant van het voertuig en bleef op een paar meter staan. De loop van zijn wapen was midden op mijn borst gericht. Hij stond gebogen met de kolf van het wapen stevig tegen zijn schouder gedrukt en hij mikte eerder laag dan hoog, zodat er minder kans was dat de kogel op de weg naar buiten iemand anders zou raken, als hij moest schieten.

Nu was Charlie aan de beurt om toegeschreeuwd te worden. Ik hoorde hem meer uit de auto stappen dan dat ik het zag. Ik ging me niet omdraaien tot de man met de semi-automaat zei dat hij dat wilde.

Twee of drie gapers staken hun hoofd uit het raam aan de andere kant van het plein. Een heleboel anderen kwamen naar buiten en vormden een cirkel om ons heen.

'Wat is er aan de hand, man? Hebben zij de 110 gestolen? Moeten Russen zijn.'

'Nee, drugsdealers.'

'Helemaal niet. Het zijn terroristen, man. Vervloekte rebellen.'

Deze kerels brachten kennelijk meer tijd door met herhalingen van *Fantasy Island* dan met het bekijken van het plaatselijke nieuws, maar ik wist dat het slechts een kwestie van tijd zou zijn tot ze de verbinding met Baz zouden leggen.

Mijn escorte greep het tussenstuk van de boeien en rukte mijn handen naar voren, terwijl een paar van zijn maten me bruusk fouilleerden. Ze schenen het helemaal niet leuk te vinden dat we hun wagen hadden gejat.

Elke arm werd gegrepen door een paar handen en half dragend sleepten ze me over de harde ondergrond en toen twee houten treden op. We volgden een brede gang zonder ramen. Grijze linoleum bedekte de vloer en de onderste vijftien centimeter van de muren als vervanging van een plint, tl-licht weerkaatste op glanzend witte muren.

De marinier voor ons maakte een pad vrij door de toeschouwers. 'Oké, mannen, de show is voorbij. Terug naar jullie kantoor, alsjeblieft. We hebben de situatie onder controle. Kom op, mensen, aan de kant.'

We kwamen bij een dubbele deur zonder raam die aan de onderkant behoorlijk was afgesleten door het herhaaldelijk openen met de hulp van een laars.

We passeerden in totaal drie of vier van die deuren, voordat we eindelijk bleven staan voor een kale kamer met als enig meubilair een aluminium stoel en een tafel.

Charlie was niet meer achter me. Dat vond ik helemaal niet leuk.

Een van de kerels duwde me naar binnen.

De combinatie van linoleum en witte muren was kennelijk de trend in deze uithoek.

Ze draaiden me om en zetten me op de stoel. Zonder een woord te zeggen greep een van hen het tussenstuk en rukte mijn geboeide handen achter mijn hoofd. Het gewicht van mijn armen trok de boei achter in mijn nek, dus probeerde ik mijn schouders iets op te trekken om wat druk van mijn polsen te halen.

Ik werd aan mijn haren overeind getrokken. 'Rechtop zitten, klootzak.'

Vier kerels en een vrouw bleven bij me in de kamer, allemaal in uniform met radio-oordopjes en pistolen in een zwarte nylon beenholster. Een van hen bleef mijn handboeien vasthouden, waardoor zijn knokkels achter in mijn nek duwden.

Hun ogen keken me strak aan.

De vrouw kwam voor me staan. 'Uitkleden.'

Als ze hier was om mij in verlegenheid te brengen, dan was ze een leven te laat. Ik had ooit mijn eigen stront moeten eten en ik zou het weer doen als het ze weerhield om bovenop me te klimmen. Alles was beter dan een pak slaag.

De handboeien werden losgemaakt en bloed stroomde terug in mijn handen, terwijl ik mijn spullen begon uit te trekken.

Afgezien van het zachte gezoem van de airco hoog tegen de muur was het stil in de kamer.

Ze dook in haar trukendoos en stak haar handen in een paar chirurgische handschoenen. Ik ontdekte op haar revers een insigne met twee slangen die om een soort stok kronkelden. Medische dienst.

Ik stond met mijn kleren op een hoop aan mijn voeten te wachten op instructies, hoewel ik een goed idee had waar dit naartoe ging.

Ze wees op de stoel. 'Zitten.'

Ik deed wat me was opgedragen en de vier kerels kwamen in een halve cirkel voor me staan. Een van hen hield een spuitbus met traangas klaar, een andere had een elektroshockwapen, een Taser. Het leek wel alsof ze wilden dat ik iets ging doen.

Het metaal van de stoel voelde koud aan tegen mijn blote rug en billen, maar ik had geen tijd om erover na te denken. De vrouw duwde mijn hoofd naar achteren en begon met een spatel in mijn mond te wroeten.

Ik kon rook aan haar overhemd ruiken. Ik hoopte dat ze niet te nijdig was, omdat ze was weggeroepen tijdens haar rookpauze, want ik had het gevoel dat dit erg intiem ging worden.

Ik vroeg me af waar ze naar zochten. Drugs? Een miniatuurbom onder mijn tong? Of haalden ze me gewoon door de mangel?

Belangrijker, waar was Charlie?

Ze legde de spatel weg en duwde met een vinger tegen mijn tandvlees.

Wat nu? Een gratis oranje overall en dagelijks een tochtje naar de verhoorkamer op een handkar. Wie dachten ze verdomme dat ik was?

Ze controleerde mijn oren en dook toen weer in de doos voor een grote tube vaseline. Ik kreeg kennelijk de hele Saddam-behandeling.

Ze drukte er wat van op de wijs- en middelvinger van haar rechterhand. 'Staan, buigen en je tenen raken.'

Ik had slechts één troost: het zou voor haar erger zijn dan voor mij. Ik had het zaakje de hele dag opgehouden.

Ik voelde haar vinger naar binnen glijden, goed rondwroeten en terugtrekken.

'Staan.'

Ik vermeed haar aan te kijken. Ik wilde haar zelfs geen zweem van een glimlach laten zien.

De hak van een laars stampte in mijn rug en ik vloog tegen de muur. Ik wist dat het alleen maar het begin was. Ze zouden zich eerst hiermee wat opwarmen voordat de wet van de straat ging gelden. Er blonk echte haat in hun ogen.

Ik viel, dook helemaal ineen en wachtte. Laarzen kwamen over de vloer op me af. Ik hield mijn gezicht bedekt, maar één oog open.

Een van de radio's knetterde en de eigenaar stopte snel het dopje in zijn oor om het privé te houden. Op gedempte toon gaf hij de anderen door wat er tegen hem was gezegd. Ze keken duidelijk teleurgesteld naar mij. Dat was het dan; ze moesten weten dat ik de tv-ster was. Het werd nu tijd voor de Georgische politie. Ik probeerde mezelf voor de gek te houden dat het een betere optie was.

De verpleegster trok haar handschoenen uit, liet ze in een plastic zak verdwijnen en stopte al haar speeltjes weer in de doos. Ze wees op de stoel. 'Zitten.'

Ik kwam overeind, maar kennelijk niet vlug genoeg. Een van de kerels hielp me met de punt van zijn laars.

Het aluminium was er niet warmer op geworden. Ik hoorde het plakkerige geluid van vaseline toen ik ging verzitten en daarna het gerits van technische tape die van een rol wordt getrokken.

2

Ze grepen mijn polsen en dwongen ze tegen mijn slapen, waarna ze aan de slag gingen met de tape. Ze wikkelden die als een verband om mijn hoofd en handen en daarna voor de goede orde onder mijn kin.

Ik balde mijn vuisten zo hard als ik kon in een poging een beetje ruimte in de tape te krijgen als ze klaar waren. Zelfs een klein beetje speelruimte kon betekenen dat mijn bloedsomloop niet werd afgesneden. Ik wist dat ik niet gauw ergens naartoe zou gaan, maar de wetenschap dat ik een beetje verzet bood, gaf me een beter gevoel.

Vervolgens richtten ze hun aandacht op mijn armen en bonden die vlak boven mijn ellebogen samen, waardoor ze stevig vastzaten onder mijn kin.

Er werd geen bevel gegeven, maar plotseling stapten ze als één man naar achteren en verlieten de kamer.

Ik keek om me heen. Mijn kleren waren verdwenen en er was geen uitweg.

Mijn handen bedekten mijn oren min of meer, maar ik had gehoord dat de deur aan de buitenkant op slot werd gedraaid en de vier ventilatiegleuven waren niet groter dan een brievenbus. Bovendien hadden ze waarschijnlijk een gesloten tv-circuit.

Ik boog voorover en steunde mijn ellebogen op mijn knieën. Zweet prikte op de huid onder mijn kin. Ik moet zo een uur, misschien langer, hebben gezeten.

Ik probeerde optimistisch te blijven.

Ik was de afgelopen jaren in meer gierputten gevallen dan normaal zou zijn geweest, en ook al was ik er niet altijd geurend naar rozen uitgeklommen, ik was toch in staat geweest een zeker percentage van mezelf uit de stront en aangenaam voor de neus te houden.

Ik had onderweg wel een paar klappen opgelopen, maar op de een of andere manier was ik er steeds in geslaagd ermee weg te komen. Ik nam aan dat het een van de redenen was waarom ik deze achterlijke dingen was blijven doen.

Hoe hard ik ook mijn best deed, ik kon de gedachte niet van me afzetten dat het deze keer misschien anders zou aflopen.

3

Ik kon in de gang gedempt horen praten. Ik trok de tape zover mogelijk van mijn oren. Boos of gewoon gefrustreerd, dat kon ik niet uitmaken, maar er werd daarbuiten zeker een paar keer met 'Verdomme' en 'Zeker niet, de klootzakken zijn van ons' gegooid. Zo te horen gebeurde er iets vervelends voor hen, maar uiteraard wilde dat niet meteen zeggen dat ons iets leuks te wachten stond.

Die cel in Tbilisi leek ineens weer erg dichtbij.

Laarzen en banden knarsten over het grint.

Ik had een hekel aan dit soort ogenblikken, als ik niet wist wat er verdomme ging gebeuren. Misschien was de politie hier al en nam eerst Charlie onder handen. Hij was de laatste tijd misschien niet in een grote vorm, maar ze zouden niet veel uit hem krijgen.

Mij zouden ze waarschijnlijk vertellen dat de oude zak alles had bekend, maar ze ammunitie geven was wel het laatste wat Charlie zou doen, wist ik. Zijn handen mochten af en toe in een disco thuishoren en zijn geheugen was ook niet meer wat het was geweest, maar sommige dingen zitten er zo diep ingeprent dat ze een tweede natuur zijn geworden.

Ik besteedde een paar ogenblikken aan de vraag waar de oude stomkop zou zijn. Als ik vrij kwam, ging ik hier dan rondrennen om te proberen hem te vinden? Ongetwijfeld. Zelfs in mijn blote ballen en met mijn handen tegen mijn hoofd getapet zou ik nog steeds elke deur in de gang proberen in te trappen tot ik hem had gevonden. Dan hadden we alleen nog maar twee stel kleren nodig, onze paspoorten en een vervoermiddel en klaar was kees.

Terug in de realiteit deed ik mijn best mezelf uit de krul te halen en mijn rug en benen te strekken, en probeerde ik de pijn in mijn spieren en op de drukpunten tegen het linoleum te verlichten.

Ik begon het koud te krijgen, dus draaide ik het proces om. Waarschijnlijk hadden ze de airco hoger gezet om me murw te maken, voordat ze me mijn horoscoop kwamen voorlezen.

Zo'n halfuur later moest ik me weer op de vloer uitstrekken en deed elk bot in mijn lijf pijn. Welke god had ik deze keer zo vreselijk kwaad gemaakt? Welke verkeerde afslag had me hierheen gebracht met een kont waaruit vaseline druppelde en een hoofd dat was gemummificeerd met technische tape, net toen de zaken wat beter leken te gaan.

Diep in mijn binnenste had ik altijd geweten dat het op een dag vreselijk verkeerd zou gaan, maar dat had me nooit veel kunnen schelen.

Tot Kelly op het toneel verscheen.

Grappig hoe zo'n snotneus met een mottige teddybeer ervoor kan zorgen dat je verder kijkt dan je neus lang is.

Ik was nooit de ridder in het glanzende harnas die zij verdiende en wat ik ook deed, ik zou mezelf altijd de schuld blijven geven, omdat ik er niet in was geslaagd haar leven te redden, maar zelfs nu ik terug was in mijn oude, bekende leven, besefte ik dat het nog niet helemaal was zoals vroeger.

Ik wist dat mijn bestemming altijd helemaal onder aan de voedselketen had gelegen en ik was het bijna leuk gaan vinden. Maar door Kelly had ik een ogenblik durven denken dat er om de hoek misschien iets beters was.

En nu had Silky weer precies dezelfde invloed op me. Ze was mijn deurwachter geworden, mijn tolk in een wereld die een taal sprak die ik nauwelijks begreep.

Wat was ze op dit moment aan het doen? Wat droeg ze? Wat voor dingen zouden we samen doen als ik terug was? Ik zou zeker weer tandemsprongen met haar maken en haar misschien trainen voor de vrije val.

Ik kon het niet geloven, zo erg miste ik haar. Voor het eerst zolang als ik me kon herinneren, was de totale som van mijn gevoelens niet: 'Ach barst toch.' Ik keek ernaar uit om samen met iemand te zijn, ik verlangde er echt naar.

Als ik er ooit in slaagde hier uit te komen, zou ik niet tegen haar klagen over de manier waarop zij haar surfbord bovenop de VW vastbond. Ik zou haar zelfs de hele weg van Cairns naar Sydney en terug de Libertines laten draaien als ze dat wilde.

Intussen krulde ik mezelf weer op als het lijk in de kofferbak van de Audi, sloot mijn ogen en probeerde aan goede dingen te denken.

Meer kon ik nu niet doen.

4

Ik lag op de koude, harde vloer met mijn handen als een bankschroef tegen mijn hoofd geklemd, mijn lichaam verdoofd en tintelend, ongeacht welke kant ik opdraaide en ongeacht hoe vaak ik me strekte.

Het begon nu tenminste warmer te worden in de kamer. Iemand had een paar minuten geleden de airco omgezet en warme lucht stroomde uit de opening naast me. Ik ging zitten en schoof op mijn billen over het linoleum tot ik er vlak voor zat.

Een Huey vloog over en ik kon flarden van gesprekken in de gang opvangen.

Ze schenen nog steeds niet te weten wie we waren. Drugsdealers was een populaire optie en omdat we blank waren, moesten we wel Russen zijn. Misschien maffia.

Eén kerel dacht dat we Engelsen waren, omdat de chauffeur dat had gezegd, maar hij kreeg weinig bijval. Iedereen wist dat Britten hartstikke stom waren, maar toch zeker niet zo stom.

Ik stond mezelf echter niet toe om te veel hoop te koesteren en ik had gelijk.

Ik hoorde het geluid van gehaaste voetstappen buiten mijn deur en het goede nieuws kwam er luid en duidelijk doorheen. 'Hé, ik heb net iets over die twee klootzakken gehoord. Zij hebben die politicus omgelegd, je weet wel, die kerel op het nieuws. Ja, ze schoten de kerel twintig keer in zijn hoofd en lieten hem achter in de kofferbak van zijn auto. Onze jongens hebben ze gepakt toen ze weg probeerden te komen.'

Ik lag daar schijnbaar urenlang en verveelde me nu ik wist wat me te wachten stond.

Ik schoof dichter naar de deur en probeerde meer te horen. Het liefst wilde ik weten waar Charlie was, maar met de tijd was ik ook al tevreden geweest. Ik hoorde alleen maar het gepiep van laarzen en af en toe commentaar op dat geluid.

Ik stikte bijna van de dorst; die espresso's op het vliegveld waren een eeuwigheid geleden.

Ik begon me slaperig te voelen en nam aan dat het laat begon te worden. Ik probeerde weg te doezelen, maar het lukte niet. Elke positie die ik probeerde was te ongemakkelijk.

Meer tijd verstreek en toen hoorde ik schoenen, geen laarzen, door de gang dichterbij komen.

De deur vloog open en de kamer werd in duisternis gehuld.

Ze waren met hun tweeën en grepen me elk aan een kant vast. Ze droegen burgerkleding; mijn linkervoet drukte tegen een metalen gesp op een paar modderige instappers en aan mijn rechterkant werd ik getrakteerd op een cocktail van verschaalde nicotine en leer toen ik van het linoleum werd getild.

Ik durfde er de hele twee ton van Charlie om verwedden dat het jack zwart was.

Toen rook ik alleen nog maar rapen, omdat een ruwe nylon zak over mijn hoofd werd getrokken. Hij kwam tot mijn ellebogen.

Mijn twee nieuwe beste kameraden wisselden een paar woorden in het Paperclip; ik begon het nu te herkennen. Toen trokken ze me de gang op. Speldenprikken van tl-licht glinsterden door de stof en door de opening bij mijn middel kon ik meer grijze linoleum zien.

We sloegen linksaf door een stel klapdeuren en toen rechtuit door een paar andere.

Een vlaag koude lucht streek over mijn blote huid waardoor alles ineenschrompelde behalve de bultjes van mijn kippenvel. Ik begon te rillen toen we naar buiten liepen en een houten trapje afdaalden.

Scherp grint drong in mijn voetzolen, toen ik door de open vijfde deur van een stationcar werd geduwd. De achterbank was neergeklapt en ik belandde op een verzameling kriebelige wollen en zachte nylon dekens.

Ik kroop zover mogelijk naar voren en hoopte tegen Charlie op te botsen, maar als enige beloning stootte ik mijn hoofd tegen een reserveaccu en werd mijn neus vergast op de overweldigende stank van urine en vochtige hond. Een andere deken werd over me heen gegooid en de vijfde deur viel met een klap dicht.

Dit was niet best.

Ik had het gevoel te weten wat voor politiemensen deze kerels waren en je stopte liever niet om ze de weg te vragen.

De voorportieren gingen open en dicht en ik voelde me een beetje heen en weer schommelen toen de twee gingen zitten. De motor werd gestart en knarsend reden we langs de Portakabins. Ik sloot mijn ogen en probeerde iets van mijn richtingsgevoel te bewaren.

Ik hoorde wat geklets en toen het afstrijken van een lucifer. Met nicotine bezwangerde rook begon de strijd aan te gaan met de hondenstank.

Ik was niet bang voor wat er misschien ging gebeuren. Ik voelde me alleen neerslachtig.

En hongerig.

En tot mijn grote verbazing ook verrekte eenzaam.

5

We stopten en de chauffeur draaide zijn raampje open. Hij snauwde in het Paperclip een reeks korte, scherpe bevelen tegen iemand waarna ik het piepen van een opengaande slagboom hoorde. De auto begon weer te rijden.

We rammelden over de weg van betonplaten van ongeveer een kilometer en sloegen linksaf. Geen verrassing dus. De Georgiërs waren niet doller op hun oude makkers uit de Russische Federatie dan de Amerikanen.

We gleden geluidloos over de verharde weg en werden alleen af en toe rammelend door elkaar geschud als we een ouderwetse kuil tegenkwamen.

Ik probeerde de tijd van dit stuk in te schatten door de seconden af te tellen en kwam aan twintig minuten zonder één keer stoppen.

De twee voorin amuseerden zich ondertussen prima. Ze hadden de radio aangezet en luisterden naar Georgische liedjes waarin een heleboel gejammer leek voor te komen. Was het misschien dezelfde zender als die in de hokjes van de bewaking voor de ambassades?

Geen enkel moment lieten ze blijken zich bewust te zijn van mijn aanwezigheid. Misschien waren ze me vergeten. Dat zou leuk zijn.

Er waren geen steile hellingen naar boven of beneden geweest, dus volgden we nog steeds de vallei. Waarom gingen we niet boven langs de VCP terug naar de stad? En als we dat niet deden, was dat een goed of een slecht teken? Ik had het akelige gevoel dat ik het antwoord kende.

Nog weer tien minuten, en dit was absoluut geen normale politiezaak. We waren nog steeds niet aan het klimmen; als we teruggingen naar de stad hadden we allang moeten afslaan.

Ik schoof heen en weer in een poging meer deken over me heen te trekken. Mijn kippenvel begon minder te worden en ik wilde er het beste van maken zolang het kon.

Het gevoel van warmte en geborgenheid deed me weer aan Silky denken. Het verbaasde me. Ik wist dat ik de juiste keus had gemaakt door met Charlie hierheen te komen, maar tegelijkertijd wilde ik nu alleen maar bij haar terug zijn in Australië. Niet alleen als alternatief voor achterin een auto liggen op weg naar wat waarschijnlijk het pak slaag van mijn leven zou worden, maar gewoon omdat ik bij haar wilde zijn. Om te beginnen rook ze heel wat beter dan deze dekens.

Ik dacht eraan hoe ze naast me op het strand lag en naast me op de passagiersstoel van de VW zat. Ik dacht na. Ik kon me geen enkel ogenblik met haar herinneren dat niet goed was geweest. Ik dacht aan de keer dat ze had gezegd: 'We passen goed bij elkaar, hè?' Ze had gelijk gehad, dat deden we inderdaad. Ik miste haar.

Wat gingen we dus doen als ik terug was? We moesten nog altijd het reisje naar het rode stuk steen midden in de woestijn maken dat ik Ayers Rock noemde en waarvan Silky en alle anderen schenen te vinden dat het nu Uluru was.

Voordat ik Silky had ontmoet, zou ik in dit soort situaties angstige gedachten hebben onderdrukt – ook zou ik niet aan goede dingen hebben willen denken. Waarschijnlijk zou ik hier gewoon hebben gelegen. Maar verrek, ik vond het zo plezierig. Ik wilde nog altijd naar de Whitsundays en het Kakadu National Park en Nieuw-Zeeland. Alle plaatsen waarover we het hadden gehad toen we samen reisden. Ik wilde al die plaatsen bezoeken en ik wilde ze samen met haar bezoeken.

De versnellingsbak maakte gedempt een kreunend geluid en de auto ging langzamer rijden. We draaiden veel ruwer terrein op. Ik rolde me op.

De motor stopte.

Beide voorportieren gingen open en schoenen knarsten op steen.

De vijfde deur ging open en de deken werd weggetrokken. De koude lucht trof me als een trap onder mijn ballen.

6

Ik werd langs een ander voertuig over een stuk nat gras vol stenen en puin getrokken.

De nachtelijke wind verkilde me tot op het bot; mijn huid zag eruit als die van een net geplukte kip.

We bleven staan en ik hoorde het geluid van een harde trap tegen hout. Een deur zwaaide open en ik werd erdoor geduwd, een ruimte in die aanvoelde als een sauna. De lucht was bezwangerd met de geur van vocht en flessengas.

Ik strompelde een paar passen verder en voelde toen druk op mijn schouders. Mijn billen kwamen in contact met een plastic stoel. Ik boog voorover, klemde mijn kiezen op elkaar en wachtte op het goede nieuws dat ze me gingen geven. Ik verwachtte elk ogenblik rechtop te worden gerukt, maar ze lieten me zo zitten.

Toen trokken ze de zak weg en dat was nog verrassender.

Ik hield mijn hoofd naar beneden, maar mijn ogen maakten overuren. Ik was in een kleine kamer met ruwe stenen muren en een vloer van aangestampte aarde. Voor me stond een inklapbare picknicktafel van blauw plastic met metalen poten die eruitzag alsof hij recht uit de catalogus van een postorderbedrijf kwam. Twee stormlampen stonden op de twee korte kanten en hun schaduwen dansten over de muren. Mijn paspoort en dat van Charlie lagen ertussenin.

De chauffeur en zijn maat stonden achter me en ademden zwaar na de inspanning die het had gekost om mij uit de auto te slepen.

Een paar Amerikaanse woestijnlaarzen verschenen aan de andere kant van de tafel. De broek erboven zag eruit alsof hij was opgeblazen door een luchtslang. De smalle loop van een .22 semi-automaat was recht op mijn voorhoofd gericht en werd vastgehouden door een heel vaste hand in een rubberen handschoen.

Toen ik zag van wie die hand was, leek de Georgische geheime politie ineens een lief clubje.

Er was eindelijk een eind aan mijn geluk gekomen.

Honderdvijftien kilo vet torende boven me uit, met erbovenop een maar al te bekend bebopkapsel.

De manier waarop hij het wapen vasthield vond ik niet leuk, maar het zag er lang niet zo beangstigend uit als hij zelf.

Jim D., 'noem me maar Buster', Bastendorf, de man die wij in Waco de bijnaam Bastaard hadden gegeven, was nauwelijks iets veranderd nadat ik hem twaalf jaar geleden voor het laatst had gezien.

7

Ik keek weer naar beneden, maar hield mijn ogen op het wapen gericht.

Ineens voelden mijn handen tegen mijn hoofd vreemd behaaglijk. Desondanks klemde ik mijn kiezen op elkaar en sloot mijn ogen. Ik had er een rotzooitje van gemaakt en moest de gevolgen accepteren.

Als hij me echter wilde laten smeken, dan kon hij het vergeten. Barst maar. Hij ging toch doen wat hij van plan was, ongeacht wat ik deed, dus wat had het voor zin.

Ik hoorde hem om het tafeltje lopen. Zijn neusgaten floten toen hij zich naar me toe boog. Toen voelde ik hoe hij de loop hard tegen mijn rechterhand drukte.

Ik kromp ineen toen de werkende delen klikten. Ik kon er niets aan doen.

Ik opende mijn ogen. Bastaard stond nog steeds boven me. Hij vond mijn reactie leuk; hij moest erom glimlachen.

'Oké, jongen, wie ben jij, verdomme?'

'Je hebt mijn paspoort. Lees maar.'

Hij keek op me neer. Uit zijn gezicht kon ik opmaken dat hij nog steeds niet de verbinding had gelegd tussen mij, Anthony, de nichterige Britse wetenschapper, en een complex vol dode Davidians. En ik ging hem daar niet bij helpen. Ik had al genoeg problemen.

'Jij bent geen Amerikaan. Waar kom je vandaan?' Hij trok rimpels in zijn voorhoofd, terwijl hij mijn gezicht bestudeerde en zijn hersens een paar bladzijden liet terugslaan. 'Ik ken jou ergens van, nietwaar?'

'Luister, we hebben jou op film, terwijl je spullen afgeeft in het Marriott in Istanbul en...'

De eerste stomp belandde tegen mijn rechterslaap en was goed raak. Ik slaagde erin op de stoel te blijven zitten, maar het duurde even voordat mijn hoofd stopte met gonzen en er geen sterretjes meer voor mijn ogen dansten.

'Bek dicht! Je zit zwaar in de stront, jongen! De politie wil jou heel graag hebben. Jij bent verantwoordelijk voor de moord op hun antwoord op die stomme Bob Geldof en dat vinden ze helemaal niet leuk. En weet je wat? Ik ga die stomkoppen precies geven wat ze willen als jij niet een beetje met me wilt meewerken.'

Hij sloeg me nog twee keer. Mijn handen vingen een deel van de pijn op, maar de tweede klap liet me op de harde aarden vloer belanden en het scheelde verrekte weinig of mijn schouder was ontwricht.

'Dat wil ik, medewerking!'

Ik spande met gesloten ogen, knieën tegen de borst, mijn spieren, klaar voor meer.

Ik keek niet op.

Het was moeilijk om Bastaard te negeren, maar volgens mij was het de inspanning waard. De warmte op mijn rug was lekker en ik maakte er het best van, terwijl ik wachtte tot de supernova's in mijn hoofd waren uitgeblust.

De twee jongens bukten elk aan een kant van me en hesen me weer op de stoel. Ik voelde het koude staal van een lemmet tegen de rechterkant van mijn kin. Ik kromp weer ineen maar kreeg een vriendelijk klopje op mijn hoofd.

'Rustig, Nick. De jongens hebben gewoon een beetje lol.' Hij had de hoed van meneer Sympathiek opgezet en hoewel die nooit zou passen, was het in elk geval een verandering. 'Ze gaan alleen de tape losknippen. Rustig, jongen. We willen niet het gevaar lopen in die babyblauwe ogen te prikken, hè?'

Ze zetten een schaar in de tape en begonnen te knippen en te trekken. Toen de tape werd weggerukt, kwamen er plukken haar en wenkbrauw mee. Er zat echter ook een positieve kant aan, want ik voelde het bloed terugstromen in mijn armen.

'Ga zitten, Nick. Geniet van het feestje.'

Ik hield mijn hoofd een beetje scheef en keek achter me. Een patiobrander met een grote propaangasfles leverde zijn bijdrage aan de opwarming van de aarde en de twee kerels waren de kale uitsmijters die ik in de Pajero voor het Marriott had gezien. Allebei waren ze nog steeds in het zwart en de rechter was zijn bril aan het poetsen.

'Hoe gaat het, Nick, alles goed?' Bastaard was nu een en al luchtige vriendelijkheid en trok een stoel bij aan zijn kant van het tafeltje. Het wapen was verdwenen, maar de handschoenen bleven aan.

Er stond nu een aluminium thermosfles tussen de lampen. De paspoorten waren verdwenen.

'Toe maar, jongen. Ruik maar aan de koffie. Hij is lekker sterk.'

Ik kromde mijn vingers, boog naar voren, pakte de fles en begon de dop open te schroeven. Op dergelijke ogenblikken moet je pakken wat er wordt aangeboden. Je weet maar nooit wanneer de volgende kans komt. Bovendien had ik al uren gehunkerd naar iets warms om te drinken.

De twee kerels achter me schuifelden van de ene voet op de andere. Ik kon niet uitmaken of ze gewoon genoten van de warmte of zich voorbereidden op de volgende ronde in het programma. Hoe dan ook, het was duidelijk dat zij nog steeds in de rode hoek zaten en ik in de blauwe.

Het toneel voor de voorstelling van vanavond was, voor zover ik kon beoordelen, een oude boerderij waarvan de dakbalken en pannen zichtbaar waren. De gaten in de muren waar volgens mij ooit de ramen hadden gezeten, waren afgedekt met grijze nylon zakken voor rapen zoals ik er eentje over mijn hoofd had gehad.

Ik schonk de hete, zwarte koffie in twee plastic bekertjes en schoof er een met een glimlach over tafel. Het rook echt goed. 'Waar is Charlie?'

Hij nam een slok. Hij wist wat ik deed. Als ik werd bedwelmd, dan hij ook.

De koffie prikte in de wondjes op mijn tong, maar wat maakte het uit? Hij smaakte even goed als hij rook en verwarmde me helemaal tot aan mijn maag.

'Is er een kans dat ik mijn kleren terugkrijg?'

Hij haalde zijn schouders op. 'Natuurlijk.' Hij leunde achterover op zijn stoel, pakte een andere grijze zak van de vloer, draaide die om en liet mijn spullen voor me op de grond vallen.

Ik kleedde me snel aan en controleerde ondertussen mijn zakken. Geen geld; beslist geen paspoort. Niets anders dan Baby-G. Maar wat had ik dan gedacht?

'Heeft Charlie zijn kleren ook?' Een onderdeel van je taak tijdens een verhoor is voor je kameraden zorgen. Charlie was er ook zonder onderkoeling al erg genoeg aan toe.

Bastaard schonk me een knikje en proefde nog wat van zijn koffie. 'Jullie denken aan elkaar, hè? Dat bevalt me wel.' Hij zette zijn beker weer op de tafel. 'Hé, het spijt me van wat er net is gebeurd. Maar weet je...' hij maakte een pistool met zijn vingers en haalde de trekker over... 'toen ik ontdekte dat Chuck iemand had meegenomen op het karwei, werd ik gewoon een beetje kwaad.'

Hij had nog steeds een enorme glimlach op zijn gezicht geplakt, maar ik was daar niet echt blij mee. De laatste keer dat we elkaar hadden ontmoet, was hij ook een beetje kwaad geweest en dat had ons niet erg ver gebracht.

8

Zijn glimlach werd breder. 'Ik weet graag wat er allemaal gebeurt. Ik heb graag dat dingen op mijn manier gedaan worden. Ik moest gewoon wat stoom afblazen. Kerels zoals wij hebben daar van tijd tot tijd behoefte aan, nietwaar, Nick? Jij begrijpt dat wel.'

Ik begreep het maar al te goed. Het had niets te maken met stoom afblazen; hij liet gewoon aan iedereen binnen een straal van vijfhonderd kilometer zien wie de baas was.

Ik stopte mijn trui in mijn broek en nam er de tijd voor. Dit ging niet over de 110 of Baz of de politie. Dit ging over iets dat voor hem veel belangrijker was, de klus.

Ik ging weer zitten. 'Dan moet je me even helpen... Charlie laten omleggen nadat hij de safe had gekraakt. Dat is dus de dingen op jouw manier doen, neem ik aan?' Ik waagde er ook een glimlach op. 'Het lijkt erop dat het maar goed was dat ik meedeed.'

'Daar had ik niets mee te maken. Wie er dan ook mag zitten rotzooien aan de top' – hij wees naar boven – 'heeft die beslissing genomen zonder mij iets te vragen. Het enige dat ik weet, was dat Chuck de klus ging klaren en ik zorgde voor de ondersteuning, de uitrusting, de informatie, dat soort dingen. Wat denk je dat ik ben? Een rotzak? Verrek, Chuck is een van ons, een van de goede lui.'

'Wie zit aan de top? Militairen? De oliekerels?'

Hij schudde langzaam zijn hoofd en schonk me een meelijwekkende blik. 'Zal ik je wat zeggen, Nick? Ik mag je wel, maar je denkt toch niet dat ik hartstikke achterlijk ben? Kom op, man. Het enige dat jij hoeft te weten, is dat ik vandaag je hachje heb gered. Jij wordt gezocht. Nog wat langer in dat kamp en je zou bij je kladden zijn gepakt en als een stuk stront in de cel zijn gesmeten.' Zijn ogen glinsterden onheilspellend. 'Hé, ik weet wat ze met kerels zoals jij in die beerputten doen. Dat is niet leuk, Nick, helemaal niet leuk. Het zijn daar kolerepsychoten.'

Ik wist zeker dat hij gelijk had, maar mijn gedachten waren ergens anders, omdat ik probeerde te bedenken wat ik hierna moest zeggen en hoe ik ver uit de buurt van die beerputten kon blijven. De beerput waar ik nu in zat, was al erg genoeg.

'Hé, genoeg van die lariekoek. Het spijt me, echt, dat ik je net zo op je huid heb gezeten. Maar toen ik het nieuws kreeg dat jullie twee in het kamp zaten...' Hij lachte een beetje te hard en nam weer een flinke slok koffie. 'Ik neem aan dat het een beetje problematisch is als er een pistool tegen je hoofd wordt gezet. Maar je zou me dankbaar moeten zijn dat ik je niet heb laten overdragen. Die kerels in het kamp? Die waren echt nijdig, toen ze erachter kwamen dat jij geen kolereterrorist was.' Zijn onderkinnen trilden. Hij genoot van elke minuut. 'Hé, kun je dat geloven?'

Dat kon ik heel goed. Als ze me het etiket van terrorist hadden kunnen opplakken, was ik intussen al halverwege Guantanamo Bay geweest.

Ik vroeg me af waarom hij niets had gezegd over de laptoptas. Of de papieren en de tape. Dat zou hij kennelijk voor later bewaren.

'Maar zal ik je wat zeggen, Nick? Jij deed verdomde goed werk door daarginds jullie nek te redden, als je nagaat wat voor problemen jullie hadden.'

Dit was niet de Bastaard die ik kende. Maar aan de andere kant was dit Bastaard niet – dit was gewoon een beste kerel die een stel verhoortechnieken toepaste, terwijl ik mijn mond hield tot ik hem open moest doen.

Hij was bezig met wat in het handboek stond onder 'Trots en Ego strelen'. Hij dacht dat ik me ellendig zou voelen doordat ik was gepakt en zou reageren op het compliment dat ik goed werk had geleverd. Zo meteen zou hij me vertellen dat hij mijn gevoelens begreep en zouden we bij nog een paar koppen koffie eeuwige vriendschap sluiten.

Maar wat hij niet wist, was dat mijn trots en ego meer jaren geleden dan ik me wilde herinneren, uitgebreid te drogen waren gehangen. Hij zou heel wat dieper moeten graven als hij daarvan nog een spoor wilde vinden.

Ik knikte om aan te geven hoe blij ik was dat hij me begreep. 'We deden het niet slecht.' Ik goot meer koffie naar binnen. 'Wie waren dat in het huis en op het kerkhof?'

'Geen idee.' Bastaard schudde langzaam zijn hoofd alsof Roodoog, Stoppel en de menselijke berg met de machete zomaar uit de lucht waren komen vallen. 'Hoe je het ook bekijkt, die klootzakken maakten wel een kolerezooi van een goede operatie.'

Hij boog over het tafeltje en knikte instemmend bij zichzelf, terwijl hij twee sigaren uit zijn Gore-Tex-jack haalde. 'Mensen denken dat het een wetenschap is, maar ze vergeten het gedeelte waar je niets over te zeggen hebt en dat is het doelwit, nietwaar?' Hij bood mij er eentje aan en ik schudde beleefd mijn hoofd. Maar ik schonk me wel nog een koffie in en dronk die op voor het geval dat hij vond hiermee ver genoeg te zijn gegaan en het tijd werd de Boze Agent weer terug te halen.

Hij stak op en inhaleerde genietend. Hij scheen te zijn gestopt met het pruimen van tabak. Misschien dacht hij dat dit gezonder was.

Zat hij te wachten tot ik ging kletsen en probeerde hij de stilte op te vullen? In dat geval ging ik hem teleurstellen.

Ik ging hier zeker niet op reageren door mijn mond open te doen en dingen te zeggen die Charlie en mij dieper in de ellende brachten. Op een vreemde manier gaf de wetenschap dat er voor de verandering iemand anders met mij in de stront zat, me meer zelfvertrouwen en ik wist dat Charlie er net zo over zou denken. Hij zou me niet in de steek laten; en ik zou hem ook niet in de steek laten.

'Zal ik je eens wat zeggen?' Rook stroomde uit zijn mond. 'Dat jij ineens opdook met Chuck? Dat was een enorme verrassing. Jawel meneer, hij hield die kaart goed verborgen. Hoe gaat dat bij jullie – zijn jullie van plan het geld te delen?'

Ik knikte. 'In tweeën.'

'Dat is een hoop duiten...' Hij sabbelde aan het uiteinde van zijn sigaar alsof hij ineens niet wist of hij ging pruimen of roken. 'Maar ik vind dat jij meer zou moeten krijgen, Nick. Volgens mij heb jij het leeuwendeel van de klus gedaan door jullie allebei uit de rotzooi te halen. Dat zou toch fair zijn, zoals jullie Britten zeggen?' Hij knipte een centimeter as weg. 'Ik neem aan dat het Chucks idee was om het in tweeën te delen?'

'Dat moet wel, nietwaar? Anders had ik er niets van geweten.'

Zo te horen wist hij niets van Charlies discohanden. Deze keer hing er een draadje spuug tussen sigaar en lippen toen hij de havanna uit zijn mond haalde.

Als je ergens lang genoeg bent, raakt de omgeving vertrouwd. Elk huis voelt vreemd aan wanneer je er voor de eerste keer binnenkomt, maar na pakweg een halfuur begin je je thuis te voelen.

Maar dat idee had ik hier nog steeds niet. De enige vertrouwde elementen in dit vertrek waren het gesis van de gasverwarming en de geur van de sigarenrook.

9

Hij bestudeerde mijn gezicht en wachtte af of ik meer zou zeggen.

Maar ik ging geen stiltes opvullen, niet zolang hij nog steeds probeerde mijn nieuwe beste vriend te worden. Later misschien, als we bij de bladzijde in het handboek kwamen met plaatjes van breekijzers en gebroken botten; dan zou het moment zijn aangebroken waarop ik ging proberen om genoeg lulkoek te spuien om hem en zijn twee Georgische maten van mijn lijf te houden.

'Heeft Chuck je verteld waarom het ging bij de klus?'

Ik duwde de beker van me af en knikte. 'Te veel mensen die rotzooiden met de beveiliging van de pijpleiding?'

'Jawel, meneer, zo is het inderdaad. Die Georgiërs zijn een corrupt stelletje klootzakken.' Hij keek lachend over mijn schouder. 'Maar wat maakt het uit? Dat is toch niets nieuws, stomkoppen?' Hij bleef glimlachen en knikken tegen de jongens in het leer achter me. 'Maak je maar geen zorgen over die kolerelijers, Nick. Hari en Kunzru verstaan er geen woord van. Ze zijn zo vervloekt stom dat ze niet eens hun eigen schoenveters kunnen strikken. Zo is het toch, kolerelijers?'

Ik hoorde gemompel achter me. Dit was blijkbaar Bastaards versie van Partnership for Peace en het ging precies zoals hij wilde.

Hij boog naar voren en trok weer aan zijn sigaar. 'Ja, zo is het, verdomme.' Meer rook walmde uit zijn mond. 'Jij bent een behoorlijk slimme kerel, Nick. Ik weet zeker dat je deze zielige geschiedenis wilt afwerken om terug te keren naar huis en naar jouw geliefden.' Hij klemde de sigaar tussen zijn kiezen en trakteerde me op de breedste grijns tot nu toe. 'En daar kan ik helemaal inkomen, makker. Dit is mijn laatste klus. Ik ga met pensioen naar zon en zand, ik ga sigaren rollen over de dijen van donkere señorita's – je begrijpt waar ik heen wil?'

Hij maakte een weids gebaar met zijn sigaar. 'Zal ik je wat zeggen, Nick? Ik had voorzichtiger moeten zijn tijdens mijn ontmoetingen met Chuck, dan hadden we ons nu misschien niet in deze... precaire situatie bevonden.' Hij zweeg even en keek me samenzweerderig aan. 'Ik wed dat de tapes jouw idee waren, hè? Laat dat maar aan Chuck over, om er een andere vent bij te halen die even slim is. Jullie maken me kapot.' Hij stond op en schudde zijn hoofd in oprechte bewondering.

Achter mij stonden Hari en Kunzru ongeduldig te schuifelen. Ik hoorde dat er een lucifer werd afgestreken en kreeg een stoot zwavel achter in mijn keel.

Bastaard voelde in zijn Gore-Tex en haalde mijn donkerblauwe paspoort te voorschijn. Het was zo nieuw dat de gouden adelaar van de Verenigde Staten op de omslag glansde in het licht van de stormlamp. 'Je bent nog niet lang staatsburger, hè?'

'Nee.'

'Wat doe je in de States?'

'Ik werkte voor een marketingbedrijf. Zij hebben voor de naturalisatie gezorgd. Maar een poosje geleden werd mijn functie overbodig, dus ben ik hier met Charlie. Kan ik hem zien?'

'Alles op zijn tijd, jongen. Hoe ben je verzeild geraakt in dit soort werk? Heb je een militaire achtergrond? Kende je die bemiddelaar in Engeland?'

Liegen was zinloos. Natuurlijk kende ik hem, anders zou Charlie me niet hebben ingehuurd. 'Ik ken Charlie en die bemiddelaar uit het leger. Charlie vroeg me of ik werk wilde hebben. En dat wilde ik. Een dollar rolt tegenwoordig niet ver, vooral als je een poos geen inkomen hebt gehad.'

Hij knikte en geloofde er geen woord van; op dat punt gingen we in elk geval gelijk op. 'Ik heb een probleem waarmee jij me kunt helpen, Nick.' Hij pulkte een stukje tabak van zijn lip en bekeek het natte uiteinde van de sigaar een beetje te nauwgezet om te zien of er nog meer losse stukjes waren. 'Je kunt begrijpen dat ik wat nerveus ben; Chuck vertelt me dat hij twee tapes heeft van de ontmoetingen in het hotel. Jij wilde hetzelfde zeggen, hè?'

Hij gaf me niet de gelegenheid om te antwoorden – niet dat ik dat ook maar even van plan was.

'Hij beweert ook dat jullie het spul hebben waarom wij' – hij maakte een gebaar met zijn hand alsof we er allemaal samen bij betrokken waren – 'in dit vervloekt stomme land zijn...'

Ik deed mijn best om absoluut nietszeggend te kijken.

'Die papieren...'

Wat beweerde hij nu? Dat hij ze niet had?

'Weet je, die papieren... nou ja, de mensen voor wie ik werk, moeten echt weten wat erin staat. En die tapes? Ik zou mezelf in een koleropositie bevinden als ze openbaar worden gemaakt... het zou mijn pensioenplan nogal verknallen.'

Ik kon me voorstellen dat een video waarop te zien was hoe iemand de uitrusting overhandigde die in de kofferbak van Baz' auto was gevonden, en die vervolgens over de klus praatte, elk soort plan zou dwarsbomen, dus ook een pensioen.

Hij vijzelde de glimlach op tot volledige megawattcapaciteit. Als hij niet voorzichtig was, zou zijn gezicht nog exploderen. 'Ik heb jullie nodig om me te helpen, begrijp je? Jullie zijn gewoon te slim voor mij, wat moet ik anders zeggen?'

Hij boog over de tafel en zette zijn vingers tegen elkaar met sigaar en al. Die glimlach moest hem vreselijk pijn doen. 'Waarom lossen we deze zaak vanavond niet op? Dan kunnen we allemaal de eerste de beste vlucht uit dit godvergeten schijtgat nemen.'

Hari en Kunzru schuifelden weer met hun voeten en ik bereidde me op het ergste voor. Het moest zichtbaar zijn geweest.

Bastaard ontspande. 'Maak je over die kolerelijers nog maar geen zorgen, jongen. Ik bied je een gemakkelijkere uitweg. Wat dacht je ervan, Nick? Wat zeg je daarop?'

Wat ik daarop zei, was niets. Hij deed aardig zijn best om het te verbergen, maar hij zat flink in de penarie. Hij kon verrekken, van mij kreeg hij geen hulp.

'Nick, we moeten hier allemaal vandaan. Maar als je mij gaat verneuken, dan zal ik met geen mogelijkheid die twee kunnen tegenhouden om te doen waar zij het beste in zijn. Ik kan dat spul niet buiten laten rondzwerven – dat begrijp je toch wel?'

Ik begreep het. Ik begreep dat hij in paniek was. Wat had Charlie met de papieren en de tape gedaan? De enige plaats die ik kon bedenken zou gecontroleerd zijn met een vinger en een tube vaseline. 'Laat het me bespreken met Charlie, kijken wat hij ervan vindt.'

'Hij heeft me al verteld dat hij zal doen wat jij zegt. Ik probeer redelijk te zijn met jou. Laat hem toch de kolere krijgen, man – je moet aan jezelf gaan denken. Jouw beelden zijn op de tv uitgezonden; jij bent geïdentificeerd op het kerkhof. Hij lacht gewoon.' Zijn keel werd dichtgeknepen door zijn frustratie. 'Jij wordt gezocht, Nick. Jan en alleman zijn daarbuiten naar jou op zoek. En hij? Hij heeft geen gezicht. Hij gaat vrijuit...'

Zijn blik werd intenser, maar de scheurtjes begonnen zichtbaar te worden. Het was bijna net zoiets als naar een vulkaan kijken die gaat uitbarsten. 'Ik ben jouw weg naar buiten. Waar kun je naartoe, wat kun je doen, als ik je niet help? Je hebt geen paspoort, je hebt geen rooie cent. En ik ben de enige die tussen jou en die Georgische klootzakken staat die jouw kont aan de paal willen nagelen. Ik kan jou de goede of de slechte kant op sturen, Nick.'

Hij was bijna aan het eind van zijn latijn. Hij had trots en ego geprobeerd; hij had geprobeerd echt aardig te zijn, en nu ging hij regelrecht over naar Wijzen op de Doelloosheid om mij te laten inzien dat alle hoop was vervlogen. Maar het enige dat ik zag, was dat Bastaard een gebied ging betreden waarop hij zich meer op zijn gemak voelde, het land van de doorgewinterde klootzak.

Ik gaf nog steeds geen antwoord.

'Je keuzes zijn helemaal op, man. Ik kan je nu meteen door dit tweetal naar Tbilisi laten brengen en je overdragen aan die stomme beesten die zich in deze zielige stad de politie noemen... Ik kan dingen goedschiks of kwaadschiks laten gebeuren.'

Hij klopte op de paspoorten in zijn jack. 'Je zit in een diep gat, mijn vriend, maar ik laat een touw zakken. Ik kan jou eruit halen en terug naar de States sturen. Ik moet zo langzamerhand naar woorden zoeken om jou uit te leggen dat ik de enige ben die dat voor jou kan doen.'

Nu probeerde hij de motiverende benadering en daarna stond hem eigenlijk nog maar één weg open en die was niet lang.

Ik boog diep voorover en strikte mijn veters. Ik wilde mijn schoenen niet kwijt raken in de loop van wat er vrijwel zeker ging gebeuren. Toen keek ik op en knikte. 'Ik zal met Charlie moeten praten.'

Hij sprong overeind en dreunde met zijn vuist op de tafel. De fles en de bekers vlogen in de lucht. Zelfs de kerels achter me deden een stap terug. 'Grote klootzak! Ik wil die papieren en de tapes! Geef op! Jouw gezicht staat op elke tv in Georgië... Je zit heel diep in de stront... De Georgische politie krijst om jouw bloed... als je niet precies doet wat ik zeg, draag ik je regelrecht aan hen over... Jij vertelt me nu waar ze zijn of ik ruk je stomme hart eruit – heb je me gehoord, jochie?'

Met neergeslagen ogen, strakke kaak en opeengeklemde kiezen wachtte ik op de stompen. Deze keer was het Angst Aanwakkeren en het lukt hem aardig, want hier was hij voor geboren.

'Rechtop zitten, anders zal ik je leren.' Hij zette als een aap zijn knokkels op de tafel, terwijl zijn neusvleugels trilden en floten toen zijn te zware lichaam zuurstof naar binnenzoog als brandstof voor de uitbarsting.

Zijn buik zwoegde toen hij zich naar me toe boog. 'Het zal heel gauw heel erg pijnlijk worden, man. Je laat me geen keus.'

'Laat me met Charlie praten en de zaak regelen.'

Zijn reactie werd half geschreeuwd, half gegild: *'Er is absoluut niets waarover jullie moeten praten.'* Zijn woorden weergalmden tegen de muren en hij tilde zijn vuisten van de tafel. Hij wees naar me met een vinger zo dik als een worst. 'Je maakt me echt kwaad, man.'

Hij stormde om de tafel heen en ik spande elke spier, klaar om het op te vangen. Hij gaf me een klap met een open hand tegen de zijkant van mijn hoofd. De kracht ervan liet me recht op de vloer belanden.

Mijn hoofd tolde. Sterren spatten uiteen voor mijn ogen. Instinctief krulde ik me op tot een bal.

Ik voelde dat hij zich over me heen boog. Een naar sigaar stinkende adem vertelde me dat mijn gevoel juist was. 'Geef me de tapes, geef me de papieren. Ik heb contacten – contacten in hoge regeringskringen – die kunnen dingen voor jou regelen. Denk daarover na, klootzak. Denk daarover na, terwijl ik terugga naar Vasiani om bij het leger de kolerezooi glad te strijken die jullie hebben aangericht. En zal ik je wat zeggen? Het zijn die contacten die nu jouw hachje redden, zodat je een kans krijgt om te doen wat je moet doen.'

Hij liep langs me heen op weg naar de deur. Ik ontspande me en een tel later ontplofte zijn sigaaradem op een paar centimeter van mijn gezicht. 'En ik? Ik ga morgen terug naar de echte wereld, dus moet ik hier de rommel opruimen, hoe dan ook.'

Hij ademde langzaam in en kalmeerde zichzelf. 'Tapes en papieren tegen de tijd dat ik terug ben. Anders slaan deze twee kolerelijers het uit je, voordat je de rest van je ellendige leven gaat doorbrengen in een Georgische shitgevangenis.'

Hij verdween achter me. 'Een militair voertuig jatten, verdomme?' Hij stootte een holle lach uit. 'Noem je dat slim?'

De deur ging open en dicht en hij was verdwenen.

Hij moest op de weg naar buiten Hari en Kunzru een teken hebben gegeven. Ze grepen me elk bij een arm en tilden me op mijn benen. De één pakte een stormlamp op en ik werd door een tweede deur naar buiten geduwd, in de richting van een overwoekerde en ommuurde ruimte achter het gebouw.

We liepen over een modderig pad. Ik ving een glimp op van sterren door een opening in de wolken en zag ongeveer vijftien meter verder een ander bouwwerk.

Hari – of Kunzru – ging aan de slag met de roestige grendel op de deur. Toen die krakend openging, hoorde ik in de verte een auto starten en wegrijden.

Ik werd in de pikzwarte duisternis geduwd. De deur ging met een klap achter me dicht en de grendel schoof er knarsend voor.

Ik kon geen hand voor ogen zien. Ik ging op de harde aarde zitten en probeerde me te oriënteren. Er was nog geen speldenprikje licht. Ik luisterde naar Hari en Kunzru die terugliepen naar de met propaan verwarmde kamer die we net hadden verlaten. Ten slotte sloeg de deur achter hen dicht om de kou buiten te houden die al tot in mijn botten doordrong.

Er was een beweging naast me en ik schrok me bijna dood.

Toen baste een stem: 'Je hebt er wel de tijd voor genomen, stomkop. Ik hoop dat je die drie piek bij je hebt die ik nog van je krijg.'

Deel negen

I

Ik was zo opgelucht toen ik zijn stem hoorde dat ik in lachen uitbarstte. Tastend kroop ik in de richting waaruit zijn stem had geklonken.

'Hij probeerde alles, de dikke vetzak.' Hij grinnikte. 'We hadden Ego, Angst, de hele A tot en met Z.'

Ik wist dat Charlie zich net zo voelde als ik: echt blij om weer bij elkaar te zijn, ook al zaten we nog steeds heel diep in de stront. Maar geen van beiden zouden we dat natuurlijk zeggen. Als hij geen grap had gemaakt, zou ik het hebben gedaan.

'Ik gaf hem een achtenhalf voor Angst. Paste het beste bij hem, vond ik.' Ik parkeerde mijn krent naast Charlie en dempte mijn stem. 'Waar zijn ze verdomme?'

'HF51KN.'

'Wat? Ben je alles kwijt?'

'De dienstwagen. Ik heb het tijdschrift onder de achterbank geschoven. Beter om het te verstoppen en de gok te wagen dat het daar nog is, dan het op een presenteerblaadje aan Bebop overhandigen, hè? We hoeven hier alleen nog maar uit te breken, de Land Rover te zoeken, de spullen eruit te halen en die gebruiken om thuis te komen. Ben je er klaar voor, knul?'

'Helemaal. Vooral voor dat uitbreken.'

Hij maakte een grap, maar had wel gelijk. De hemel mocht weten wat er in die papieren stond, maar zoals Bastaard had bevestigd, waren ze zo belangrijk dat Jan en alleman ze in handen wilde krijgen. Ik werd gezocht – en zo te horen was dat spul net wat ik nodig had om niet meer gezocht te worden. De tape zou onze kansen er ook niet kleiner op maken en als Bastaard echt vrienden had in hoge Georgische kringen en een paar beslissende stemmen in Kamp Vasiani, dan zou dat spul ons uitreisvisum kunnen zijn.

'Hij heet Bastendorf. Herinner je je hem nog van Waco? Wij noemden hem Bastaard. Hij voerde het bevel over Alfa CP.'

'De naam staat me wel aan, maar ik had geen barst te maken met de CP's.

Hij is trouwens niet iemand die je gauw vergeet, hè? Heeft hij jou herkend?'

'Nee en ik wil hier echt vandaan zijn voordat hij dat doet. Hij is terug naar het kamp. Als ze de wagen hebben doorzocht en de spullen hebben gevonden, zijn wij zo goed als dood. Wat Bastaard en zijn maten jou om te beginnen al wilden hebben.'

'Heb je ontdekt of de tweeling iets draagt?'

'Geen idee. Daar moeten we vanuit gaan, nietwaar?'

Hij wreef over zijn stoppels. 'Wat zou je ervan zeggen als we hen naar de deur roepen en het erop wagen? Met de wagen uit de buurt is de personele bezetting in ieder geval kleiner.'

Ik leunde met mijn hoofd tegen de ruwe stenen muur. Hij had gelijk; hoe langer we hier bleven, des te slechter werden onze kansen. 'Blijven dus alleen Hari en Kunzru over die naar *Coronation Street* zitten te kijken... Hoe staat het met je handen? Alleen ballroom vanavond of zijn ze in staat tot wat actie?'

'Zo gezond als maar kan.' Hij klapte ze samen alsof dat iets bewees. 'Goed, dan checken we hier dus uit, oké?'

'Ja, maar niet op jouw manier. Verrek zeg, dat is *Mission Impossible.* Laten we eerst kijken naar wat het meest voor de hand ligt.'

We begonnen langs de muren te tasten naar een andere deur of een haastig dichtgetimmerd raam. We zochten alles af tot we zonder succes weer bij de deur stonden. Ik gaf er boven en onder een duw tegen. De enige weerstand zat in het midden, maar die was stevig. Er zouden een paar heel grote schouders nodig zijn om die te openen.

Ik drukte mijn oor tegen het hout, maar hoorde niets aan de andere kant. Ik ging met mijn hand langs de muur aan de buitenkant van het kozijn en die sloot zich om een losse, uitstekende steen. Ik kreeg plotseling een idee.

Ik greep Charlies jas. 'Weet je nog die Wietroker in Colombia? Dat zou onze weg naar buiten kunnen zijn.'

'Wel verdomme, je hebt niet alleen een leuk kontje, hè, knul?'

Op handen en knieën voelden we op de grond naar losse stenen. Voor dit werk hadden we er elk een paar nodig die groot genoeg waren om in onze handpalm te passen.

Iets met het formaat van een baksteen zou het helemaal zijn.

2

Aan het eind van de jaren tachtig van de vorige eeuw hadden Charlie en ik deel uitgemaakt van de 'first-strike'-politiek van Thatcher en Reagan in Colombia. Mensen van de SAS werden uitgezonden als adviseurs om drugsfabrieken in het regenwoud te helpen identificeren en vernietigen.

Wij patrouilleerden in verdachte gebieden, stelden operaties voor en maakten plannen voor aanvallen. Het was niet de bedoeling dat we de aanvallen zelf uitvoerden; dat zou een erg hete politieke *patata* zijn geweest. Wij moesten ondersteunen en adviseren, gewoonlijk één van ons op elke tien plaatselijke agenten van de narcoticapolitie.

Telkens als we de slechteriken een tik op de vingers gaven, haalden zij de media en de politici erbij om het te vieren en wij verdwenen dan naar de achtergrond en gingen een kop thee drinken. De lui die de uitvoering verzorgden, kregen nooit van te voren iets te horen over een aanval. Er was zoveel corruptie dat een DF waarover je een rapport indiende, in minder tijd in rook opging dan je nodig had om een paar lijntjes marcheerpoeder op te snuiven.

En ook dan nog vlogen de aanvalshelikopters die op weg waren om ons op te pikken, heel vaak over het doelgebied. Ze hadden net zo goed een sleep kunnen meenemen met de boodschap dat de jongens van Cali en Medellin de benen moesten nemen.

Op de dag dat Charlie en ik de kerel tegenkwamen die we de Wietroker gingen noemen, was er een operatie geweest die even chaotisch was verlopen als altijd. De meeste politieagenten hadden op cocabladeren lopen kauwen die om een suikerklontje waren gewikkeld en deden vreselijk paniekerig, omdat ze niet onder vuur wilden komen te liggen. De helft was trouwens alleen maar goed om naar de maan te blaffen tegen de tijd dat de aanval begon.

Tijdens deze aanvallen maakten we meestal niet veel gevangenen. De spelers hielden stand en vochten door om uiteindelijk te worden omgelegd, wat wij prima vonden. Maar deze keer viel er eentje letterlijk in onze handen, omdat hij een beetje te veel aan de koopwaar had gezeten. Hij was zo ver heen dat hij niet meer wist of hij in het oerwoud zat of op de eerste bemande vlucht naar Mars.

Terwijl wij wachtten op de aankomst van het circus, stopten we hem in een van de 'fabrieken', lange barakken van hout en metalen golfplaten met lange en lage trogvormige goten waarin de coca werd uitgespreid om er een brij van te maken. De barak was niet zo waterdicht als een gevangenis. Het hok waar Charlie en ik nu in zaten, was beter.

Zo stoned als een garnaal was hij toch nog bijdehand genoeg om in elke hand een steen te pakken. Met molenwiekende armen rende hij van de barak naar de bomen en sloeg iedereen neer die binnen bereik kwam.

Met vier man van het Regiment hadden we thee zitten drinken en gekeken naar de lui van de politie die in de door generatoren aangedreven koelkasten en de portefeuilles van dode mannen graaiden.

De cokegek had drie kerels neergeslagen met ernstig hersenletsel voordat ze de pogingen om hem te arresteren opgaven en hem definitief met een 7,62mm-kogel neerlegden. De mengeling van verrassing en agressie werkte in zijn voordeel en als zijn hersens niet zo opgeblazen waren geweest, had hij misschien weg kunnen komen.

Wij kropen een paar tellen rond, maar hoefden niet ver te zoeken. De muren waren niet al te best en het cement zat op diverse plaatsen los. Het duurde niet lang of we hadden allebei een paar grote en keiharde stenen. Ik liep op de tast naar de deur en beproefde de kant tegenover de scharnieren, waarbij ik me trachtte voor te stellen dat ik daar tegenaan beukte. Alleen bij de gedachte deed mijn schouder al pijn.

Charlie stelde zich links van mij op.

'Ik zal het eerst proberen, ouwe.' Ik stak in het donker mijn hand uit om hem iets verder terug te duwen. 'Ik zal drie of vier pogingen doen en dan is het jouw beurt. Zodra we op die binnenplaats zijn en we worden niet tegengehouden, is het over de muur en dan zien we verder wel. Als we gescheiden raken, staan we elke avond voor het Marriott, ergens in de buurt van die bushalte. Daar wachten we een uur tussen negen en tien. Duikt de ander niet binnen drie dagen op, dan zijn we op onszelf aangewezen. Goed?'

'Afgesproken,' zei hij. 'En nu stoppen met ouwehoeren en aan de slag.'

'Luister...' Ik wist dat ik het gevaar liep om sentimenteel te worden, maar ik wilde dat de stomme oude dwaas ergens zeker van was. 'Voordat de hel losbarst moet ik je nog... bedanken, omdat je met mij mee bent gekomen. Het was hartstikke achterlijk dat je die vlucht niet hebt gepakt, maar wel bedankt.'

'Probeer je me terug te pakken voor wat ik op het kerkhof heb gezegd? Ik weet dat ik een beste kerel ben en nou bek dicht en aan de slag, voordat je Hari en Kunzru vraagt om erbij te komen voor een groepsomhelzing.'

Ik stak een hand uit en voelde met een uitgestrekte vuist de rechterkant van de deur. Dat was één pas. Ik stapte er nog twee naar achteren en zorgde ervoor dat ik recht voor de deur bleef. Het laatste wat ik wilde, was tegen de muur dreunen of de deur onder een hoek raken. In beide gevallen zou Charlie smakelijk moeten lachen, maar waarschijnlijk zou mijn schouder kapot zijn.

Twee of drie keer diep ademhalen en toen liet ik mijn rechterschouder zakken en stormde naar voren. De klap waarmee ik tegen de deur bonkte was zo hard dat die in Tbilisi te horen moest zijn geweest. Ik wankelde. Voor mijn gevoel was ik aangereden door een auto.

Charlie gilde: 'Doorgaan! Kom op! Kom op! We hebben nu lawaai gemaakt, niet treuzelen.'

Ik zette weer drie stappen terug, sloot mijn ogen en rende weer. Het deed pijn als de hel, maar de deur bewoog duidelijk.

Charlie was met zijn gezicht vlakbij en besproeide me met speeksel. 'En nog een keer! Nog een keer! Kom op! Doorgaan!'

Drie passen terug en *bang*. De deur bewoog wat meer en ik zakte op de vloer van pijn. Ik rolde naar rechts, uit de weg. 'Jouw beurt! Jouw beurt!'

Hij bonsde ertegenaan en de deur viel meteen naar buiten. De scharnieren hadden het eerder begeven dan de grendel.

Ik ging achter hem aan. De pijn in mijn schouder en rug werd tijdelijk gemaskeerd door de adrenaline die door mijn lichaam joeg. We vielen min of meer in het kreupelhout dat de tuin omgaf.

Twee stormlampen zwaaiden rukkerig heen en weer in de duisternis toen Hari en Kunzru uit de verhoorkamer kwamen stormen.

Ik begon molenwiekend als een bezetene op hen af te rennen.

De Georgiërs kwamen dichterbij en ik verloor Charlie uit het oog toen hij op de eerste afging. De tweede kreeg de inhoud van mijn linkerhand in zijn nek of misschien op zijn sleutelbeen. Ik wist het niet en het kon me ook niet schelen. Hij gilde het uit toen de steen in mijn rechterhand zijn bril tegen zijn gezicht vermorzelde. De lamp gleed uit zijn hand en ik scoorde een andere treffer op de achterkant van zijn schouder, waarna hij erachteraan ging de modder in.

Ik bleef zwaaien. Ik moest in beweging blijven, blijven kwetsen. Mijn armen zwaaiden als die van een bokser op amfetamine.

Ik voelde een hand mijn been grijpen en trapte hem weg. Beide stenen liet ik op zijn rug en nek neerkomen. De stormlamp rolde weg en wierp wilde schaduwen op de muren.

'Verrek, Nick...'

Charlie had pijn.

Hij lag naast een slap lichaam en probeerde van de grond te komen, maar zijn linkerbeen werkte niet mee. Ik zag geen bloed, maar het was kapot. Het lichaam onder me kronkelde van pijn, te veel in beslaggenomen door zijn verwondingen om zich nog iets van ons aan te trekken.

Ik schreeuwde tegen Charlie: 'Kijk of die van jou de sleutels heeft! Sleutels! Sleutels! Sleutels! Geld, wat dan ook.'

Ik voelde in de zakken van het leren jack van die van mij en vond een portefeuille, identiteitsbewijs met foto, lege holster aan zijn riem, losse munten en huissleutels. Charlie had meer geluk. 'Ik heb ze! Ik heb ze!'

Ik pakte de lamp en het geld en zocht de grond af naar het wapen van mijn jongen. Het was een revolver die zijn beste tijd al een hele tijd had gehad, maar hij zou nog steeds schade kunnen aanrichten bij de persoon op wie hij werd gericht. Ik stopte hem in mijn jack en rende naar Charlie. Hij probeerde zich tegen de muur overeind te hijsen.

'Sleuteltjes, waar zijn de sleuteltjes?'

Ik nam ze van hem aan, trok zijn linkerarm over mijn schouder en sleepte hem de verhoorkamer in.

We hadden kennelijk een nogal gezellige avond onderbroken. Uit de radio schalde de Georgische Top Honderd en er stonden dampende bekers op de tafel naast een autoaccu en een stel startkabels. Er was niet veel verbeeldingskracht voor nodig om te raden hoe de jongens van plan waren geweest zich later te amuseren.

Charlie pakte de bekers. 'Stop, stop.' Hij goot ze allebei in de lege thermosfles en we liepen rechtdoor naar buiten op een Lada stationcar af. Hij was niet op slot.

Ik hielp Charlie op de passagiersstoel en schoof zelf achter het stuur. Weldra waren we aan het keren om terug te rijden over het pad.

Hijgend rukte Charlie het handschoenenkastje open en keek of er iets nuttigs in zat.

Ik keek opzij naar hem. 'Wat is er gebeurd?'

Charlie lachte niet erg overtuigend. 'Gleed uit op de stenen. Het is ongelooflijk. Mijn enkel, ik heb het stomme ding verzwikt.'

'Daar vinden we wel iets op. Heb je geld? Wapen?'

'Allebei.' Hij trok zijn neus op. 'Verdomme, wat heb ik een hekel aan de stank van natte honden.'

3

Zodra we op het asfalt waren, gaf ik plankgas en de motor van de Lada maakte een heleboel herrie, terwijl hij erover nadacht om te reageren. Uiteindelijk begon de wijzer van de snelheidsmeter langzaam te bewegen. Ik had niet het idee dat we sneller gingen, maar het gaf ons tenminste een beter gevoel.

Charlie deed de binnenverlichting aan om een diepe snee in zijn linkerhand te controleren. Het leek erop alsof iets van de steen was afgesplinterd en in zijn palm was gedrongen, maar er was weinig anders dat hij eraan kon doen dan de hand stevig tegen zijn been drukken. Hij opende de portefeuille die ik hem had toegeworpen met zijn rechterhand en haalde er geld en een gelamineerd identiteitsbewijs uit.

'Moet je die stomme bottenzak hier zien.'

De kaart was van Hari Tugushi. Een verklaring in Paperclip, Russisch en Engels bevestigde zijn officiële aanstelling door de Georgische regering.

Charlie draaide zijn raampje open en smeet Hari's portefeuille de nacht in. Die van Kunzru ging er al gauw achteraan, voordat we aan de koffie begonnen en probeerden niets te morsen, terwijl de Lada de weg af rammelde.

'Zag je de accu, knul?'

'Ja.' Ik wilde er niet al te veel aan denken.

'Je zou die draden liever niet aan je bellen hebben hangen, hè?'

'Nee.'

'Het zou ze bij mij natuurlijk niet gelukt zijn. Die klemmen waren te klein.'

Ik glimlachte naar hem. 'Zet je wel aan het denken, hè? Die jongens waren niet aan het klooien. Als zij hun zin hadden gekregen, had je Hazel en de kleinkinderen nooit teruggezien.'

'Het is niet ideaal, knul.' Hij haalde zijn schouders op. 'Maar ik ben toch dood, weet je nog wel? Voor jou is het anders.' Hij zweeg even. 'Maar verspil geen tijd aan het fantaseren over die kleine vetkop van jou

225

– je moet iets bedenken om ons over de grens te krijgen. Het is jouw grote kans om de wereld te laten zien wat je van de meester hebt geleerd.'

'Daar gaat het om...' Ik aarzelde. 'Ik heb me zorgen gemaakt. Ik heb over haar lopen denken. Het is de eerste keer dat zoiets me ooit heeft dwarsgezeten. Jij hebt dat je hele leven gehad, nietwaar?'

Hij verschoof op zijn stoel. 'Wel allemachtig, je wilt me verdomme toch niet vertellen dat je van plan bent eindelijk bij het menselijk ras te gaan behoren?'

'Hoe heb jij het gecombineerd? Je weet wel: "Wat ben ik hier verdomme aan het doen? Ik was veel liever thuis geweest om weet ik wat te doen, het gras maaien of de kat zoeken of dat soort dingen."'

'Het ging er de hele tijd om te proberen het evenwicht te vinden. En dat betekende iemand als Hazel vinden, iemand die begreep wat er omging in die dikke kop van mij en die bereid was er mee te leven. Maar het is een partnerschap, knul, en dat is een van de redenen waarom ze op dit moment kwaad op me zal zijn. Na al die jaren dacht ze dat haar diensttijd net als die van mij erop zat.'

Hij keek nog een keer naar zijn bloedende hand. 'Maar het is die verrekte hengst in de paddock, Nick; die kreeg me te pakken. En met die vervloekte poten die zich gingen gedragen alsof ze een eigen wil hadden – nou ja, deze keer moest ik het gewoon zonder haar doen. Als je weet dat ze begrijpen wat er aan de hand is, dan hoef je je geen zorgen te maken over de Hazels van deze wereld als je in de stront zit. Je weet dat ze erop zullen rekenen dat je de paar hersens die je hebt, zult gebruiken om jezelf uit de stront te tillen en thuis te komen...' Zijn stem stierf weg. 'Klinkt dat zinnig?'

Ik knikte. 'Ik denk het wel.'

'Goed. Denk eraan om het op te schrijven, knul. Weer iets dat je van de expert hebt geleerd.'

We moesten ongeveer twintig minuten over de bodem van de vallei hebben gereden, toen de motor van de Lada begon te grommen en we een heuvel op reden. Toen we de top naderden, deed ik de koplampen uit en kroop vooruit in de hoop geen VCP in de duisternis beneden ons te zien opdoemen.

Het was erger. Op minder dan een kilometer afstand bevond zich een hele verzameling Amerikaanse lampen die rijen twintigpersoonstenten en Portakabins verlichtten. Een paar kilometer verder en hoger op de heuvel was een andere verzameling lampen. Maar die waren van de Russen.

'Vasiani,' mompelde ik. 'Je zou kunnen zeggen dat we nu tenminste weten waar we zijn.'

Charlie keek op van zijn eerstehulpbezigheden. 'We zullen Turkije even op de lange baan moeten schuiven, knul. We moeten dat spul terughebben.' Hij knikte naar de lampen beneden. 'Luister, het zou zelfmoord zijn om te proberen daar binnen te komen en de dienstwagen te vinden. Ik vind dat we het in de ochtend moeten proberen. We weten in ieder geval waar het ding zich bevindt. Laat het maar naar ons toe komen.'

'Jij denkt dat de wagen de weg weer op gaat?'

'Natuurlijk – dat ding zal het langer volhouden dan ik, knul. Wie daar beneden ook de leiding heeft over de wagenpool, zal er al nieuwe banden onder hebben gelegd en de spuit erop hebben gezet. Hé, het is het leger, hoor. Waar zouden ze het ding voor achterhouden, forensisch onderzoek?'

Hij had gelijk. Het was de dienstauto en daarmee basta. Elk voertuig was aan het een of andere toegewezen en als deze een beetje aan terreinrijden had gedaan, nou en? Daar was hij toch voor?

Charlie bleef naar beneden kijken. 'Hij vertelde jou dat hij morgen ging vertrekken?'

'Ja – een andere nutteloze poging om druk uit te oefenen, dacht ik.'

'Misschien, misschien ook niet. Ik weet wel dat ik als de bliksem de stad zou willen verlaten als ik niet in handen had wat nu achterin de 110 ligt – jij niet?'

Hij draaide zijn hoofd naar mij toe en ik kon iets van zijn gezicht onderscheiden bij het strooilicht uit de vallei. 'Het zal een afgang zijn, maar des te meer reden om naar het vliegveld te gaan, denk je niet?'

Twee of drie paar koplampen gingen aan en bewogen door het kamp. Toen maakte één paar zich ervan los en reed naar de hoofdpoort.

'We kunnen er maar beter van uitgaan dat de tweeling een telefoon had, beste Charlie. We moeten langs de Russen of die VCP. Of wil je uitstappen en gaan lopen? Zelfs jij zou het in het terrein beter doen dan dit ding.'

Charlie stak zijn hand uit naar het dashboard en smeerde bloed op het plastic, terwijl hij naar voor en achter begon te schommelen in een niet erg serieuze poging de Lada sneller te laten gaan.

Hij ving mijn uitdrukking op. 'De Russen. Moet wel. Ik ga niet de hele nacht over deze heuvels rennen of het risico lopen dat ik die vent tegenkom die ik heb afgetuigd.'

Ik duwde mijn voet naar beneden. De acceleratie was zo gering dat zijn geschommel echt leek te helpen.

'Goed zo, knul – stoutmoedig op weg naar plaatsen waar nog nooit een Lada is geweest.'

Ik schakelde terug naar de derde in een poging wat meer vermogen te krijgen. De motor jankte, maar dat was ongeveer alles. Ik ramde de pook weer in de vierde.

Mijn ogen spanden zich in om de gaten in de weg te ontdekken. Ik had niet veel plezier van de koplampen van de Lada – zelfs met groot licht verlichtten ze niet meer dan een meter vlak voor ons. De afslag naar rechts kwam eraan. De andere koplampen naderden snel over het pad.

Als wij er niet eerst voorbij waren, zou de andere auto de weg voor ons blokkeren.

'Kom op! Doorgaan!' Charlie schommelde alsof hij een toeval had.

Ik kon niets anders doen dan de auto in de juiste richting sturen en het gas op de plank houden.

Tegen de tijd dat we bij de kruising waren, stond de motor op het punt een hartstilstand te krijgen. De koplampen van de andere auto waren pal rechts van ons op een afstand van ongeveer honderd meter.

Ik voelde spetters speeksel van Charlie die ons aanmoedigde. 'Doorgaan, knul, kom op.'

De motor kreunde weer toen we de heuvel op begonnen te rijden. Hij was niet steil, maar kennelijk steil genoeg. Het hele voertuig schudde toen we over het ruwe asfalt rammelden en ik het stuur naar links en rechts trok om gaten te vermijden.

'Goed zo, knul. Doorgaan...'

De andere koplampen kwamen bij de kruising en draaiden achter ons aan. Het duurde niet lang voordat ze dichterbij begonnen te komen.

We waren minder dan een kilometer van de lampen van het kamp van de Federatie verwijderd. Ik schakelde terug in een poging wat meer toeren uit dit stomme ding te halen en ik zat met mijn gezicht bijna tegen de voorruit om de weg te kunnen onderscheiden.

Charlie keek achterom. 'Hij is dadelijk dicht genoeg bij om te spugen, knul. Houd dat gas op de plank.'

Dat hoefde hij me niet te vertellen.

In de vierde. De motor krijste.

De Russische schijnwerpers kwamen dichterbij, maar de helling werd steiler.

Onze snelheid verminderde. In de derde. Een schok, toen nog langzamer.

In de tweede. We kregen allebei een schok toen de versnelling pakte en de motor schreeuwde.

'Het is een Pajero, Nick! Moet Bastaard zijn!'

Terwijl hij dat zei, zetten de lampen van de 4x4 het binnenste van de Lada in het licht en kregen we de eerste zet. Het gaf ons eigenlijk meer snelheid.

'Is het Bastaard? Weet je het zeker?'

Charlie zat nog gedraaid in op zijn stoel. 'Wat kan het verdommen? Houd gewoon het gas op de plank.'

Een volgende stoot tegen de achterkant. Een volgende schok naar voren. Als het Bastaard was, deden ze het misschien zonder de helikopters. Toen was het om de dienstwagen gegaan, niet zijn gezeik.

Niet meer ver naar de Russen, misschien vierhonderd.

De volgende botsing was van achter aan mijn kant. De achterkant van de Lada zwenkte naar rechts. Ik kon alleen maar proberen de voorwielen recht te houden en mijn voet op de plank drukken.

De achterkant slingerde en ik draaide als een gek aan het stuur.

'Hij laat het afweten, Nick, hij blijft achter. Goed gedaan, knul, houd die verrekte wielen recht.'

We kwamen bij het hek rond het Russische kamp.

Ik keek in het spiegeltje. Charlie had gelijk. De koplampen bleven achter. Wie het ook was, hij zette niet door. Charlie keek nog een laatste keer achter ons en zakte toen ontspannen onderuit op zijn stoel.

De vlag van de Federatie wapperde hoog boven de felverlichte hoofdpoort. Vier wachtposten met een jong gezicht kwamen in beweging en begonnen voorbereidingen te treffen voor een traditioneel Russisch welkom. Ze droegen een camouflage-uniform met helm en een AK-aanvalsgeweer hing voor hun borst. Ze staarden ons met een zekere mate van verwarring aan toen we hen vrolijk toezwaaiden.

'Misschien zouden we moeten stoppen,' zei Charlie lachend. 'Een van die kerels wil misschien wel een goed bod doen op de auto.'

'Je kan het ding aan hem nalaten in je testament, stomme oude gek.'

De lampen van beide kampen verdwenen en we daalden af naar lager terrein. 'Hoe eerder ik je thuiskrijg, hoe beter.'

4

Maandag, 2 mei

De rij taxi's buiten de terminal was niet veel opgeschoven in het uur sinds het eerste licht. Wanneer af en toe een taxi aan de voorkant wegreed, startten de chauffeurs erachter hun motor niet om op te schuiven, maar stapte ze uit, leunden door het raampje naar binnen en duwden.

Ik hield vanaf de overkant van de weg het oog op de ingang van de vertrekhal. Ik zat voorbij de drie tuinhuisjes op het beton tussen overvolle vuilcontainers en vier oude, in de steek gelaten bussen op de kleine parkeerplaats vol gaten. Ik ging moeiteloos op in de omgeving, want ik droeg een zwarte, wollen muts die ik achterin de Lada had gevonden en die rook alsof hij was gedragen door een natte bloedhond. Door de grote oorflappen zag ik er ook zo uit, maar hij verborg tenminste iets van mijn gezicht. Blauw-witten waren om de paar minuten langs komen rijden en één stond nu stil bij de hokjes. De twee agenten die erin zaten, dronken koffie en rookten.

Charlie en ik waren recht in het hol van de leeuw gestapt, maar een andere manier was er niet. Onze enige kans om de papieren en tape terug te krijgen was de dienstwagen. We wisten dat hij tijdens uren dat er werd gevlogen op twee vaste punten kon zijn – het kamp en het vliegveld.

We hadden kunnen proberen hem langs de weg met zwaaien tot stoppen te bewegen, maar voor militaire voertuigen was stoppen gewoonlijk verboden – en na de stunt die wij gisteren hadden uitgehaald, zou elke chauffeur extra alert zijn. Een kaping was uitgesloten; daar heb je een open stuk weg voor nodig, zodat je het voertuig kunt herkennen voordat je eropaf gaat. Ons huidige plan was niet volmaakt, maar we hadden niets anders.

Ik keek op Baby-G. Het was even na achten. Charlie was tien minuten geleden de vertrekhal in gehobbeld om zijn positie in te nemen. Hij moest het voortouw nemen; ik kon niet het risico lopen herkend te worden.

Het idee was eenvoudig: de wagen verschijnt om iemand af te zetten of op te halen; Charlie ziet hem door het glas; loopt naar buiten, pikt hem in, rijdt naar de parkeerplaats achter mij; dan spring ik erin en we rijden naar de grens. Deze keer zou hij niet een heleboel bevelen blaffen, maar vertrouwen op zijn wapen. Hij had een kleine 9mm Makharov, het soort ding dat James Bond in zijn smokingjasje stopte.

Aangenomen dat er geen vertragingen waren, zouden alle internationale vluchten rond het middaguur zijn vertrokken. Als Bastaard opdook voor een van die vluchten, zou dat voor ons een verdomd grote bonus zijn, zelfs als de 110 niet verscheen.

We hadden tientallen mogelijke scenario's doorgenomen. Stel dat hij voor de 110 verscheen? Dan moesten we hem vasthouden tot die kwam en hem gebruiken om de spullen eruit te halen. Stel dat hij na de 110 verscheen? Nou, dat zouden we nooit weten, want dan zouden wij weg zijn – tenzij Charlie erin slaagde te achterhalen op welke vlucht hij zat.

Waar het op neerkwam, was dat we naar bevind van zaken zouden moeten handelen – anders zouden we over een week nog steeds in de bossen duizenden mogelijkheden zitten doornemen. Verrek, we moesten opschieten en hier verdwijnen.

Mijn revolver was ook Russisch en zag eruit alsof hij nog was gebruikt in de Krimoorlog. Er zaten nog steeds zeven grote 7,62mm-patronen in de cilinder en dat maakte me een heel stuk vrolijker. Aangezien ons plan erger stonk dan de hondendekens, was dit de enige troost.

Ik liet me tegen een container zakken en schoof mijn benen onder de container voor me. De jongens in de blauw-witte hadden hun koffie op en reden weg. Ik stak mijn nek uit om langs het gebouw te kunnen kijken. Twee andere politieagenten stonden te posten voor de terminal. Na de nachtmerrie van gisteren was er kennelijk gepraat.

Nadat we de Lada vanochtend om een uur of vijf ergens in de stad hadden achtergelaten, hadden we ons verscholen en gewacht tot de stad wat tot leven was gekomen, voordat we op een taxi waren afgestapt. Hari en Kunzru hadden samen precies 127 lari bij zich gehad – wat ongeveer $70 bleek te zijn. De taxichauffeur had er ongeveer tien van in zijn zak gestopt en Charlie hield de rest in beheer. Hij zou die nodig hebben om een paar handjes bij de incheckbalies te vullen als hij wilde weten of zijn beste vriend Jimmy Bastendorf vandaag vertrok. Charlie wilde hem verrassen met een verjaardagsfeestje als hij thuiskwam en hij wist niet zeker hoe laat hij vertrok. Was het vandaag of misschien morgen? In een straatarm land kun je zelfs met wat kleingeld een heel eind komen.

Een met roest en vuil bedekte gele bus stopte bij de halte buiten de terminal, terwijl de uitlaat dieseldampen naar buiten pompte die je met een mes kon snijden. De meeste mensen die uitstapten, werkten zo te zien op het vliegveld, maar er waren er een of twee met koffers. De luchthaven kwam tot leven.

Charlie verscheen door de walm en slingerde de weg over als Long

John Silver. Zijn hand was in orde geweest toen hij me alleen liet, alleen een pijnlijke snee, maar zijn enkel was opgezwollen als een ballon ook al had ik geprobeerd hem in te zwachtelen met een paar repen van een deken.

Hij had een krant in zijn hand. 'Bastaard gaat naar Wenen. We hebben hem.' Hij gooide de krant in het voorbijlopen in mijn richting en hij viel tussen de containers. 'Hier is het slechte nieuws.'

Hij moest nu een rondje maken, misschien iets controleren op de parkeerplaats. Niemand loopt een terminal uit en steekt een straat over om die tien tellen later weer in omgekeerde richting over te steken.

Ik kroop naar de krant en toen terug naar de plaats waar ik alles nog steeds in het oog kon houden voor het geval dat er iets misging. Als tien blauw-witte Passats met piepende banden naar de terminal reden en Charlie meesleurden, moest ik dat wel weten.

Hij had me een exemplaar van de *Georgian Times*, de Engelstalige krant, toegeworpen. Hij zat gevouwen om een grote chocoladereep. Ik scheurde de wikkel eraf en stopte een stuk in mijn mond, maar toen ik de voorpagina bekeek, werd mijn keel droog.

Het grootste gedeelte ervan werd in beslag genomen door een korrelige foto van de tuin voor het huis van Baz. De kop over de hele breedte schreeuwde: 'HEILIGE' VERMOORD!

Het artikel ging in dezelfde trant door met het bewenen van de barbaarse moord op de eerlijkste, meest onomkoopbare overheidsdienaar die het land ooit had gekend. Dit was niet het plaatje dat Bastaard had geschilderd, maar dat was geen verrassing.

Een kracht voor alles dat goed en rechtvaardig was, is wreed neergemaaid, was de jammerklacht. *Wie heeft deze laaghartige daad uitgevoerd? De vinger van de verdenking kan in veel richtingen wijzen die dit land allemaal als een kanker weg moet snijden.*

Wekenlang waren de muren van het huis van St. Zurab Bazgadze beklad met waarschuwingen om zijn kruistocht tegen de corruptie in alle geledingen van de regering niet door te zetten, schreef de journalist. *In ons trieste land zijn veel woorden synoniem met onrecht – woorden als 'minister' en 'militant', 'handel' en 'privatisering', 'pijpleiding' en 'olie'.* Het leek erop dat Baz ze allemaal had dwarsgezeten.

Charlie was nog steeds niet teruggekomen van zijn hinkende ommetje. Bloed klopte in mijn hals toen ik verder las.

De andere twee lijken die bij Baz thuis waren aangetroffen, waren geïdentificeerd als leden van de militante bende die achter de recente aanslag in Kazbegi had gezeten. Maar wie waren de andere twee mannen die te zien waren op het gesloten tv-circuit, één gemaskerd en één ongemaskerd? Waren zij nu in het bezit van de beëdigde verklaring die de Heilige had zullen onthullen voor de camera's van *60 Minutes* om de woekerende corruptie in de Georgische maatschappij aan de kaak te stellen?

Volgens een bron bij de politie was de safe in het huis van Bazgadze open aangetroffen en het gesloten tv-circuit liet ook zien dat een van de gemaskerde mannen een map van het lichaam van een van de militanten had gepakt. Als dit inderdaad de beëdigde verklaring was waarvan *60 Minutes* beweerde dat men daarop had gewacht, dan zou de openbaarmaking erg pijnlijk zijn voor de regering, omdat het programma zou worden uitgezonden op de avond voor het komende bezoek van president George W. Bush.

Ik zat op chocola te kauwen, terwijl gedachten door mijn hoofd tolden. De goede vent wordt kapotgemaakt – dat was niets nieuws – maar wat hadden die militanten in het huis van Baz te zoeken?

Het werd erger. De binnenpagina's stonden vol met kaarten en foto's.
SPOOR VAN MOORD: AUTO VAN DE HEILIGE IN TBILISI GEVONDEN – MET GRUWELIJKE LADING.

Als er geen volmaakte tekening van mij onder de kop had gestaan, had ik er misschien om gelachen.

Daaronder stond een foto van de Audi met open kofferbak. Getuigen hadden gezien hoe twee mannen hem het kerkhof op hadden gereden en een lijk in de kofferbak hadden gehesen. De rest was blijkbaar 'vage speculatie'.

Ik had genoeg gelezen. Ik vouwde de krant op en verslond de laatste vier stukken chocolade.

Die 110 kon geen minuut te vroeg komen.

5

Terwijl Charlie terugliep naar de terminal, reed een tweekleurige Pajero met een zilveren onderkant en een donkerblauw dak snel langs de hoofdingang. Hij was te ver weg om de chauffeur en enige inzittende te herkennen maar de enorme omvang van het silhouet achter het stuur zorgde ervoor dat ik hem bleef volgen toen hij doorreed langs de tuinhuisjes.

Ik kroop langs de containers en zag hoe hij de parkeerplaats op draaide. De Pajero hotste door plassen en kuilen en reed in de richting van de afgedankte bussen dichter bij de vertrekhal. Het spatbord aan de kant van de bestuurder was beschadigd. Ik dacht de reden te kennen.

Ik verloor hem achter de bussen uit het oog en keerde terug om de voorzijde van de terminal in de gaten te houden. Nog geen teken van de 110.

Ik hoorde achter de bussen een portier dichtslaan.

Hij zou honderd meter open terrein moeten oversteken voordat hij bij de vertrekhal was. Een rechte lijn zou hem heel dicht bij de containers brengen. We zouden in de problemen zitten als de 110 nu verscheen en Charlie Plan A ging uitvoeren. De chauffeur zou met ons mee moeten komen, want we konden er niet nog een los door het land laten lopen.

Geen tijd om na te denken. Bastaard kuierde naar de vertrekhal, gekleed in het Amerikaanse zakenuniform voor boven de vijftig. Hij trok een aluminium koffer op wieltjes achter zich aan. Wat er ook in die papieren stond, hij was er flink door van streek. Het zou voor hem al erg genoeg zijn geweest dat hij de papieren zaterdagnacht door zijn vingers had laten glippen. Maar nu? Met de tapes uit Istanbul en het Marriott eveneens buiten zijn bereik, moest hij beslist precies hetzelfde doen als wij – maken dat hij wegkwam. Ik vermoedde dat hij niet echt veel zin had in een opvallende rol bij *60 Minutes*.

Ik liet hem achter de huisjes langs lopen en kroop toen tussen de vuilcontainers uit om achter hem te komen.

Een vetrol trilde boven de kraag van zijn hemd. Ik trok mijn muts naar beneden en volgde hem.

'Hé, Bastendorf!'

Ik keek hem blij aan toen ik dichterbij kwam, maar ik bleef net buiten bereik van zijn armen.

Zijn gezicht betrok. 'Hoe ken je verdomme mijn...'

'Ik heb het wapen van Kunzru. Ik wil onze paspoorten.'

Hij rolde zijn hoofd naar achteren en lachte. Misschien dat de muts hem vrolijk maakte.

'Paspoorten, ik wil ze.'

'Barst maar! Ik ga nu schreeuwen en het is met je gedaan, klootzak. Ik loop gewoon door. Wat was je van plan te doen, dat pistool trekken en me pal voor die stomme terminal neerschieten?'

'Ja.'

Je uit nooit een dreigement dat je niet kunt waarmaken en Bastaard wist dat. Hij kon mijn hand in de zak van mijn jack zien.

Zijn neusvleugels trilden. Hij ademde heel langzaam en diep. 'Ik heb ze verbrand.' Hij vond het prachtig dat tegen mij te zeggen.

Over de schouder van Bastaard zag ik een 110 voor de terminal stoppen en het achterportier opengaan. Charlie kon elk moment naar buiten komen. Hij wist niet dat we de Pajero hadden, dat wanhoopsdaden nu niet meer nodig waren. Hij hoefde zich alleen maar in de auto te bluffen en de spullen eruit te halen.

Misschien had Bastaard de paspoorten bij zich, misschien ook niet. We zouden het gauw genoeg weten. Ik knikte over zijn schouder. 'Jij gaat omdraaien en naar de één-tien lopen.'

'De wat?'

'De Land Rover. Vooruit.'

Ik ging aan zijn linkerkant lopen en zocht naar Charlie. Auto's en bussen reden tussen ons en de 110 en blokkeerden tijdelijk het zicht.

Bastaard kletste met veel te veel zelfvertrouwen voor iemand die zo diep in de stront zat. 'Gaan we terug naar de stad? Wil je jezelf overgeven of vind je het gewoon leuk om militaire voertuigen te stelen?'

De wieltjes van zijn koffer ratelden achter ons mee toen we naar de weg liepen. Twee kerels stapten uit de 110 met bagage in de hand. Charlie zou naar buiten komen zodra hij ze zag inchecken.

'Lopen. Jij gaat de chauffeur vertellen dat je een paar dagen geleden in de dienstwagen hebt gezeten. Trek de achterbank omhoog, vertel hem dat je iets kwijt bent. Het kan me geen donder schelen wat je zegt, pak gewoon wat eronder ligt.'

Hij bleef met een ruk staan. 'Krijg de kolere!'

Ik duwde hem vooruit en bleef doorlopen, terwijl mijn ogen naar Charlie zochten die door de deur van de terminal moest komen. 'Als je iets probeert uit te halen, leg ik je om. Begrepen? Ik heb niets te verliezen.'

'Je kunt de kolere krijgen.'

'Dat zal ik maar als een ja beschouwen.'

Charlie kwam de terminal uit. Zijn blik was gespannen gericht op de 110 die een paar meter voor hem stond.

We begonnen de weg over te steken en ik kon nu de nummerplaat zien. HF51KN. Andere chauffeur maar hetzelfde voertuig, afgezien dan van een stel gloednieuwe banden.

Charlie naderde het portier van de chauffeur toen hij ons eindelijk in de gaten had. Ik schudde mijn hoofd en hij hinkte door.

Twee politieagenten kwamen uit de terminal wandelen en een van hen tikte een paar sigaretten uit een pakje.

Ik kon zien dat Bastaard zijn kansen afwoog toen ze naar ons toe kwamen en een aansteker deelden. Zijn ogen schoten heen en weer tussen hen en mij.

Ik kon me niet afwenden of mijn gezicht proberen te verbergen. Dat zou alleen maar hun aandacht trekken.

Verrek ook maar; als ze me in de gaten hadden, kon ik daar niets aan doen.

Ik ging verder op de automatische piloot. Een andere mogelijkheid was er niet.

Ze liepen ons voorbij. Toen passeerden we Charlie, die stond te wachten op het vertrek van een bus zodat hij kon oversteken naar de tuinhuisjes.

Bastaard keek me aan. 'Ik steek nu mijn hand in mijn zak om mijn portefeuille te pakken, Goed?'

Ik bleef op zo'n meter afstand toen hij het raampje van de chauffeur naderde. Hij begon al te praten nog voordat de kerel het helemaal open had gedraaid.

De twee politiemannen waren blijven staan bij de ingang van de vertrekhal en leunden tegen de muur om te genieten van hun rookpauze.

Bastaard hield zijn identiteitsbewijs voor de neus van de chauffeur. Ik kon zien dat hij aan het praten was aan de manier waarop de vetrol tegen zijn kraag trilde.

Ik concentreerde me op het gezicht van de chauffeur. Jong, Latijns-Amerikaans. Het belangrijkste was dat hij geen tekenen vertoonde dat Bastaard hem de waarheid aan het vertellen was.

Bastaard stapte naar het achterportier van de 110. De jongen draaide zich om en boog over zijn stoel om hem te helpen bij het optillen van de zitting.

Bastaard kwam naar buiten met het tijdschrift in zijn hand en tikte bij wijze van afscheid op het raampje. We draaiden ons om en liepen de weg terug die we gekomen waren. De politieagenten hadden zich niet bewogen, maar ze waren gestopt met kletsen en leken Bastaard gade te slaan.

Ik stak mijn hand uit naar het tijdschrift.

Bastaard aarzelde. 'Kan ik nu met mijn vlucht mee? Hé, ik wilde jullie laten lopen als jullie de spullen afgaven.'

'Doorlopen. We hebben plannen waar jij een rol in speelt.'

Ik hoorde gelach en uit een ooghoek zag ik een van de politieagenten een stuk huid in zijn nek grijpen dat hij flink liet trillen.

Een paar tellen later begon het te regenen.

6

Niemand zei iets toen ik de Pajero het terrein van het vliegveld afreed. De sfeer was met een machete te snijden. Ik reed en Bastaard zat naast me op de passagiersstoel. Hij wist dat ik een pistool tussen mijn benen had geschoven dat buiten zijn bereik was, maar binnen dat van mij en dat Charlie met een ander wapen achter hem zat, maar wie weet wat hij ging doen als hij een kans zag om te ontsnappen. Als ik hem was, zou ik er bij de eerste gelegenheid vandoor gaan.

Ik zette de verwarming aan en de blower op de hoogste stand om de beslagen ramen schoon te krijgen. Het was slechts een korte wandeling terug naar de 4x4 geweest, maar we waren allemaal doorweekt.

Ik had Bastaard gefouilleerd toen we instapten, maar hij had de paspoorten niet bij zich. Charlie was zijn koffer op de achterbank aan het leeggooien.

Ik zette de ruitenwissers van langzaam op snel en wierp Charlie een kaart toe uit het deurvak. 'Waarheen?'

Hij vouwde hem open. 'Deze is verdomme een heel stuk beter dan die in de één-tien. Zo te zien is het iets meer dan tweehonderd kilometer naar de Turkse grens.'

'Vier, misschien vijf uur zolang we niet door het terrein hoeven rijden?'

Hij schudde zijn hoofd. 'Het is hemelsbreed. Maar volgens mij kunnen we het best de route naar het zuiden nemen tot we bij de pijpleiding zijn en dan volgen we die naar het zuidwesten.'

Het was goed gedacht. Wat was normaler dan drie westerlingen die langs die route reden – vooral met het officiële regeringsdocument in de portefeuille van meneer Bastendorf? Het zag eruit alsof iemand als een gek in de weer was gegaan met een rubberen stempel, waarna in het Paperclip en Engels was toegevoegd dat hij een welkome gast in hun land was en alle hulp moest krijgen bij de uitvoering van zijn belangrijke werk voor de regering. De extra bonus was de $450 die hij had weggestopt om uit de band te springen als hij op het vliegveld van Wenen was.

Ik voelde me veiliger nu ik in een auto zat, maar ik wist dat het een illusie was. Als we een controlepost tegenkwamen, zouden we nog steeds vreselijk moeten bluffen en op Bastaard vertrouwen om ons erdoor te krijgen. Onze twee pistolen zouden meehelpen om hem te overtuigen dat te doen. Bovendien, al mocht hij de grootste klootzak zijn die er op aarde rondliep, hij was niet gek. Hij was een overlever.

Bastaard hoestte een mondvol slijm op en begon zijn raampje open te draaien. Hij spuugde het naar buiten door de geopende vijf centimeter.

'Ik kan me niet herinneren dat ik heb gezegd dat je dat mocht doen.' Mijn hand ging naar het pistool. 'Beweeg je niet meer tenzij ik je zeg dat het mag, begrepen?'

Bastaard lachte spottend. 'Dacht je mij bang te maken? Mijn moeder zou het beter doen.'

Ik concentreerde me op de weg die nauwelijks zichtbaar was door een bijna massief gordijn van regen.

Ik ging ervan uit dat Bastaard niet meer bij de FBI zat – hij had in elk geval geen identiteitsbewijs van het bureau bij zich.

Charlie was klaar met het controleren van de koffer. 'Ook geen mobieltje.'

Bastaard staarde recht voor zich uit. 'Ik zei dat ik er geen had. Waarom zou ik er verdomme ook eentje bij me hebben. Die plaatselijke dingen werken toch niet over de grens?'

'Je was op weg naar huis? Wat is er gebeurd met de droom van de donkere señorita's?'

'Val dood.'

Ook al liep de weg niet in een rechte lijn, we zouden waarschijnlijk ruim voor het laatste licht bij de grens zijn, wat ons de tijd gunde om een fatsoenlijke plaats te vinden waar we konden oversteken. Ik was niet van plan het hem al te vertellen, maar Bastaard ging met ons mee. Georgië zat tegenwoordig met de VS in de club van de brave lui en waarschijnlijk waren er allerlei gemeenschappelijke regelingen tussen de politiediensten. Wanneer we de doctrine van Bush – 'Als je niet voor ons bent, ben je tegen ons' – doortrokken, was elke vijand van Georgië een vijand van de Verenigde Staten en op dit moment leek ik bovenaan de lijst van de meest gezochte verdachten van Tbilisi te staan.

We reden om de stad heen naar het westen en algauw maakte de glimmende nieuwe vierbaansweg plaats voor de bekendere weg vol kuilen. Oude mannen zaten achter tafeltjes in de berm, schuilden tegen de regen onder bomen en stukken plastic en probeerden kannen en flessen met oude motorolie te verkopen.

Bastaard lachte schamper. 'Dat verrekte spul is zo'n zestien keer door elke truck in de buurt gebruikt.'

Charlie en ik reageerden niet. Bastaard probeerde ons in te palmen.

Hij had agressie geprobeerd en nu trachtte hij de stemming luchtiger te maken en vriendelijk te doen.

De weg voor ons was aan weerszijden afgezet met enorme blokken grijze beton. Roestige stalen spijlen staken uit de afbladderende muren. Hier geen facelift met roze of oranje. Was hing uit ramen en werd voor een tweede keer gespoeld.

Bastaard probeerde het nog eens. 'Ik denk dat deze boulevard niet is opgenomen in de presidentiële route.'

We bleven hem negeren. Als hij dacht dat we aan het eind van deze trip onze tandenborstel met hem zouden delen, was hij afgestemd op de verkeerde frequentie.

Ik zigzagde een kilometer of twee tussen plassen door en toen kwamen we een bord tegen met de tekst 'Borjomi 151 km'.

Dat vrolijkte me op. De pijpleiding liep door Borjomi.

Donkere wolken lagen als een deken over de hogere delen van het land en ik deed het licht aan. We waren niet het enige voertuig op de weg en allemaal deden we mee aan een reusachtige kuilenslalom. Het kon slechts een kwestie van tijd zijn voordat er in het donker een kettingbotsing plaatsvond.

Volgelopen kuilen met het formaat van bomkraters hadden een paar wrakke Lada's tot staan gebracht. Die hadden nog bloot liggende bougies, had Pientere Charlie me uitgelegd, en die wilden er nog weleens de brui aangeven als er een beetje vocht bij kwam.

Ik wierp weer een blik achterom naar Charlie. Hij leek in orde. Er trilde niets en hij zat daar gewoon uit het raampje te staren. Over vier of vijf uur kon ik hem met zijn discohanden op een vliegtuig naar huis zetten.

7

De aanjager hield de voorruit nog steeds aan de binnenkant schoon. We hadden de buitenwijken achter ons gelaten en reden in een sluier van mist tussen de heuvels toen het asfalt ineens ophield en we op een brede grindweg kwamen.

Charlie kwam achterin tot leven. 'Hoe gaat het met Hari en Kunzru?'

Bastaard haalde zijn schouders op. 'Hoe zou ik dat moeten weten? Ik kreeg hún telefoontje; minstens één ademde nog. Ik wilde daarheen terugkeren toen ik jullie op de weg zag. Ze kunnen trouwens verrekken. Ziekenzorg is mijn verantwoordelijkheid niet.'

De mist trok op toen we de berg afreden. Een brede, snelstromende rivier schitterde beneden ons in het zonlicht. Afgezien van een duidelijk bruin litteken dat dwars door het weelderige groen van de vallei sneed, waren we in het land van de *Sound of Music*.

Bastaard wees met zijn duim naar het punt waar de lijn van vers omgewoelde aarde in onze richting kwam om dan evenwijdig met de weg verder te lopen. 'Daar is jouw pijpleiding.'

'Waar is het metaalwerk?' Ik had verwacht iets bovengronds te zien zoals in het Midden-Oosten.

'Ze hebben alles ingegraven. Maakt het een heel stuk moeilijker om op te blazen.'

Charlie leunde tussen ons naar voren. 'Onze oude makkers, de militanten?'

'Activisten, Koerdische onafhankelijkheidsstrijders, moslim extremisten, Russische kolerelijers en ga zo maar door. Ze willen er allemaal iets van meepikken of het ding gebruiken als troef aan de onderhandelingstafel. De Koerden willen onafhankelijk worden van de Turken: wij krijgen ons land terug van jullie en dan klooien wij niet met jullie pijpleiding. De Russen, nou ja, die willen de pijpleiding gewoon naar de kloten hebben, punt. Perestroika, vergeet het maar; voor die jongens is de Koude Oorlog nooit geëindigd. En dichter bij huis zijn er de Georgische politici die met iedereen een handeltje sluiten die maar in aanmerking komt – en die om te beginnen de oliemaatschappijen een fortuin laten betalen omdat ze de pijpleiding onderdak geven.'

Charlie knikte. 'En wij hebben een paar velletjes papier met daarin de verklaring van de rol die wijlen onze diepbetreurde vriend meneer Bazgadze in dat alles speelde.'

Bastaard keek hem kwaad aan. 'Reken daar maar niet op, klootzak.'

Het begon weer te regenen. Ik zette de ruitenwissers weer in de snelste stand, maar moest mijn gezicht toch bijna tegen de voorruit drukken om te zien waar we heen gingen.

Bastaard tuurde door het gordijn van water voor ons. 'Maar wie kan het een donder schelen? Ik hoefde er alleen maar voor te zorgen dat alles heel soepel verliep.'

'Dan heb je het er wel bij laten zitten, hè?' Charlie tikte op het pak in zijn jaszak. Hij had de tape uit de camcorder en de documenten uit de safe van Baz in een plastic zak gestopt die hij in de koffer van Bastaard had gevonden. 'Ik ben op dit punt natuurlijk geen expert, maar de plaatselijke media lijken een heel andere voorstelling van zaken te geven dan wat jij ons had verteld...'

Bastaard reageerde ongewild. 'Hé, ik heb jullie alleen verteld wat ik zelf te horen had gekregen.' Hij slaakte een diepe zucht van frustratie. 'Ik nam de beslissingen niet. Ik ben net als jullie een werkbij – een werkbij die hier gewoon als de bliksem wil verdwijnen.'

Ik had mezelf beloofd hier buiten te blijven, maar mijn bloed begon te koken. 'Werkbij, val toch dood. Jij bent een vervloekte worm. Jij leeft van dit soort situaties en de echte werkbijen mogen de prijs betalen.' Ik schakelde terug om een bocht te nemen. 'Herinner jij je Anthony nog, de Brit die jij in Waco aframmelde?'

Hij zweeg even. De regen hamerde nu zo hard op het dak van de Pajero dat het klonk alsof we opgesloten zaten in een trommel, maar ik kon zijn hersens bijna horen kraken. 'Anthony? Anthony wie? Ik kan me niet herinneren een Brit in Waco te hebben afgerammeld.'

'O ja, dat doe je wel.' Mijn ogen waren gericht op het met modder bedekte grind. De Pajero begon te slippen en te glijden en ik moest snel aan het stuur draaiden om het te corrigeren. 'Hij had het gas ontwikkeld dat jullie gebruikten, maar eigenlijk niet mochten gebruiken, weet je nog? Ongeveer een jaar later pleegde hij zelfmoord. Hij kon niet leven met het schuldgevoel.'

'O, *die* Anthony...' Bastaard ging met een wijsvinger over zijn snor. 'Natuurlijk herinner ik me hem... Stomme Britse nicht. Hij had daar helemaal niet moeten zijn. Je moet een jochie nooit het werk van een man laten doen...'

Ik draaide de Pajero een pad op dat plotseling aan de linkerkant opdook. We hotsten over de pijpleiding naar een rij bomen.

Ik schreeuwde achterom naar Charlie: 'Laten we eens kijken of de ballen van deze klootzak even groot zijn als zijn bek.'

Bij de bomen remde ik hard, zette de motor uit en duwde Bastaard naar het portier. 'Eruit, verdomme! Nu!'

Ik draaide op mijn stoel, leunde tegen de deur en trapte met beide voeten naar hem, terwijl hij naar de kruk zocht. 'Ik was daar, ik was bij Anthony. Ik heb de hele vervloekte zaak gezien...' Ik trapte hem weer toen zijn portier openzwaaide en hij gleed naar buiten de modder in.

Hij krabbelde overeind met een gezicht dat een masker was van angst en verontwaardiging. 'Dat was ik niet die het bevel gaf. Dat lag ver boven mijn salarisschaal.'

Ik volgde hem naar buiten, terwijl Charlie achter in de auto rommelde.

'Ik dacht dat jij de boodschap over die werkbij-onzin wel had gekregen,' gilde ik door de regen. 'Die kinderen hadden geen enkele kans en jij genoot van elke minuut!'

'Bingo!' Charlie stak zijn duim naar me op, sloeg het achterportier dicht en liep naar de motorkap van de Pajero.

'Wacht tot ik hem te grazen heb genomen.' Ik bracht mijn pistool omhoog. 'Ik ga met deze klootzak afrekenen.'

Bastaard deinsde achteruit tot hij tegen het voorspatbord gedrukt stond. 'Hé, ik wist dat het niet goed was. Ik wist dat het verkeerd was om die mensen te doden.' Hij bracht zijn handen omhoog, deels smekend, deels in een poging om me op afstand te houden. 'Het waren Amerikaanse burgers... mijn eigen volk...' Hij wees op mij. 'Ons volk.'

'Neer! In de modder! Nu!'

Hij gleed langs de auto omlaag en zakte in elkaar tegen het wiel. De regen spetterde in de plassen om hem heen. We waren allebei nat tot op de huid. Mijn mouw woog zwaar aan mijn arm toen ik mijn pistool op zijn hoofd richtte.

'Voor wie werk je?' Mijn eerste trap raakte hem midden in zijn ribben. 'Wie gaf de opdracht om Charlie om te leggen?' Mijn tweede verdween in de vlezige berg vet boven zijn riem. 'Wat staat er in die documenten? Wat gebeurde er verdomme in dat huis?'

Charlie had de motorkap opengezet en stond nu aan de andere kant van hem.

Bastaard zoog zwoegend lucht in zijn longen en hief zijn gezicht naar me op, zijn ogen toegeknepen tegen de regen. 'Wat ga je doen, jongen? Die trekker overhalen? Krijg dan de kolere maar. Ga je gang.'

Charlie schudde zijn hoofd, toen boog hij voorover, klemde een van de draden van de startkabel aan de rol vet boven de kraag van Bastaards hemd en hield de andere tegen zijn oor.

Bastaard gilde en zijn hele lichaam schudde. Met zijn benen languit in de modder zakte hij als een lappenpop in elkaar.

De ene draad zat nog steeds aan zijn nek geklemd. Charlie overhandigde me de andere en gleed achter het stuur.

Ik gaf Bastaard nog een trap, gewoon omdat ik daar zin in had.

Charlie startte de motor en drukte een keer op het gaspedaal.

Bastaard zei niets. Hij lag daar te jammeren, luisterde naar het gestage ronken van de motor van de Pajero en staarde in de modder. De boodschap begon tot hem door te dringen.

8

'Kijk me aan.'

Hij hield zijn ogen neergeslagen.

Ik drukte mijn klem tegen de bovenkant van zijn oor.

Hij krijste, kromde zijn rug en zakte weer in elkaar.

Ik boog over hem heen. '*Kijk me aan...*'

Hij bleef waar hij was, maar deze keer sloeg hij zijn ogen op. Regen stroomde van mijn kin op zijn gezicht.

'Het is allemaal heel simpel.' Ik zwaaide met de klem voor zijn gezicht. 'Jij praat en ik houd dit bij je uit de buurt.'

Hij schudde met zijn hoofd om de krokodillenklem los te maken van zijn nek, maar die bleef mooi zitten.

Ik trapte zijn hand weg toen hij die omhoog probeerde te brengen om hem te pakken.

Toen hij begon te praten, kon ik hem nauwelijks horen boven het geruis van de regen. 'Het was een simpele operatie die misging. We hadden die papieren gewoon nodig, zonder gedonder, alles netjes.' Hij graaide in de modder en duwde zich weer omhoog tegen het wiel. 'Ik heb het nu niet meer in de hand. Daarom wilde ik verdwijnen uit dit shitgat.' Hij staarde naar de bomen.

Ik bracht de klem weer binnen zijn gezichtsveld en hield die op niet meer dan een centimeter van zijn neus. 'Je geeft geen antwoord op de vragen. Voor wie werk je verdomme? Wie zijn die machtige vrienden van jou die dingen kunnen laten gebeuren?'

'De politici, man. Altijd hetzelfde verhaal. De kerels op wie Bazgadze zijn pijlen richtte. Daarom wilden ze hebben wat er in zijn safe lag. Meer weet ik niet.' Hij wierp een blik omhoog. 'En meer wil ik niet weten.'

'Zit je nog bij het bureau? Is dit zo'n stomme geheime FBI-operatie waarbij we betrokken zijn geraakt?'

Hij schudde langzaam zijn hoofd en hij sloeg zijn ogen weer neer naar de modder. 'Die kolerelijers hebben me vier jaar geleden uitgekotst. Doorgekauwd en uitgekotst met een toelage die net genoeg is om elk jaar op de nationale feestdag een sigaar te kopen. Waarom denk je dat ik in dit vervloekte koleregat verzeild ben geraakt?'

Als hij medeleven wilde, kon hij het vergeten. Ik bracht de klem een fractie dichterbij om hem dat te laten weten.

'Ik heb dertig jaar voor het bureau gewerkt en waarvoor? Voor Jan met de korte achternaam, man. Dus toen deze kerels bij me kwamen en me een pensioen boden...'

'Wat gebeurde er in het huis?'

'De kerels voor wie ik werk, zijn met hun zessen, oké? Partnership for Peace staat niet hoog op hun prioriteitenlijst; dat wil zeggen, ze stemmen wel in met dat partnerschap maar de vrede kan hun gestolen worden. Ze willen alles precies zo laten als het is. De dollars komen met vliegtuigladingen het land in en veel daarvan komt hun kant uit. Ze betalen de activisten om de pijpleiding te bedreigen, zodat alles rond het kookpunt blijft. Niets ergs, niets dodelijks – alleen af en toe wat vuurwerk. Niemand raakt gewond. Gewoon een ouderwets handeltje. Ik ben er alleen maar om...'

'Ja, dat weten we,' zei Charlie. 'Jij bent er alleen maar om het zaakje soepel te laten verlopen...'

Bastaard keek naar hem op en waagde een glimlach.

Ik gaf hem een trap. 'Ga door.'

Hij trok zijn benen zo ver mogelijk tegen zijn borst als zijn buik toestond. 'Die kerel Bazgadze werd een steeds groter probleem. Dat heilige gedoe was niet best voor de zaken. En het was ook niet leuk om vlak voordat Bush de troepen komt aanmoedigen voor de oorlog tegen het terrorisme, aan de kaak te worden gesteld. Dus was het plan om de papieren te stelen en te achterhalen wat hij wist. Wat druk uitoefenen op de kerel. Hem een waarschuwing geven...'

Hij bracht zijn hand omhoog naar de klem die nog steeds aan zijn nek vastzat. 'Kan ik dit ding losmaken? Verrek, ik help jullie.'

Ik schudde mijn hoofd. 'Je helpt jezelf. Dat is nog steeds geen verklaring voor wat er in het huis en op het kerkhof gebeurde. Wie waren die kerels, verdomme?'

'Bazgadze was net zo min populair bij de militanten als bij de politici. Je hebt die klootzak van een Akaki, de baas van de militanten. Hij kon gewoon niet wachten. Als Bazgadze bewijzen had dat hij, Akaki, er beter van werd, wilde hij hem dood. Hij is een verdomde psychopaat en niet in toom te houden. Het is niet de manier om met kerels als Bazgadze af te rekenen – verrek, hij is een halve god hier in de buurt. Het moet subtiel gebeuren.'

'Zoals jij werkt?'

Het regende zo hard dat het aanvoelde alsof een halvegare een aanval op mijn nek deed met een nietmachine.

246

Charlie was niet blij – en niet alleen met de verklaring van Bastaard. 'We kunnen beter verdergaan.' Hij wees achter de bomen waar modder en puin loskwam van de helling, waarna de zwaartekracht de rest deed. 'De weg krijgt op zijn donder.'

Ik trapte Bastaard overeind.

'En wat gebeurt er nu?' vroeg hij.

'Wat er nu gebeurt, is dat jij je bek houdt of we sluiten die klemmen aan op je ballen. Jij komt met ons mee en later als we in Turkije zijn en uit deze rotzooi, ga jij een paar van je machtige vriendjes bellen. We gaan een handeltje sluiten en deze keer word jij de bemiddelaar.'

9

Het watergordijn voor ons was nu zo ondoordringbaar dat ik de Pajero met een slakkengang vooruit moest laten kruipen.

De herrie was vreselijk. We hadden alle raampjes moeten opendraaien in een poging de condens van onze doorweekte kleren de baas te blijven. De verwarming blies op volle toeren, maar het haalde niets uit.

Bastaard probeerde zonder succes wat van de modder van zijn kleren en huid te vegen. Hij zag eruit alsof hij net uit een sloot was geklauterd. Hij stopte halverwege en waagde weer een poging om bij de club van de braveriken te komen. 'Hé, Nick, geloof me, het spijt me van die Anthony. Het spijt me van die hele kolerezaak. Het was echt een zware tijd.'

'Maar dat hoefde het niet te zijn, toch?'

Bastaard schuifelde nog wat meer. 'Daar ging het niet om. Bedenk eens wat er zou zijn gebeurd als Koresh en zijn club niet waren aangepakt voor het opsteken van hun middelvinger tegen het BATF. Normen en waarden zouden alle geloofwaardigheid hebben verloren. Iets dergelijks kon niet ongestraft blijven. Anarchie, wetteloosheid – het moet in de kiem worden gesmoord, anders krijg je een kolerezooi als hier.'

De regen stortte zich op de auto als brekende golven. De wissers stonden op de hoogste snelheid en nog zag ik geen barst.

Charlie lag languit op de achterbank, met het wapen onder zijn billen en zijn benen op de koffer. Het was een van die waterdichte, onbrandbare, tegen alles bestendige aluminium dingen met een levenslange garantie en een prijskaartje van rond de duizend dollar.

Ik begon na te denken over wat Bastaard had gezegd toen hij aan de stroom hing en het klopte niet. Als het aankwam op bedonderd worden, was ik de grootste expert van de wereld en het geld dat op het spel stond was niet zo belangrijk als Bastaard ons wilde laten geloven. Er was hier iets veel ernstigers aan de hand dan een kleine voorjaarsschoonmaak voor de komst van de Amerikaanse president.

Ik hield een oog op het litteken van de pijpleiding links van ons; vaak was dat de enige manier om te weten te komen of we nog op de weg zaten. De rivier was een uur of twee geleden buiten zijn oevers getreden en raasde onderaan de helling rechts van ons voort.

Bastaard wierp een blik over zijn schouder en boog zich naar mij toe alsof hij zijn beste makker een geheim ging vertellen. 'Nick, luister. Wat zou je ervan zeggen als jij en ik het op een akkoordje gooien? Laat mij met de papieren en de tapes vertrekken als we in Borjomi zijn. Ik zal mijn mensen bellen om ervoor te zorgen dat jij niet meer wordt gezocht en dat alles is afgekoeld als jullie in Turkije zijn. We hebben genoeg van deze kolerezooi gehad, vind je niet?'

Hij knikte naar Charlie wiens hoofd heen en weer rolde met de bewegingen van de auto.

'Vertel hem gewoon dat ik moest uitstappen om te lozen en wegrende. Hé, hij hoeft toch niet te weten...'

De zaken zagen er daarbuiten niet best uit. Bruine troep kwam als een waterval van de helling aan onze linkerkant naar beneden en voerde stenen en takken mee over ons pad.

Bastaard gaf het niet op. 'Jij en ik, Nick, wij zitten allebei echt diep in de stront. Wij zingen hier hetzelfde liedje.'

'Waarom beginnen we niet met het *Zwanenmeer*, knul?' klonk de stem van Charlie vanaf de achterbank. 'Wij zullen het neuriën, dan kan jij springen.'

Ik keek in het spiegeltje. Hij had zich met opgetrokken knieën op zijn zij gedraaid en grinnikte zachtjes bij zichzelf. 'Je hebt twee problemen met jouw plan, Dikke. Eén' – hij klopte op de binnenzak van zijn jack – 'zit alles hierin. En twee, is rennen niet direct jouw sterke punt. Man, jij kunt niet eens bukken om het bad aan te zetten.'

Er was geen tijd om te lachen.

Een tien meter brede rivier van modder stroomde van de heuvel af en raakte de auto in de flank, waardoor we opzij werden geduwd naar de zijkant van de weg en de rivier in de diepte.

Ik draaide aan het stuur om ons uit de slip te trekken, maar er gebeurde niets.

'Charlie uit de wagen!'

De modderstroom werd groter en woester, en begon door de open ramen naar binnen te komen.

Ik greep de dakrand en trok mezelf door de opening naar buiten.

Bastaard gleed met zijn dikke kont naar het portier aan de passagierskant. Hij moest maar voor zichzelf zorgen.

De Pajero begon te kantelen. Ik wrong het achterportier open en trok Charlie aan zijn schouders naar buiten.

Hij tuimelde bovenop me terwijl de auto weer een paar meter verder schoof en ten slotte bezweek onder het gewicht van de modder... Hij kantelde naar de rivier beneden.

Een tiental meters verderop probeerde Bastaard moeizaam overeind te komen.

Charlie knipperde toen de regen in zijn bemodderde gezicht sloeg.

'Papieren en tape?'

Charlie klopte op zijn jaszak en knikte.

We hoorden allebei een geluid als van een aanstormende trein.

Ik keek op, maar voordat ik een waarschuwing kon roepen had de kniediepe golf van modder en puin Bastaard opgepakt en over de rand gespoeld.

Deel tien

I

De Pajero was ondersteboven met open portieren en verbrijzelde voorruit op de oever van de rivier beland, die vijf of zes meter onder ons lag. Hij schommelde en rolde onder het geweld van het ziedende, chocoladekleurige water dat tegen het wrak sloeg. Elk moment zou hij nu worden meegesleurd en in de rivier verdwijnen.

Bastaard had het er niet veel beter vanaf gebracht. De rivier was op dit punt ongeveer dertig meter breed en ik zag hoe hij spartelde, onderging en ongeveer halverwege de overkant weer opdook. Tussen alle andere rommel die met de stroming werd meegevoerd, was hij bijna niet te onderscheiden.

Ik begon mijn jack uit te rukken.

Charlie rolde met zijn ogen. 'We kunnen niets doen, knul. Laat hem verrekken. We hebben altijd Crazy Dave nog.'

Ik schudde mijn hoofd. Later kon Bastaard wat mij betreft een langzame en pijnlijke dood sterven, maar hij was nu hier en Crazy Dave was miljoenen kilometers ver weg. 'Hij is onze uitweg uit deze troep. Hij heeft de contacten; hij kan ons over de grens helpen.'

Er was niets dat Charlie kon doen om me te helpen. Zijn enkel was kapot en de rest was uit elkaar aan het vallen. Dit kwam op mij neer. Ik trok mijn hemd uit mijn broek en daalde springend en tuimelend de helling naar de maalstroom af.

Het water schoot met een angstwekkende snelheid voorbij en sleurde van alles mee. Enorme takken sloegen voor me over de rotsen.

Er klonk een gekrijs van scheurend metaal toen de Pajero eindelijk zijn laatste houvast verloor en stroomafwaarts denderde. Ik keek hem zo'n honderd meter na, tot de rivier een scherpe bocht naar links maakte en hij uit het zicht verdween.

En dat was het punt waarop ik hem zag. De kracht van de stroming had de andere oever over een lengte van tien meter uitgeschuurd, waardoor boomwortels waren komen bloot te liggen die wit glansden tegen de modder, als de ribben van een rottend lijk. Bastaard had zijn arm om een ervan gehaakt.

Hij maakte geen enkele kans om zichzelf omhoog en uit de modder te trekken, om over de oever zelf nog naar te zwijgen. Mij zou dat ook nooit zijn gelukt en ik had niet een heel leven op een dieet van Big Macs gezeten.

Ik kon zien dat hij me van alles toeschreeuwde, maar ik verstond er niets van door het gebulder van het water.

Ik bekeek het stuk rivier tussen ons in. Hij moest daar zijn beland nadat hij midden in de rivier was gekatapulteerd. Ik moest veel hogerop het water ingaan als ik een kans wilde maken om de oever te bereiken voordat ik in het kielzog van de Pajero de bocht om werd gesleurd.

Ik zwoegde dertig of veertig meter stroomopwaarts door de modder, net voorbij het kapotte skelet van een kleine voetbrug die geen weerstand had kunnen bieden aan de kracht van de watermassa.

Ik sprong er tot mijn kuiten in en waadde verder tot het ijskoude water tot mijn middel kwam en de druk van de onderstroom mijn benen onder me vandaan sloeg. Ik trapte met mijn benen en sloeg met mijn armen, maar ik had net zo goed niets kunnen doen. Ik ging hoe dan ook onder.

Ik dreef met de stroom mee tot mijn longen dreigden te barsten en ik water begon binnen te krijgen door mijn mond en neus. Toen slaagde ik er op de een of andere manier in me weer naar de oppervlakte te trappen.

Mijn hoofd tolde en mijn ogen traanden, maar ik kreeg hem weer in het zicht, terwijl ik naar adem snakte. Net als ik deed hij alle moeite om zijn hoofd boven water te houden en klemde hij zich uit alle macht aan de boomwortel vast.

Het water trok me opnieuw onder en ineens had ik meer belangstelling voor lucht dan voor de overkant.

Ik worstelde me weer naar de oppervlakte en zag dat ik nu bijna aan de andere kant was. Ik kon de stroming de rest laten doen.

Een paar tellen later sloten mijn vingers zich om de wortel van Bastaard.

Hij was koud, gedesoriënteerd en bang. Hij greep naar mij in een wanhopige poging boven te blijven, maar slaagde er alleen in mij onder te duwen.

Ik trapte en sloeg me weer naar boven en moest alle moeite doen om de wortel vast te blijven houden omdat de stroom aan mijn benen trok.

'Nee!' Ik trapte naar hem. 'Beheers je, verdomme! Stop!' Op deze hoogte was het geraas van het water oorverdovend.

Ik boog met een ruk bij hem vandaan en probeerde hem op armlengte te houden. Ik wist dat hij vreselijk in paniek was en ik wilde absoluut niet samen met hem naar de bodem van deze draaikolk gaan.

De oever was steiler dan ik had gedacht. Ik zou me er nooit uit kunnen trekken, maar voor hem hadden we een kraan nodig gehad.

'We moeten terugzwemmen naar de overkant! Ik zal je helpen, maar hou je handen thuis. We halen het nooit als jij doordraait, goed?'

Hij staarde me aan met glazige ogen en tanden die klapperden van de kou. 'Ik kan niet zwemmen.'

Wel allemachtig.

Ik zocht het kolkende wateroppervlak aan weerszijden van ons af. De stam van een dennenboom was vastgelopen tegen een helling van verzakte rotsen vlak voor de bocht in de rivier. De wortels wezen enigszins stroomopwaarts en vormden een V-vormige golfbreker. De aluminium rechthoek van Bastaards koffer glansde tussen de rommel die in het rustiger water ertussenin dobberde.

Bastaard staarde me aan met wilde ogen. Hij probeerde iets te zeggen, maar kon het niet.

Ik liet de wortel los en knalde hard tegen de omgevallen dennenboom.

Ik greep de koffer en sloeg mijn vrije arm over de stam. Ik haakte een been over een tak, maar de rest van mij dreef nog in de rivier. Ik liet mezelf afranselen door het water tot ik erin slaagde adem te halen en mezelf op te trekken. Ik bleef daar een ogenblik liggen met knokkels die wit werden, omdat ik uit alle macht het handvat van de koffer vasthield. Toen begon ik langzaam naar de oever te kruipen.

Ik trok mezelf overeind en liep moeizaam stroomopwaarts.

Bastaard zag me komen. 'Haal me hier uit. Nu!'

Het was net zoiets als aangeklampt te worden door een gestrande mannetjeswalrus van honderdvijftig kilo.

'Hé! Ik ben hier... *Hier!* Waar blijf je nou, verdomme?'

Een onderdeel van een seconde speelde ik met de gedachte hem met de koffer een klap tegen de zijkant van zijn kop te geven en te kijken hoe hij wegdreef. Toen bracht ik mezelf terug tot de werkelijkheid. Als we Bastaard kwijtraakten, waren we ook onze bemiddelaar kwijt. Ik begon mezelf weer van de oever in het water te laten zakken.

'Dit is ons vlot,' gilde ik. 'Grijp het stomme ding zo stevig mogelijk vast en laat hem niet los. Ik houd me aan jou vast. Nu afzetten... *Kom op, afzetten!*'

Hij knikte gehoorzaam, maar verroerde zich niet. De koffer wipte op en neer op de golven tussen ons in.

Bastaard maakte uit de eerste hand op een vreselijke manier mee wat angst was. Hij kon zichzelf er niet toe brengen zijn anker los te laten. Ik stompte hard op zijn hand om die los te krijgen en we waren onderweg.

Ik greep de kraag van Bastaards jasje vast en sloeg met mijn benen om ons in de stroom en langs de omgevallen boom te krijgen.

Bastaard stak al zijn energie in het boven water houden van zijn hoofd.

'Watertrappen! Help verdomme eens mee!'

De boodschap legde eindelijk de weg van zijn oor naar zijn hersenen af en hij begon te trappelen. De stroom greep ons en we raasden langs de dennenboom. Hoe groter de afstand werd die we aflegden, des te dichter werden we naar de andere oever gedreven. Het was slechts een kwestie van tijd voordat mijn schoenen de bodem raakten.

Ik worstelde me overeind en half tillend, half slepend trok ik Bastaard in ondieper water. Enkele ogenblikken later lag hij naast me op vaste grond.

Ik trok mijn overhemd en T-shirt uit en wrong ze uit. Om zoveel mogelijk uit mijn nog resterende lichaamswarmte te halen, moest ik wat lucht in de vezels brengen. Dat maakte ik mezelf tenminste altijd wijs. De regen doorweekte ze weer even snel als ik ze kon uitwringen, maar op de een of andere manier gaf het hele proces me een beter gevoel.

Ik trok mijn T-shirt en overhemd weer aan en toen bukte ik me om zijn schoenen uit te trekken. Ik trok met gevoelloze, trillende vingers aan de veters. Ten slotte wrong ik mijn spijkerbroek uit.

Zodra ik weer was aangekleed, stopte ik alles in, zodat de wind zo min mogelijk vat op me kon krijgen.

Een bekende stem galmde op ons neer van wat er over was van de weg. 'Dat was echt geweldig, knul, maar je had je de moeite kunnen besparen.'

Ik keek op naar Charlie en haalde mijn schouders op.

Zijn ogen twinkelden. 'Voor mij was een boodschappentas ook genoeg geweest.'

Bastaard lag naast me als een gestrande walvis.

Ik gaf hem een trap. 'Tijd om verder te gaan. Controleer of je dat identiteitsbewijs nog hebt.'

Bastaard viste in zijn jasje en haalde er de gelamineerde kaart uit. 'Jullie hebben me echt nodig, hè?' Heel vaag verscheen een veelzeggende glimlach op zijn gezicht. 'Krijg de kolere.'

2

Een modderlawine had de weg vernield en weinig meer overgelaten dan een spoor van keien en ontwortelde bomen. Zelfs als we erin waren geslaagd de Pajero te behouden, dan hadden we toch niet door kunnen rijden.

Ik liet me naast Charlie neervallen en worstelde me in mijn jack. Na mijn *Baywatch*-ervaring was de inspanning om Bastaard de helling op te duwen bijna te veel voor me geweest. Hij zat een stukje bij ons uit de buurt. Ik hoopte dat hij minstens leed onder een enigszins gekwetste trots, maar als dat zo was, dan liet hij dat tegenover ons niet blijken.

In een volslagen vruchteloos vertoon van koppig verzet tegen de nog steeds neergutsende regen had hij alle drie de knopen van zijn jasje dichtgemaakt en de kraag opgezet. Verbazend genoeg had hij allebei zijn schoenen nog aan en afgezien van een paar blauwe plakken, leek hem weinig te mankeren.

'Ik heb geen wapen,' mompelde Charlie. 'Jij?'

Ik schudde mijn hoofd. 'Het was een simpele keus: de zeven-zes-twee of jij. De hemel mag weten waarom, maar jij won.'

Charlie grinnikte, maar slechts kort. 'We kunnen beter niet blijven rondhangen, knul. We moeten verder. Ik vraag me af of we in deze troep vóór morgen de grens halen. De weg zal er verderop niet veel beter uitzien. Dus eerste halte Borjomi om wat op te knappen, bij de plaatselijke Hertz aan te leggen en verder te gaan, hè?'

'Ik denk dat we zo'n honderddertig kilometer hebben afgelegd, dus kan het niet veel verder zijn dan een kilometer of twintig. Vier, misschien vijf uur, zelfs met jou als hinkende halve invalide.' Ik kwam overeind en greep Bastaard bij zijn nekvel. 'Ik pak hem wel; zorg jij maar dat die enkel in beweging blijft.'

Charlie begon te lopen en ik trok Bastaard weinig zachtzinnig omhoog. De gang van zaken was weer normaal; hij klaagde over alles in het hele universum. Maar ik zou hem de komende paar uur ook niet benijden. Charlie en ik waren doorweekt, maar we hadden tenminste een laag overkleding en nog belangrijker, wij hadden hoge schoenen. Bastaard zou het moeten stellen met natte instappers en die waren hier evenmin op gemaakt als hij. Zijn voeten zouden een en al blaar zijn voordat we duizend meter hadden afgelegd.

'Tijd om te gaan. We moeten nog een beetje voor bemiddelaar spelen, weet je nog?'

Bastaard gaf geen antwoord, dus gaf ik hem een duw. Het leek net alsof ik een nijlpaard probeerde op te jagen; hij ging geen centimeter vooruit.

'Kom op, Grote Jongen.'

'Krijg de kolere!' Hij vond dat kennelijk een mooie zin. Het was zijn standaardantwoord.

'Ik bewijs je een gunst, makker. Je houdt het hier buiten in je eentje nog geen vijf minuten uit, denk je ook niet?'

We bleven op de weg, of wat we daarvan konden zien. Er waren grote scheuren in gevallen waar water doorheen gutste alsof het rioolbuizen waren. We moesten zo hard mogelijk doorlopen, niet alleen om zo snel mogelijk Borjomi te bereiken, maar ook om onze kletsnatte lichamen warm te houden.

Ik keek voor ons uit. Charlie mocht dan half kreupel zijn, hij deed het wel een heel stuk beter dan Bastaard. Zijn lichaam zwaaide van de ene naar de andere kant, omdat hij zijn gezwollen enkel probeerde te ontlasten, maar hij had een dergelijke toestand vaker meegemaakt dan hij kon tellen. Je moest gewoon van A naar B, dus lopen. Het heeft geen zin om je druk te maken over het weer, je lichamelijke conditie of hoe belazerd je je voelt. Het helpt je niet om de afstand sneller af te leggen.

Bastaard begreep dat niet. Eigenlijk kon ik het hem niet kwalijk nemen dat hij medelijden met zichzelf had, maar het was nu niet de tijd en de plaats. Ik legde een hand op elk van zijn schouderbladen en duwde.

Hij was vreselijk aan het mopperen, maar dat hielp hem niet veel. Je mond roeren brengt je niet waar je zijn moet. De enige manier waarop dat lukt, is zo snel mogelijk de ene voet voor de andere zetten en als het niet snel genoeg gaat, moet iemand met een stok achter je aan komen.

Het was net als vroeger bij de infanterie; ik had als zeventienjarige soldaat al uitgeputte lijven moeten duwen en trekken in een poging de langzamere kerels bij de groep te houden. Het hoorde erbij. Je vorderde zo snel als de langzaamste man, maar je moest zorgen dat hij zo snel mogelijk vooruitkwam. Je droeg zijn wapen, droeg zijn uitrusting, moedigde hem aan, hield hem voor de gek – verdorie, je hing hem over een schouder en droeg hem desnoods, hoewel ik niet echt behoefte had om dat bij Bastaard te proberen.

We hadden een uur gelopen en vier, misschien vijf kilometer afgelegd, toen Charlie van de weg hinkte en zich onder een lage dennenboom sleepte. Hij ging languit op het gras liggen en strekte zijn benen.

Bastaard en ik kwamen bij hem.

'Ik dacht dat ik beter even op jullie vetzakken kon wachten.' Hij ademde een paar keer kort en pijnlijk.

Bastaard kon niet eens genoeg kracht verzamelen om de weg af te lopen. In plaats daarvan zakte hij gewoon op zijn knieën en gleed in de modder naar Charlie. Waarschijnlijk had hij nog nooit in zijn leven zover gelopen en zeker niet gekleed in een sportjasje en instappers tijdens een halve moesson. Zijn hoofd hing voorover, waardoor een erg mooie blauwe plek in de vorm van een krokodillenklem zichtbaar werd.

Ik liet hem liggen en liep naar de boom.

Charlie steunde met zijn schoenzool tegen de stam om zijn kapotte enkel wat rust te gunnen.

Ik liet me naast hem vallen. Ik ging hem niet vragen of het goed met hem ging. Als het ogenblik aanbrak waarop hij niet meer verder kon, zou hij me ruim van tevoren waarschuwen.

Charlie gromde: 'We kunnen het tempo beter wat opvoeren, anders zitten we hier de hele nacht. Als hij evenveel energie in het lopen stak als in dat kankeren van hem, waren we er al geweest.' Zijn gezicht lichtte even op met weer zo'n stomme grijns van hem. 'Hij lijkt een beetje op jou, knul: zwetsen als een zwetser, maar zeker niet rennen als een renner.' Hij vond het zo leuk dat hij het nog een keer roepend herhaalde voor Bastaard.

Bastaard keek op, maar hij kon of wilde het niet horen.

De hele nacht proberen Bastaard in beweging te houden vond ik absoluut geen prettig vooruitzicht. Als hij overdag zijn poten al nauwelijks kon bewegen, dan zou het na het invallen van de duisternis nog veel erger zijn. Mensen als hij raken hun coördinatie kwijt; ze struikelen en blesseren zichzelf.

Bastaard had er in een CP met een koffiezetapparaat naast zijn elleboog en een pak pruimtabak in zijn kontzak heel flink uitgezien, maar daar bleef het wel bij. Een hele nacht opscheppen, daar was hij goed in, maar ik wilde op zo'n nacht als deze niet voor zijn kindermeisje spelen.

Ik betwijfelde of er bij hem ooit meer dan een paar uur tussen de ene doughnut en de volgende had gezeten.

Ik keek op Baby-G, die na het bad in de rivier nog steeds liep. Hij gaf 15:27 aan, wat inhield dat we nog ongeveer vier uur hadden voordat het donker werd. In dit tempo zou dat niet genoeg zijn.

Charlie haalde zijn voet van de stam en legde hem op mijn schouder. Bastaard keek toe en misschien gaf het hem nog meer het gevoel Niek Niemandsvriend te zijn. Zo te horen had hij erg veel medelijden met zichzelf. 'Hoeveel langer blijven we nog in dit kolereland, man. Hoe ver moeten we nog?'

'Wat is er aan de hand, Grote Jongen?' Charlie zag hem aan zijn drijf-natte instappers trekken. 'Nog nooit koud, nat en hongerig geweest?'

Ik glimlachte. 'Koud en nat misschien wel. Maar hongerig? Daar ge-loof ik niets van!'

Charlie stikte bijna van het lachen.

'Denken jullie kolerelijers dat we er voor donker zijn?' Bastaard keek ons chagrijnig aan, terwijl hij de regen uit zijn gezicht veegde. 'Ik wil niet de hele nacht in deze ellende zitten, dat is zeker. En haal het niet in je hoofd me in de steek te laten. Er is niets veranderd. Jullie kolerelijers ko-men hier zonder mij niet uit. Vergeet dat niet.'

Charlie trok een gezicht toen zijn voet de grond weer raakte. 'Maak je maar geen zorgen, Grote Jongen. Als het nodig is duwen we jouw dikke kont helemaal naar Turkije.'

Hij hinkte de weg op. Ik kon zijn gezicht niet zien, maar ik wist dat het bij iedere stap vertrokken zou zijn van de pijn.

Ik had mezelf als kruk kunnen aanbieden, maar hij zou me afge-snauwd hebben. Hij wist evengoed als ik dat hij op dit moment niet de prioriteit was, wat Hazel ook mocht denken.

3

Ik duwde en porde Bastaard weer een uur vooruit. Hij begon duidelijk trager te lopen. Het kon ook niet gemakkelijk zijn om die massa in beweging te houden. Ik kon bij elke stap die hij zette die dikke, trillende dijen bijna tegen elkaar horen schuren.

We volgden nog steeds het litteken van de pijpleiding links van de weg. De regen was een ondoordringbaar grauw gordijn.

Toen we om een ruime stijgende bocht waren, zag ik ongeveer honderdvijftig meter voor ons een witte vlek. Ik veegde de regen uit mijn ogen en keek nog eens. Het was de achterkant van een bestelwagen die stil stond langs de kant van de weg.

Bastaard en ik haalden Charlie in.

Charlie legde zijn arm op mijn schouder om zijn gekwetste enkel te ontlasten. 'Ziet ernaar uit dat het geluk met ons is, knul.'

Bastaard begon te klinken alsof hij aan het eind van de voorstelling een onbezette taxi had ontdekt en wij die wilden laten wegrijden. 'Hé, waar wachten jullie kolerelijers op?' Hij schuifelde de weg op en probeerde wanhopig zijn benen gelijke tred te laten houden met zijn instinct tot zelfbehoud.

Toen we dichterbij kwamen werd de witte vlek een Mercedes bestelwagen die tot zijn assen in de modder zat. Beide dubbele achterwielen sloegen door, maar de bestuurder groef ze alleen dieper in.

Ik ontweek de modder die de achterwielen opgooiden en liep naar de passagierskant. Ik zag twee gedaantes op de voorstoelen, maar ze waren te gespannen bezig met stuur en versnellingspook om mij op te merken.

Ik tikte op het glas.

De gedaante op de passagiersstoel draaide zich duidelijk geschrokken met een ruk om. Ik kon door het met regen bespatte raampje zien dat haar donkere ogen zo groot waren als schoteltjes. Ze staarde me een paar tellen aan en toen ging haar blik naar Charlie en Bastaard die achter me kwamen staan. Ik begreep haar bezorgdheid. We zaten midden in de wildernis en het hoosde uit de hemel. Wij moesten eruitzien alsof we net uit een oermoeras waren gekropen.

Ik ritste mijn jack open, tilde het op en draaide van de ene naar de andere kant. 'Geen wapens,' zei ik geluidloos. 'Wij... zijn... ongewapend.'

Ik liet mijn jack vallen toen de anderen hetzelfde deden, maar hield mijn handen boven mijn hoofd.

Ze draaide het raampje ongeveer vijftien centimeter open, maar uit haar gezicht bleek duidelijk dat ze nog steeds niet echt blij was ons te zien.

'Het is oké, het is oké...' Ik glimlachte. 'Spreekt u Engels?'

Ze wendde zich tot de chauffeur en zei iets in sneltrein-Paperclip. Hij haalde zijn voet van het gas en boog voorover, zodat hij om haar heen kon kijken. Hij had een erg korte, net uitgegroeide crewcut en hij had zich een paar dagen niet geschoren.

Ik hield mijn glimlach zo breed dat mijn gezicht er pijn van ging doen. 'Engels? Spreken... Engels?'

Het meisje keek me weer aan met nog steeds een rimpel in haar voorhoofd. 'Wie zijn jullie?' Het accent was Oost-Europees met een Amerikaanse tv-klank.

Ik sprak erg langzaam. 'Onze auto... Hij werd geraakt...' Ik deed een botsing na. 'De modder...'

De chauffeur boog weer naar voren. 'We begrijpen het.'

Bastaard verscheen bij mijn schouder en duwde me opzij. Hij trok zijn accreditatie uit zijn doorweekte leren portefeuille en duwde die door de opening. 'Borjomi,' blafte hij. 'Breng ons naar Borjomi.'

Als dat zijn idee van een charmante opening was, dan was onze wandeling nog lang niet voorbij.

De vrouw nam het identiteitsbewijs aan.

Bastaard verloor geen tijd. 'Wij willen naar Borjomi. Zie je dat identiteitsbewijs? Daar staat op dat jullie ons mee moeten nemen.'

De twee in de Mercedes spraken weer in het Paperclip met elkaar en bekeken ons om de beurt alle drie. Ik vond het nooit leuk als ik in een dergelijke situatie niet wist wat er werd gezegd, vooral wanneer ik het onderwerp van gesprek leek te zijn en het niet positief klonk.

Uiteindelijk haalde ze haar schouders op. 'Prima... Het is niet zo ver. Niet meer dan dertig minuten. We gaan er zelf ook naartoe, als we uit deze troep kunnen komen.'

Ze gaf het identiteitsbewijs terug en Bastaard stopte het in zijn portefeuille. Gezien de toestand waarin hij verkeerde, betwijfelde ik of ze hem had kunnen herkennen van de foto. Ik hoopte dat ze mij niet herkende.

Bastaard greep naar de hendel van de schuifdeur halverwege de zijkant alsof hij al de eigenaar was, maar ze wenkte hem achteruit. 'Jullie zullen ons eerst uit moeten graven.'

Ze gleed opzij achter het stuur en de bestuurder stapte uit. Hij was een lange slungel van misschien halverwege de twintig en hij droeg een zwart

Gore-Tex-jack. Hij liep langs de voorkant van de auto en stak zijn hand uit. 'Ik ben Paata.' Hij knikte naar zijn metgezellin. 'En zij is Nana.'

Charlie en ik stelden ons allebei voor. Ik hoopte dat onze gelaatsuitdrukking ons onderscheidde van de dikke vetzak die nog steeds met de schuifdeur worstelde.

Bastaard wierp een blik in onze richting. 'Hé, dit vervloekte ding zit vast.'

Paata schudde zijn hoofd. 'Die zit van binnen op slot. Voor de veiligheid. We doen hem straks open.'

Bastaard zette zijn kraag op en leunde tegen een van de weinige bomen die nog ongeschonden opzij van de weg stonden. Hij boog voorover met zijn handen op zijn knieën en liet zijn enorme achterste tegen de stam rusten. Ik probeerde niet te lachen; hij leek net een beer die zijn kont probeerde te krabben.

Charlie en ik grepen de achterbumper en begonnen te duwen en tillen in een poging de wielen uit de geulen te krijgen die ze hadden gegraven. Paata schreeuwde tegen Nana ze aan het draaien te houden en voegde zich toen bij ons. Hij ritste zijn jack open om het niet te heet te krijgen. Persoonlijk keek ik daar juist naar uit. Modder vloog als mest van een verspreider om onze oren toen Nana op het gas trapte.

Paata gilde meer aanwijzingen en Nana drukte het pedaal weer in. Deze keer draaiden de wielen minder hard.

Charlie en ik leunden tegen de achterdeuren en probeerden te tillen en dan weer los te laten, zodat de wagen heen en weer schommelde in de geulen. Ik wist niet zeker in hoeverre we daar goed aan deden. Zijn handen waren gaan trillen als die van een dementerende drummer.

'Paata,' riep Charlie, 'heb je wel eens eerder uit dit soort rotzooi moeten loskomen.'

'Zeker. Ik ben een expert!' Paata schonk ons een stralende glimlach. 'Ik bel elke keer een sleepwagen.'

'Goed gedacht.' Ik lachte. 'Maar deze keer niet?'

'GSM's werken op het platteland niet zover. Pas weer in Borjomi.'

Charlie tikte hem op zijn arm. 'Kijk eens, kerel, ik heb in mijn tijd nogal wat voertuigen uit de sneeuw gegraven. Het is niet zo erg als modder, maar het principe is hetzelfde.'

Charlie boog voorover om naar de as te kijken. 'De modder kleeft aan het onderstel tot je geen enkele grip meer hebt en de wielen laten doordraaien, zorgt er alleen maar voor dat ze dieper wegzakken. Wij, de drie sterke kerels, moeten hier aan de achterkant blijven, maar Nana moet ons helpen door de wagen heen en weer te laten schommelen. Ze moet de wielen zo recht mogelijk houden en snel van de eerste in de achteruit schakelen, zodat we een lekker ritme krijgen. Als we erin slagen dit ding los te wippen, moet ze blijven doorrijden tot ze op een stevige onder-grond staat. En als ze het kan voorkomen, moet ze proberen de wielen niet te laten doorslaan.'

Paata liep naar voren om de aanwijzingen van Charlie door te geven.

'Hé, chauffeur,' schreeuwde Bastaard van onder zijn boom. 'Wat dacht je van iets warms te drinken?' Hij begon weer zijn grote bek terug te krijgen.

Paata was zo verstandig geen aandacht aan hem te schenken.

De motor ging sneller draaien en met ons drieën begonnen we te trek-ken en te duwen. Ik vroeg me af hoeveel Charlie hiervan nog kon ver-duren.

Nana gooide de Mercedes in de achteruit en Paata veegde een handvol modder uit zijn gezicht.

'Open de achterdeur,' gilde Bastaard. 'Ik maak die koffie zelf wel.'

Paata mompelde iets binnensmonds. Ik vermoedde dat ik net de Pa-perclipuitdrukking voor 'barst maar' had geleerd.

Charlie deed een stap achteruit. Zijn enkel zag eruit alsof hij op het punt stond het te begeven. 'Luister, Paata, dit werkt niet. Heb je een schop?'

'Was het maar waar,' zei Paata. Zijn uitdrukking vertelde me dat als hij er een had gehad, hij die op het achterhoofd van Bastaard zou hebben gebruikt.

Charlie opende het portier aan de passagierskant en keek naar binnen. Hij kwam naar buiten met de rubbermat van de bodem en gaf die aan mij. 'Misschien kun je hiermee genoeg modder bij de banden wegschra-pen om wat grip te krijgen, knul.' Hij draaide zich om naar Paata. 'Heb je soms sneeuwkettingen?'

Paata ratelde weer een paar zinnen in het Paperclip tegen Nana en ik hoorde de zijdeur open- en dichtschuiven. Hij kwam terug met twee ket-tingen. Charlie liet er een in elke geul vallen die ik voor de wielen had weggeschept en gooide de rubbermat er ook nog bij.

Op een teken van Charlie liet Nana de motor nog een keer toeren ma-ken en liet ze de koppeling opkomen. De wielen sloegen even door en toen rolde de Mercedes recht uit de geulen naar vastere grond.

Bastaard verspilde geen tijd en maakte zich meteen los van de boom.

Nana stapte uit. Ze was gekleed in hoge wandelschoenen, waterdichte broek en een duur zwart Gore-Tex-jack zoals dat van Paata. Ze kon niet groter zijn geweest dan één vijfenzestig en haar gelaatstrekken leken bij-na elfachtig, maar haar optreden was absoluut niet timide. Toen ze om de zijkant van het voertuig liep, oogde ze even doelbewust als een hittezoe-kende raket.

Ze klopte tweemaal snel op de zijdeur. Er klonk een klik, de deur schoof open en we zagen een rij tv-monitors in een metalen rek dat diende als scheiding met de cabine, een stapel aluminium koffers en een nog doelbewustere man met een enorme baard en biceps die even dik waren als de dijen van Bastaard.

'Dit is Koba,' zei Nana. 'Ik betreur het dat we in gevaarlijke tijden leven. Koba zorgt ervoor dat ons niets overkomt.'

Ze maakte geen grapjes. Koba had heel goed met een machete over een kerkhof in Tbilisi kunnen rennen. Hij bekeek ons zwijgend met donkere, diepliggende ogen alsof hij probeerde te beslissen wie van ons hij als eerste een kopstoot zou geven.

'Hier achterin is nog maar plaats voor drie van ons.' Nana wees naar Charlie. 'Waarom ga jij niet voorin bij Paata zitten. Daar kun je dat been strekken. Het ziet er pijnlijk uit.'

Bastaard hoefde geen twee keer gevraagd te worden. Hij hees zich naar binnen en ik volgde. Het was duidelijk een televisiewagen voor uitzendingen op locatie. Ik telde twee en twee bij elkaar op en plotseling wenste ik die stomme muts nog te hebben.

Nana was me al bekend voorgekomen. Zij had voor de camera gestaan tijdens de uitzending over het beleg van Kazbegi.

4

Ik schoof een paar kabels opzij om ruimte te maken voor mijn voeten. Toen we vertrokken, kon ik Paata en Charlie door het cabineraampje tussen de tv-monitors zien. Ernaast had iemand met plakband een montage gemaakt met foto's uit Nana's recente verleden.

Eén foto toonde haar, terwijl ze opgemaakt en met een ernstige glimlach achter een nieuwsdesk poseerde. Bijschriften in het Paperclip, Russisch en Engels hadden het over een voordracht voor de een of andere prijs. Ze was zeker een bezig vrouwtje geweest. Ze had corruptie in alle geledingen van de regering aan de kaak gesteld door 'netwerken en beschermende constructies op alle niveaus bloot te leggen'.

Een andere foto toonde haar te midden van het Georgische leger, waar ze nog geen twee weken geleden de belegering van islamitische activisten in Kazbegi aan de Russische grens had verslagen. Volgens het knipsel was ze de eerste journalist ter plaatse geweest en had ze een live verslag gemaakt voor CNN.

Niemand zei iets. Nana was erg gespannen en nerveus en dat zette de toon. De geluiddichte cabine zorgde ervoor dat het geluid van de regen goed werd gedempt en dat benadrukte de ongemakkelijke stilte.

Bastaard merkte daar natuurlijk niets van. 'Goed, waar is die kolerekoffie?'

Nana stak een hand in een van de grote nylontassen op de vloer en overhandigde hem een roestvrijstalen thermosfles.

Bastaard schroefde de dop open, terwijl Koba al zijn bewegingen in het oog hield.

'Werken jullie voor de pijleiding?' vroeg Nana. 'Wat zijn jullie, opzichters? Technici?'

Bastaard schonk een flinke mok vol en de geur van koffie vulde de wagen. 'Beveiliging.'

Ze wendde zich tot mij. 'Ben jij ook van beveiliging? Heb je een identiteitsbewijs? Koba is graag zeker van mensen.'

'Die zat in mijn tas in onze Pajero.' Ik deed mijn best om verontschuldigend te kijken. 'We zijn alles kwijt.'

Ze richtte haar aandacht weer op Bastaard. 'We zijn van plan een documentaire over de pijpleiding te maken. Misschien kunnen we op een dag tot zaken komen.'

Bastaard was de koffie naar binnen aan het gieten. Het was niet bij hem opgekomen om iemand anders iets aan te bieden. 'Anti, zeker?'

'Neem me niet kwalijk? O, ik begrijp het.' Ze boog haar vingers. 'Nou, vind je het dan niet belachelijk dat een oliepijpleiding dwars door een nationaal park loopt?'

Bastaard haalde diep adem. We gingen zijn troonrede te horen krijgen. 'Luister, dame, jou ontgaat het totaalbeeld. Het moest zo gaan om te voorkomen dat de Russen naar het zuiden trokken. Dat kamp van hen heet niet voor niets Militaire Stad Nummer Een. Hé, het zijn jouw mensen en niet wij die ze de agressieve buurman noemen.'

Het was duidelijk dat Koba niet gediend was van Bastaards toon en Bastaard wist dat. 'Wat kijk jij, verdomme, Rukker?'

De diepliggende ogen van Koba knipperden niet eens.

Bastaard sloeg het laatste beetje koffie naar binnen en ik mengde me erin om te voorkomen dat de zaak escaleerde.

'En jij, Nana? Waarom ga jij naar Borjomi?'

Haar ogen vernauwden zich. Ik wist dat ze me niet mocht en hoopte alleen dat ze de reden niet kende. 'Jullie zullen het waarschijnlijk niet gehoord hebben, want het is een kleine plaatselijke gebeurtenis die geen deel uitmaakt van het totaalbeeld...' Ze wierp een blik op Bastaard, maar haar ironie ontging hem duidelijk. 'Iets meer dan een week geleden slachtten militante rebellen meer dan zestig vrouwen en kinderen af in een dorp dat Kazbegi heet...'

Ik had die blik eerder gezien. Hazel en Julie hadden die ook getoond. Ze probeerde zich te beheersen.

'Een boerengezin uit Borjomi verloor bij het bloedbad hun enige kind. Een meisje. Ze was zeven jaar oud...'

Ze zweeg weer even.

'We waren zaterdag bij hen. We gaan terug, omdat zij bereid zijn live voor de camera te vertellen hoe het is om onder de tirannie van Akaki, de activistenleider, te leven. Hij is geen vrijheidsstrijder; hij is een egoïstische, dictatoriale schurk. Deze arme mensen leven in angst. Maar dit echtpaar... nou ja, ze hebben er genoeg van.'

Bastaard begon alleen maar te lachen. 'Wat gaan mamma en pappa dan verdomme doen? Denken ze de wereld te kunnen veranderen? Denken ze dat Akaki dan met de staart tussen de poten op de loop gaat? Kolere, ze tekenen alleen hun eigen doodvonnis. Achterlijke stomkoppen.' Hij knikte naar Koba. 'Is dat niet zo, Rukker?'

267

Koba verschoof op zijn stoel. Kennelijk herkende hij de naam van Akaki en was daar helemaal niet blij mee.

Bastaard kon zich nu niet meer inhouden. Hij was op dreef. 'Die Akaki... tjonge, die heeft ons in de loop der jaren wel een paar keer koppijn bezorgd.'

'Koppijn? *Koppijn?*' Nana schudde ongelovig haar hoofd. 'Ja, ik vermoed dat je het zo zou kunnen noemen... Heb je gehoord van de moord op Zurab Bazgadze?'

Ze praatte tegen hem, maar ik had het nare gevoel dat ze zich tot mij richtte.

'Je bedoelt die heilige kerel? De vent die probeerde de pijpleiding tegen te werken?'

'Met een heel goede reden.' Ze wierp ook een blik op Koba. Haar uitdrukking leek hem te vertellen dat hij zich niet druk hoefde te maken over het afrukken van Bastaards kop. Elk moment kon ze dat zelf doen. 'Zoals je misschien hebt gemerkt is de bodemstructuur hier buitengewoon onstabiel. Het is een geologische erg complex gebied dat bijzonder gevoelig is voor grondverschuivingen en aardbevingen. Wanneer de pijpleiding breekt, bestaat het gevaar van een vreselijke milieuramp. Zurab wist dat het de natuurlijke bronnen zou verwoesten. Gebotteld mineraalwater is het belangrijkste exportartikel van Georgië. Het bestaan van de mensen in deze omgeving hangt ervan af. Niemand heeft zich meer voor hun zaak ingezet dan hij.'

'Zurab, hè? Is hij een vriend van jou, juffie?'

'Dat is hij geworden. Ik heb hem de afgelopen jaren vaak geïnterviewd; laatst nog, vlak voor zijn dood. Hij was hier zaterdag nog om het getroffen gezin te bezoeken. Hij was erg goed. Een man van het volk. We zouden zondagochtend een langere opname met hem maken, maar hij moest plotseling terugkeren naar Tbilisi, dus konden we maar een paar minuten met hem filmen...'

Haar blik was uitdagend, maar ik dacht tranen in haar ogen te zien.

'Nu zou ik natuurlijk willen dat we harder ons best hadden gedaan om hem te overreden te blijven.'

Ik boog naar voren met mijn ellebogen op mijn knieën. 'Jij bent van *60 Minutes*, hè?'

Ze knikte.

De cirkel was rond. In de *Georgian Times* had gestaan dat *60 Minutes* en Baz van plan waren een liefdesfeestje te bouwen als hij met zijn verklaring kwam.

'Wij hebben sensors in de pijpen die aangeven als er een breuk is,' zei Bastaard. Het was net alsof hij geen woord had gehoord. 'Binnen een paar dagen is die hersteld.'

Op de een op andere manier slaagde ze erin beheerst te blijven. 'En tegen die tijd zal het hele gebied vervuild zijn. Dat is precies de reden waarom Zurab een gerechtelijk bevel loskreeg dat moest voorkomen dat de pijpleiding hierheen kwam. Maar jouw... vrienden... slaagden erin het te laten herroepen. Zurab zei dat de beslissing helemaal uit Washington kwam; dat jouw vrijheidslievende president zich ermee bemoeide.'

Bastaard luisterde eigenlijk nauwelijks. Zijn gezicht begon aardig rood aan te lopen, alsof hij deze vrouw net had betrapt op het in brand steken van de Stars and Stripes. 'Hé, dame, die heilige van jou wist dat jouw mensen hier alleen maar beter van zouden worden. Als wij er niet waren geweest, zouden jullie nog steeds in de duistere middeleeuwen leven. Wij financieren jullie. Wij geven jullie onafhankelijkheid, vrijheid en stabiliteit – en in ruil voor wat? Een paar kilometer metalen buis. Mijn president maakt zelfs tijd vrij om hierheen te komen en jullie te laten zien dat hij het serieus meent. Wat wilde die kolereheilige van een Zurab nog meer van ons?'

Koba begon steeds nijdiger te kijken. Nana suste hem met een paar gemompelde woorden en schudde verdrietig haar hoofd. 'Zurab kon gewoon niet begrijpen waarom jullie, als jullie zo begaan zijn met democratie en stabiliteit, een regering steunen waarvan de corruptie geen grenzen kent. Het volk ziet erg weinig voordelen van jullie zogenaamde onbaatzuchtigheid, dus denken de mensen dat jullie hier alleen zijn voor de olie.'

Het gezicht van Bastaard was paars. 'Zal ik je wat zeggen, dame? Het kan me geen barst schelen. Bazgadze en zijn soort maken me kotsmisselijk – klagen over dit, klagen over dat. Jezus, jullie stonden de hele dag in de rij voor brood voordat wij langskwamen en toch deed hij niets anders dan klagen over jullie regering, mijn regering, de Russen, de energiecorridor. Maar zal ik je eens wat zeggen, dame.' Hij zette zijn vinger op zijn slaap en duwde op de aderen tot ze uitpuilden. 'Het kan me geen donder schelen of de Georgische regering rondrijdt in Cadillacs. Dat was zijn probleem, niet het mijne.'

'Ik ben het ermee eens dat het zijn probleem was. Maar het is ook mijn probleem en dat van Georgië – en vergis je niet, het is ook jouw probleem. Zurab had gelijk. Hij wist dat jouw land meer belang stelde in olie dan in democratie. Democratie is gewoon een excuus, een aardige vlag om mee te zwaaien. Jullie gedragen je hier niet anders dan in Zuid-Amerika, Afrika of het Midden-Oosten. Jullie investeren in het leger, houden corrupte regeringen tevreden en bouwen bases voor jullie eigen troepen om jullie oliebelangen te beschermen. Intussen krijgen onze mensen, hun mensen, de mensen die er echt toe doen, helemaal niets.'

Ik leunde achterover tegen de aluminium koffers. Charlies theorie van 'de kleine man die bedonderd wordt' werd op een zeer welsprekende manier verwoord.

'Zurab wist heel goed dat jullie, Amerika, de oorlog tegen terrorisme en jullie paranoia over de nationale veiligheid gebruiken om de inzet van troepen in het buitenland te onderbouwen, zodat jullie leger de beschermingsmacht wordt van elk olieveld en elke pijpleiding, raffinaderij en tankerroute op de planeet. En de prijs die wij allemaal zullen betalen is hoger dan jij je ooit zult kunnen voorstellen. Jij denkt dat die wordt gemeten in dollars, maar dat is niet zo. Hij wordt gemeten in bloed.'

Zelfs Bastaard had daar niet erg veel op te zeggen, maar hij hoefde ook niet. Paata draaide zich om en keek door de scheidingswand. 'We zijn er.'

5

Een paar tellen later stak Charlie zijn hoofd door de opening. 'Het ziet er voor mij niet echt uit als het centrum van het voornaamste exportproduct van het land, maar dit moet het zijn.'

Ik wierp een blik door de voorruit. Een paar huizen lagen verspreid aan elke kant van de vallei en dat werden er meer toen de weg naar een verzameling daken ongeveer vijfhonderd meter verderop klom.

Het hele gebied was weelderig begroeid, groen en erg nat. De modderige paden en ruwe houten omheiningen en schuren ademden een bijna middeleeuwse sfeer. Afgezien van een handvol scharrelende kippen en een paar koeien die stonden te loeien in de weiden links van ons, leek de plaats verlaten. De stortregen hield de bewoners binnenshuis en ik kon het ze niet kwalijk nemen.

Het pad voor ons was verstevigd met stukken baksteen en blokken hout. Veelzeggend vond ik dat ik nergens een 4x4 zag. Ik vroeg me af hoeveel tijd het ons zou kosten om met paard en wagen Turkije te bereiken.

Charlie keek naar Paata. 'En nu?'

'Terug naar de plek waar Nana het Kazbegi-interview deed. We moeten de Mercedes uit het zicht houden. Nana is hier niet bij iedereen geliefd. Dat zou ze wel moeten zijn, maar ze is het niet. Ze steekt haar neus graag in andermans zaken en niet iedereen vindt dat leuk.' Zijn kaak verstrakte. 'De boer liet ons hier slapen met de wagen. Hij is een goeie kerel. We gaan hem en zijn vrouw weer bezoeken.'

We passeerden een vervallen boerderij en sloegen rechtsaf een pad op. We stopten voor een enorme stal van ongeschaafd hout met openingen tussen de planken en een dak van vaak herstelde en roestige golfplaten. Paata sprong naar buiten om de deuren te openen.

Bastaard vatte het op als een teken om weer zijn mond te gaan roeren. 'Dat identiteitsbewijs zegt dat jullie me moeten helpen. Ik wil een wagen.'

'Ik zal het Eduard vragen,' zei Nana liefjes. 'Hij wacht binnen.'

Paata stapte weer in en we reden een tiental meters naar het midden van de stal. Hij was ongeveer drie keer zo hoog als de wagen en aan elke kant konden gemakkelijk nog een stuk of zes bestelwagens staan.

De hele plaats stonk naar verval en oude mest, maar het was tenminste droog. Er waren geen gereedschappen of machines te zien, zelfs geen baal hooi. In de verste hoek zag ik alleen een ruwe houten bank bij de overblijfselen van een vuurtje. Het zag ernaar uit dat deze lui zich hier hadden schuilgehouden.

Nana zei iets in het Paperclip tegen Koba. Hij knikte en stelde zich een paar passen opzij van ons op. Hij ritste zijn jack open toen Bastaard uit de wagen viel.

'Waar is die Eduard? Ik moet een paar zaken afhandelen.'

Ze probeerde het luchtig te houden, maar ik kon zien dat ze bezorgd was. 'Hij komt wel. Hij is niet het type dat een belofte verbreekt.' Ze wierp een ongemakkelijke blik op Paata en toen op mij en Charlie.

Verdomme, er was hier sprake van veel te veel oogcontact. Het voelde niet goed aan.

'Wij moeten ook verder,' zei ik vrolijk. 'Bedankt voor de lift.'

'Eduard zal weten of er transport is. Ik zal hem bellen.'

Ik volgde haar blik in de richting van Paata en Koba en voelde de spanning tussen hen. Ze stonden in de startblokken en wachtten ergens op.

Ik keek weer naar Nana, terwijl zij op de toetsen van haar gsm drukte.

En tel lang zag ik een beeld voor me van een keuterboertje die over een pad vol kuilen hotste in een gedeukte Lada die hij nauwelijks in de goede richting gestuurd kreeg, omdat hij tegelijk in zijn zak moest tasten om zijn Nokia te pakken.

Een Georgisch boertje met een gsm. Wie zou hij verdomme moeten bellen?

Mijn ogen gingen weer naar Nana. Die van haar waren gericht op Koba en de blik die ze wisselden, vertelde me alles.

Ze wist het. Ze had het de hele tijd geweten. Ze had ons met al die oprechte, demagogische onzin alleen maar bezig willen houden.

Ik liep naar Charlie. Mijn ogen waren gericht op Koba's voeten tussen ons en de deur. Ik ging niet meedoen in het oogcontactfestival en de zaken nog erger maken. 'Kom op, maat,' mompelde ik. 'We gaan ervandoor.'

6

Charlie dekte me toen ik een pas in de richting van de dubbele deur zette, klaar om Koba aan te pakken als hij besloot ons in de weg te gaan staan. Het was niet iets waar ik naar uitkeek, maar onze keuzes waren weer beperkt.

Hij zette een stap in onze richting. Dit ging niet goed.

Ik stormde gebukt op hem af. Nana gilde, maar Koba's hand bewoog sneller. Een onderdeel van een seconde later staarde ik in een glimmende chromen loop op drie, vier meter van mijn gezicht. Hij hield ons alle drie onder schot en de korte beweging van de loop van de .357 Magnum Desert Eagle maakte duidelijk dat we er verstandig aan deden op het zand te gaan liggen.

Ik keek op naar Nana. Ze drukte de gsm tegen haar oor.

'Nana, wat is er aan de hand? Wat is er mis?'

Koba zwaaide zijn schoen in mijn zij. Ik hield mijn mond en verdroeg de pijn die heel wat aangenamer was dan een kogel uit een Desert Eagle. Het was niet toevallig dat het forse, in Israël gefabriceerde, halfautomatische pistool het favoriete wapen was van elke zichzelf respecterende gangster in de VS.

Nana's ogen schoten bliksems van haat op me af, terwijl ze in rad Paperclip kletste en dat gaf me niet echt een goed gevoel.

Paata haalde een paar aluminium kisten uit de bestelwagen en begon ze naar ons toe te slepen. Ik hoorde de naam van Baz een paar keer noemen voordat ze de gsm uitschakelde.

'Je weet heel goed wat er mis is. De politie komt eraan.'

Koba en die schoen van hem konden verrekken, het moment was aangebroken om te kletsen en stommetje te spelen.

'Maar ik begrijp het niet... waarom moeten jullie ons met een pistool bedreigen? We hebben niets gedaan.' Ik spande mijn spieren voor een volgende trap.

In plaats daarvan kwam ze naar me toe lopen en knielde bij mijn hoofd.

'Dacht je dat ik je niet had herkend? Jij hebt Zurab vermoord. Ik maak niet alleen nieuws. Ik kijk er ook naar.'

Stommetje spelen ging niet lukken.

'Wacht, Nana... Ja, ik was daar. Charlie en ik waren er allebei. Maar wij hebben hem niet vermoord. Dat deed Akaki. Het waren zijn mensen.'

Ze keek me aan met een kille blik en stak haar hand op om me tot zwijgen te brengen. 'Nou en? Het enige verschil is dat Akaki er wat eerder was. Maakte Zurab te veel lawaai voor jullie? Wat maakt het ook uit? Jullie wilden hem allemaal dood. Waarom zijn jullie anders hier? En deze' – ze richtte een teen op het hoofd van Bastaard – 'heeft een identiteitsbewijs van de regering. Wat moet ik daarvan denken?'

Paata was op een paar meter van ons bezig met het opstellen van lampen en zijn camerastatief.

Bastaard was tot dusver ongewoon stil geweest, maar op zijn buik in het zand liggen was voor hem niet langer een belemmering om zijn normale grote mond op te zetten. 'Scheer mij niet over één kam met die twee kolerelijers. Ik zit bij de beveiliging van de pijpleiding, punt uit. Ik heb niets te maken met wat die kolerelijers hebben gedaan. Dat identiteitsbewijs zegt dat jullie me moeten helpen, dus doe dat dan ook.'

'Ik veracht jou.' Nana keek hem kwaad aan. 'Jij bent even schuldig alsof je de trekker zelf had overgehaald.'

Paata had de lampen voor en aan weerszijden van ons opgesteld en begon de kabels naar de wagen te trekken.

Dat was het dan. Ons grote moment. Voor de camera gevangengenomen door Nana Onani. Ik vroeg me af wat Silky en Hazel ervan zouden denken.

Charlie dacht kennelijk in dezelfde richting. 'Niet kijken, knul,' mompelde hij. 'Maar we gaan een hoofdrol spelen in Nana's antwoord op *Ik Ben Een Beroemdheid, Haal Me Hier Uit...*'

'Dat moet me toch wel een Emmy Award opleveren, denk je niet?' zei ze en toen blafte ze iets in Paperclip tegen Koba. Hij knikte gehoorzaam. De loop van de Desert Eagle week geen millimeter toen Nana opstond en de toetsen van de gsm weer begon in te drukken.

'Wij hebben hem niet vermoord, Nana. Je moet de beelden van de beveiligingscamera hebben gezien. Je hebt niet gezien dat ik hem doodde, nietwaar?'

'Bewaar dat voor de camera. Jullie krijgen allemaal de kans.'

Ze kletste in de gsm, moest even wachten en begon toen weer te praten.

Paata zette de generator in de Mercedes aan en de booglampen sprongen aan. Ik kon de hitte op mijn gezicht en rug voelen. De damp sloeg uit mijn kleren.

Nana begon Paperclip te ratelen. Ze keek op haar horloge en zwaaide met haar vrije arm naar Paata en zijn spullen alsof de persoon aan de andere kant het kon zien. Ik herkende nu elke keer de naam van Baz als die werd genoemd; ik had die de laatste paar dagen tenslotte vaak genoeg gehoord.

Paata knielde bij de bestelwagen om een satellietschotel te pakken uit iets dat leek op een zwart golfkarretje. Nana's exclusieve verslag ging live de lucht in, terwijl wij vlak voor de komst van de politie en voor het oog van de camera onze onschuld betuigden.

Tijd voor een besluit.

Zouden we de papieren nu overdragen? Misschien konden we hier nog op de een of andere manier uit ontsnappen, en dan zouden we ze nodig hebben.

Bastaard zou geen barst tegen haar zeggen. Waarom zou hij de verden- king op zich laden?

Maar Charlie zou misschien...

Ik besloot nog ietsje langer te wachten, tot we klaar waren om te fil- men. Misschien moesten we gaan zitten; elke gelegenheid die we kregen om te bewegen, was een kans om in actie te komen.

Nana sloot haar gesprek af en haar blik bleef een ogenblik rusten op een plek vlak achter de plaats waar wij lagen. 'Die bank?' Er klonk ver- driet in haar stem. 'Daar zat Zurab zaterdag toen hij het telefoontje kreeg dat hem liet terugkeren naar Tbilisi. Was hij... was hij maar niet gegaan... had ik hem nog maar twee of drie vragen meer gesteld, wie weet hoe al- les dan was gelopen?' Ze draaide haar hoofd met een ruk terug naar mij en haar ogen stonden weer vol walging.

Charlie verbrak de daaropvolgende stilte.

'Nana, wij hebben het niet gedaan. We kunnen het bewijzen. Wij heb- ben documenten. Die verklaring die iedereen wil hebben? Ik heb hem hier – en een tape van deze vette klootzak die de hele zaak heeft opgezet.' Hij keek naar Bastaard. Hun hoofden waren nog geen meter van elkaar. 'Be- veiliging van de pijpleiding... mijn reet.'

7

De tape begon in de recorder te draaien.

Wij drieën moesten van Koba naast de open deur van de Mercedes gaan liggen, maar we konden alles zien wat we moesten zien. We hadden een behoorlijk goed zicht op een van de monitors; Koba en zijn Desert Eagle hadden een heel goed zicht op ons.

Aanvankelijk leken Paata en Nana meer belang te stellen in wat er verdomme met Eduard was gebeurd. Ik begon nu iets te snappen van dit Paperclip. Waar was hij? Maar toen zwegen ze, omdat hij zich concentreerde op het scherm en zij door de papieren van Baz bladerde.

De beeldkwaliteit was niets om ons voor te schamen, als je naging wat ermee was gebeurd. Het was een beetje korrelig en bedorven door de modder, maar het was onmiskenbaar Jim Bastendorf die Charlies hotelkamer in het Marriot binnenkwam.

Het 25x20-schermpje deed niet echt recht aan de vermomming van Charlie, maar bracht toch een glimlach op mijn gezicht. Hij had eraan gedacht zijn rug naar de lens te houden, wat gezien zijn uitdossing een verstandige zet was. Hij had als een bokser een handdoek over zijn hoofd en schouders gedrapeerd, maar niemand zou hem verwarren met Mohammed Ali. Hij had het ensemble afgemaakt met een douchemuts.

Iemand zei iets, maar de geluidskwaliteit was slecht. Paata spoelde de tape een paar beelden terug en zette het geluid harder.

We luisterden allemaal naar Bastaard die Charlie de reden vertelde waarom hij op zaterdagavond in het huis moest inbreken. *'De kolerelijer is tot zondag weg.'* Hij wees met een vinger naar de badmantel voor hem. *'Dus het moet op zaterdagavond gebeuren, begrepen?'*

Mijn ogen schoten van het scherm naar de open staldeuren. Het van de regen doorweekte pad begon steeds meer het uiterlijk te krijgen van een eendenvijver. Hoeveel tijd zou het de politie kosten om hierheen te komen? En waar zouden ze vandaan komen? Als er in Borjomi een bureau was, zouden we elk ogenblik blauw-witten kunnen zien.

Koba stond nog steeds massief als een rots op een erg professionele drie meter afstand van onze rug. Wat was de kans om hem en die .357 te pakken te nemen voordat we de sirenes hoorden? We moesten een kans hebben. Wij waren met z'n drieën als ik Bastaard meetelde en ik vermoedde dat hij mee zou doen. Hij was veel te stil geworden naar mijn zin, maar ik wist dat hij net zo min als wij opgepakt zou willen worden.

Nana keek naar mij. 'Weet je wat hierin staat?'

Ik schudde mijn hoofd.

Ik waagde nog een poging om uit te leggen waarom we in het huis van Baz waren geweest, maar ze bleef gewoon doorlezen. Ik wenste nu dat ik in actie was gekomen toen Koba ons overeind had geschopt en ons het tiental passen naar de wagen had laten lopen. Ze ging hoe dan ook op de politie wachten.

Maar verdorie, ik had haar alles verteld wat ik wist; hoe Bastaard in het verhaal paste, waarom we in het huis waren – en hoe de tape niet alleen bewees dat Bastaard deel uitmaakte van de operatie, maar dat wij niet eens hadden geweten dat Baz er ook zou zijn...

'Hé, dame,' had Bastaard zijn steentje bijgedragen, 'ik doe gewoon wat me wordt opgedragen. Ik weet niets van die kolerezooi. Ik wist niet dat hij thuis zou komen...'

Hij verspilde zijn adem. Dat deden we allebei. Nana's hoofd was gebogen en nog niet halverwege de tweede bladzijde had ze een hand opgestoken om ons tot zwijgen te brengen.

De map lag op haar schoot. Ik zag een traan van haar wang op het papier vallen.

'O, mijn god.' Ze onderdrukte een snik. *'O, mijn god...'* Ze stak haar hand uit en tikte Paata zacht op zijn rug. 'We moeten hiermee live de lucht in – nu meteen.'

8

Nana's ogen verslonden de resterende pagina's en ze moest steeds met de rug van haar hand over haar gezicht wrijven om te voorkomen dat er meer tranen op vielen waardoor de inkt ging vlekken.

Gekleurde balken kwamen flikkerend tot leven op alle drie de schermen toen Paata vlak buiten de deuren de schotel opstelde. Koba liet achter ons van zich horen. Ik vermoedde dat hij hetzelfde wilde weten als de rest van ons – wat was er mis, wat stond erin?

De schermen flikkerden. Een vrouw in een blauw jasje verscheen voor ons in beeld. Ze zat aan een nieuwsdesk in een lege studio. Ze trok aan haar koptelefoon en de luidsprekers kraakten. Het was inderdaad helemaal live. 'Nana? Nana?'

Nana draaide het geluid uit en zette haar eigen headset op. Ze nam een ogenblik om te kalmeren en begon toen op een lage, dringende toon te praten. De naam van Baz was steeds weer te horen, terwijl ze naar beneden keek en lange gedeelten uit het document citeerde. De vrouw in de studio keek ontzet. Achter ons begon Koba woedend te worden. Dit was niet goed. De tekst van Baz had ons moeten helpen.

Toen ze onderaan de laatste pagina was, sloot ze de map met een klap en schoof hem in de zijzak van haar Gore-Tex-jack.

Ze wisselde ter afsluiting een paar woorden met haar collega in de studio, die opstond en uit beeld verdween.

Nana's ogen waren nog steeds vochtig toen ze de koptelefoon afzette. 'We waren van plan ons morgen met Zurab tot het parlement te richten.' Ze deed erg haar best om niet in te storten. 'We zouden hem filmen, terwijl hij de inhoud van dit document wereldkundig zou maken ten overstaan van zijn collega's, ten overstaan van de mannen die hij aan de kaak ging stellen.' Ze schudde haar hoofd langzaam van de ene naar de andere kant. 'Maar niemand van ons had enig idee... geen idee dat deze onthullingen zo... zo...' Ze moest echt naar het woord zoeken. 'Afschuwelijk' was het woord dat ze ten slotte gebruikte, maar aan haar gezicht kon ik zien dat het de lading nog steeds niet dekte.

Het woord leek in de lucht te blijven hangen en toen ging haar hand weer naar haar mond. Ik wist niet wat ik moest zeggen – dat kon ik toch ook niet weten? Ik had geen idee wat ze net had gelezen. Ik wist alleen dat Nana een kordate tante was en dat de tekst van Baz haar heel erg had aangegrepen. En het zag er ook niet naar uit dat het document ons ging helpen om hier weg te komen.

'Nana, geloof je ons nu? Je moet ons laten gaan voordat de politie komt. *Nana?*'

Ze luisterde nog steeds niet. 'Hij wilde het me niet vertellen... Hij dacht dat het te gevaarlijk voor mij zou zijn...' Ze keerde zich weer met rode ogen vol haat naar ons. 'Jullie geloven? Waarom? Waarom zou ik jullie geloven? Leg het maar aan de politie uit en kijk of jullie hen kunnen overtuigen.'

'Luister, dame. Ik was er niet bij. Ik moest alleen de tas afgeven. Scheer me niet over één kam met deze moordzuchtige kolerelijers.' Bastaard wist wel van volhouden. Ik begon bijna enige bewondering voor hem te koesteren.

'*Jij! Houd verdomme je bek.*' Charlie was het kennelijk niet met me eens.

We moesten proberen haar te overreden voordat de uniformen verschenen. Het was onwaarschijnlijk dat die onze taal spraken. 'Nana. Waarom zouden we jou dit spul geven? We hebben je verteld wat er is gebeurd. Heb je gezien dat ik hem vermoordde? Nee. We waren daar alleen voor het document. Als wij er deel van uitmaakten, waarom zouden we deze dikke bastaard dan filmen?'

Het lukte niet. Ze draaide zich weer om naar de monitors. Ze zonden het bulletin nog een keer uit. Het meisje in de studio was aan het praten, maar er klonk geen geluid. Tenminste niet van het scherm. Maar allemaal hoorden we het lawaai van buiten.

'Politie.' Nana klonk opgelucht.

Paata kwam de stal weer in rennen en gilde iets in het Paperclip. Ik kon maar één woord opvangen en dat klonk mij niet als goed nieuws in de oren.

Ik draaide mijn hoofd om. Koba stond nog achter ons. Zo te zien had hij het net als ik niet leuk gevonden de naam Akaki te horen.

Het geraas van motoren werd luider. Koba raakte steeds geagiteerder. Aan het geluid te oordelen waren er drie of vier wagens vol militanten en hij stond alleen. Ik kon me zijn dilemma voorstellen.

Nana probeerde hem te kalmeren, maar dat lukte niet. De Desert Eagle was met de veiligheidspal los nog steeds op ons gericht en de loop zwaaide vervaarlijk van de ene naar de andere kant. Er stonden tranen van woede in zijn ogen.

Bastaard lag daar gewoon. Hij leek het bijna leuk te vinden. Wat was er verdomme met hem aan de hand?

Charlie draaide zich op zijn rug.

'Kalm aan, Koba, jongen. Of richt dat stomme ding ergens anders op...'

Ik keek nog eens onder de bestelwagen door naar de achterwand. Geen spoor van een andere deur.

De auto's waren er bijna. Charlie zag ze als eerste. 'Taliban-wagens!'

Ik wierp een blik achterom naar de deuren.

Kerels met een zwart masker en groene gevechtsjas, sommigen met een poncho, sprongen van Toyota pick-ups. Ze hadden AK's, lichte machinegeweren en patroonbanden met 7,62mm-munitie.

Koba ging door het lint en rende gillend en snikkend op ze af.

Ik sprong overeind en greep Charlie. 'Kom mee, mee, mee!'

De zware kaliber .357 schokte in Koba's handen. Ik hoorde gegil aan weerszijden van de staldeuren.

Charlie en ik doken weg achter de bestelwagen. De hemel mocht weten waar de andere drie waren gebleven; mij kon het niet schelen.

Bastaard dook achter ons op toen twee AK-salvo's de Desert Eagle het zwijgen oplegde. Boze kreten weergalmden door de stal.

Ik keek onder de bestelwagen door. Koba lag te kronkelen in de modder naast een van de wagens. Bloed spoot uit de gaten die in zijn lijf waren geschoten.

Een grote kerel met wilde haren en een baard in de stijl van Osama liep naar hem toe. De kolf van zijn AK was tegen de met een poncho bedekte schouder gedrukt. Hij leunde ertegenaan en haalde de trekker over. Het wapen schokte en Koba's hoofd spatte als een meloen uiteen.

Deel elf

I

Nana had lef, dat moest gezegd worden.

Ze liep recht op Akaki en de eersten van zijn mannen af die door de deuren naar binnen stroomden. Ze leek hun moedige overwinning op het lafhartige, kapitalistische schoothondje Koba toe te juichen en onthaalde hen toen op een stortvloed van handgebaren en Paperclip, terwijl ze wees op de satellietschotel, de bestelwagen, de booglampen en de camera.

Maar ik kreeg niet haar hele optreden te zien. Een andere lading militanten was uitgezwermd naar onze kant van de Mercedes en dreef ons met laarzen en geweerkolven naar de hoek van de stal waar de gedachtenisbank van Baz stond. Maar ik had al genoeg gezien om te weten dat wat ze ook wilde bereiken, de mannen van Akaki slecht luisterden.

Ik probeerde het van de positieve kant te bekijken. We mochten tenminste gaan zitten. Ik probeerde ook ontspannen over te komen en oogcontact te vermijden met de kerels die ons bewaakten. Een van hen had Koba's Desert Eagle in zijn riem gestoken.

De ogen van Bastaard schoten alle kanten op en zochten de menigte af.

Sommige mannen van Akaki begonnen hun masker af te trekken, waardoor ruwe gezichten met baarden en zwarte tanden zichtbaar werden. Er waren een paar tieners bij die het stadium van de donshaartjes nog niet achter zich hadden gelaten, maar de meesten waren achter in de twintig of ouder. Ze hadden zich wel allemaal dezelfde manier van lopen aangemeten, want ze wisten dat zij hier de grote jongens waren. Ze zagen eruit als in de strijd geharde Afghaanse Mujahedin, tot en met hun keuze van vervoermiddel. Al heel lang noemde iedereen die ik kende een Toyota pick-up een Taliwagen.

Sommigen stonden in een rij voor de Mercedes en keken nieuwsgierig naar binnen. Zorgwekkend was dat anderen alleen naar ons staarden met dezelfde gekke, glazige ogen als de junks op het kerkhof.

Nana probeerde nog steeds iets te bereiken bij de groep in de buurt van de deuren, maar die begonnen hun belangstelling te verliezen. De meesten ervan wierpen alleen maar wellustige blikken op haar en maakten de jongensachtige opmerkingen die weinig aan de verbeelding overlieten.

Paata's ogen lieten haar geen ogenblik los. Ik hoopte niet dat hij eraan zat te denken de superheld te spelen. Een van ons dood in de modder was genoeg.

Charlie scheen nog steeds te kijken naar de niet-bestaande achterdeur en de bomen op het hogere terrein erachter.

Akaki's mannen deden eerbiedig een stap achteruit toen hij Nana opzij duwde en de schuur in stapte. Hij bleef staan en nam alles in ogenschouw met wilde, krankzinnige ogen. Regendruppels vielen van zijn zwarte krulharen. Hij greep een handvol baard en kneep daar ook een flink glas uit.

Nana wilde weer tegen hem beginnen, toen twee lijken die onder het bloed zaten als dode honden naar het midden van de stal werden gesleept. Ze hadden allebei verschillende kogels in het lichaam gekregen, maar de zorgvuldig geplaatste schoten door hun handen en voeten vertelden het belangrijkste verhaal.

Eduard en zijn vrouw hadden hun interview al gehad.

Nana stormde door de stal, maar Bastaard was sneller. Hij sprong overeind en duwde een paar militanten weg die niet snel genoeg opzij stapten. 'Akaki, ellendige kolerelijer!'

Akaki trok zijn van regen doorweekte poncho over zijn hoofd. Eronder bleek hij een Levi's 501, een Amerikaans camouflagejack en een wollen trui te dragen die uit de winkel had kunnen komen waar Charlie en ik die van ons hadden gekocht. Hij had een of andere semi-automaat in zijn schouderholster gestoken en vier extra AK-magazijnen in zijn borstzakken.

Hij knipperde niet eens toen Bastaard op hem afliep; hij stak alleen een hand op om iedereen te kalmeren die aanstalten maakte een paar gaten in hem te schieten. De uitdrukking op zijn gezicht was die van de man die een familielid had opgemerkt dat hij nooit echt had gemogen, maar dat hij wel moest verduren. Ze kenden elkaar dus.

'*Jij!*' Bastaards vinger wees in de richting van Nana. 'Stomme nieuwsteef! Geef hem die papieren en vertel hem dat ik hier weg wil.'

De vering van de Mercedes kreunde toen hij door de zijdeur naar binnen verdween.

Akaki rukte de papieren van Baz uit Nana's uitgestoken hand. Ze bleef praten en de hemel mocht weten waarover, maar hij was net zo min in de stemming om te luisteren als zij tien minuten geleden was geweest. Hij haalde uit met zijn vuist; ze kreeg de stomp vol op haar wang en zakte op de grond in elkaar.

Paata sprong overeind maar kreeg de kolf van een AK in zijn borst voor de moeite. Nana gilde naar hem dat hij niets moest doen. Akaki blafte tegen haar en hief zijn hand op voor de volgende klap.

Bastaard liep nu voluit op al zijn cilinders. 'Nou gelukkig, gestoorde kolereteef? Heb je nou je zin?' Hij stak een dikke vinger naar Akaki op om elk woord te benadrukken. 'Ik had vanwege jou bijna niet meer geleefd. En nu zorg je dat ik hier vandaan kom!' Hij trapte Nana in haar ribben. 'Vertaal! Vertel het hem verdomme! Vertel hem dat de politie eraan komt.'

Nana deed wat haar werd gezegd; tenminste, dat dacht ik. Het woord 'politie' is behoorlijk universeel.

Akaki lachte alleen maar en één voor één vielen zijn mannen hem bij. Ja, ze deden het echt in hun broek, omdat een paar blauw-witten onderweg waren.

Bastaard was trouwens niet op zijn achterhoofd gevallen. Ik zag de contouren van de Marriott-tape in de zak van zijn natte jasje.

Hij vestigde zijn aandacht op Charlie en mij alsof wij nu aan de beurt waren. 'Dachten jullie twee kolerelijers dat ik de hele weg met jullie mee zou komen?'

Hij kwam aanlopen tot zijn gezicht een paar centimeter van dat van mij was. 'Zal ik je wat zeggen? Ik had zelf naar dat kerkhof moeten gaan om het karwei met eigen handen op te knappen in plaats van een debiel met een machete in te huren die er een enorme kolerezooi van maakte.'

Hij zag het wapen van Koba en rukte het uit de riem van de trotse eigenaar.

Hij kon verrekken; dit keer zou ik niet ineenkrimpen als hij de trekker overhaalde.

Ik keek hem recht aan toen hij één hand om de kolf sloot en die met de andere omhoogbracht.

Nana gilde Paata's naam maar ze had geen moeite hoeven doen. Akaki brulde een bevel en Bastaard kreeg een AK kolf opzij tegen zijn hoofd voordat hij die zelfs had zien komen.

Charlie trapte de Desert Eagle weg toen die bij onze voeten op de grond viel.

De leider van de militanten kwam aanrennen en begon tegen Bastaard te schreeuwen waarbij hij elke zin onderstreepte met een fikse trap in de gevallen vleeshoop van de Amerikaan. De dikke kerel slaagde er pas in om weg te kruipen toen zijn aanvaller moe begon te worden.

Nana vertaalde. 'Hij zegt dat je de auto van Eduard en Nato kunt nemen. Als je nu niet gaat, zal hij je doden. Hij zegt dat hij zich kan voorstellen dat hij hier niet de enige is die dat graag zou doen.' Ze zweeg even. 'En op dat punt spreekt hij in elk geval de waarheid.'

Bastaard bereikte op handen en knieën het lichaam van Eduard en voelde in de bebloede zakken als een uitgehongerde man die naar voedsel zoekt. Een stel sleutels glansde in het licht van Paata's booglampen en hij strompelde overeind. Zijn buik zwoegde op en neer. Hij staarde me aan met trillende en fluitende neusvleugels toen zijn te zware lijf zuurstof naar binnen zoog. Er waren nog steeds dingen die hij wilde zeggen, maar hij had er te lang mee gewacht.

Akaki greep hem bij de rol vet boven zijn kraag en sleepte hem mee naar de deur.

Bastaard verdween uit het zicht, maar hij wilde absoluut het laatste woord hebben. Toen de jongens van Akaki hun applaus voor de laatste krachttoer van hun geliefde leider hadden beëindigd, klonk zijn stem over het van regen doorweekte pad.

'Ik wil die kolerelijers dood! Dood ze!'

2

Ik begon Akaki door te krijgen; hij was geen liefhebber van veel omhaal.

Hij torende boven Nana uit en stompte tegen haar schouder, terwijl hij haar liet weten wat hij in gedachten had.

Paata hield de AK's in het oog die van vlakbij op ons waren gericht en vertaalde voor ons: 'Hij wil een interview, hier en nu. Hij heeft een belangrijke boodschap voor zijn Georgische landgenoten en wil dat zijn woorden voor het nageslacht worden vastgelegd.' Op de een of andere manier slaagde hij erin even kalm te praten alsof hij de betaling van overuren besprak.

We keken alle drie naar Nana's handen, die elk woord van haar reactie onderstreepten. Ze deed geen concessies.

Het begon een echte show te worden. Zelfs de kerels die ons bewaakten, dromden eromheen en luisterden mee.

'Hij is aan het bazelen,' zei Paata, toen Akaki het volume weer een paar streepjes omhoogdraaide. 'Hij zegt dat hij de wereld wil vertellen van zijn strijd voor vrijheid en tegen corruptie. Hij zegt dat hij door wil gaan met deze strijd tot de overwinning is bereikt – of tot hij God ontmoet.' Er kroop iets van bezorgdheid in zijn stem.

Charlie knikte. 'Hij weet dat hij nu alle oude onzin kan uitkramen die hij kwijt wil. Hij heeft de papieren en Baz is er niet om hem tegen te spreken.'

Ik maakte me zorgen om Nana. 'Waarom geven jullie hem niet gewoon wat hij wil. Waarover doet ze moeilijk?'

'Ze vertelt hem dat het een geweldig idee is, maar dat we hem in het dorp zouden moeten filmen. Hij moet in de open lucht te zien zijn, te midden van zijn volk, niet weggestopt in een veestal... ze zegt dat zijn film een epische omvang moet hebben; een opname op kleinere schaal zou geen recht doen aan zijn boodschap. Ze zal de montage doen als ze terug is in Tbilisi.'

'Dat zal wel. Ik wed dat hij erin trapt.'

'Ze moet het proberen.' Hij zuchtte. 'Hij duldt mensen zoals wij alleen zolang we nuttig voor hem zijn. En als dat niet langer het geval is of als we iets doen waardoor hij zich beledigd voelt...'

'Zijn wij geschiedenis?'

Paata knikte. 'Hij heeft niet zo lang geleden een Franse ploeg afgeslacht...' Hij hield zijn hoofd schuin. Hij had iets gehoord dat hem niet beviel. 'O, verdorie... Hij is aan het praten over de schotel. Hij weet dat we live kunnen uitzenden.'

Zijn ogen schoten nerveus heen en weer tussen ons en Nana. 'Ze staat erop om het op te nemen in het dorp, niet hier... Ze probeert ons een kans te bieden om te ontsnappen, dat weet ik zeker.'

Ik wierp weer een blik op Akaki. Zijn arm was opgeheven, klaar om haar weer een klap te verkopen. 'Wat heeft hij te zeggen?'

'Het is niet best. Het spijt me.' Het bloed was uit zijn gezicht weggetrokken. 'Ze heeft hem vorige week voor de camera een moordzuchtig, barbaars stuk uitvaagsel genoemd...' Paata's stem stierf weg.

'Hij was er niet echt blij mee?'

Paata schudde somber zijn hoofd.

Nana draaide zich om. Ze wist wanneer ze moest toegeven. Akaki gaf haar ten afscheid een trap onder haar achterste om haar tot haast aan te zetten. Het moest pijnlijk zijn geweest, maar ze was vastbesloten dat niet te tonen.

Ze hinkte de resterende vijf of zes passen naar de bank. 'Dit is de afspraak...' De linkerkant van haar gezicht was vuurrood en begon op te zwellen. 'Geen opname. We doen het live of hij doodt ons nu allemaal. Hij wil hier op de bank zitten en niet alleen zijn Georgische landgenoten toespreken, maar ook de VS – en hij wil het live doen.' Haar ogen boorden zich in die van Paata. 'Ga de verbinding opzetten.'

Paata aarzelde. Hij wist dat er één ding ontbrak in haar instructies. Ik pakte hem beet toen hij opstond. 'Doe het rustig aan, maat.'

'Nee.' Nana was stellig. 'Stel alles op en zorg voor de verbinding. Vertel ze wie we hebben.' Ze keek hem recht aan. 'We – hebben – de – cavalerie – nodig... Begrepen?'

Nu begrepen we het allemaal.

Akaki had nog meer in gedachten. Hij kwam aanstormen als een gewonde stier met twee van zijn kontlikkers op sleeptouw. Van dichtbij was hij niet knapper dan hij van afstand had geleken. Hij was waarschijnlijk nog in de dertig, maar zag er ouder uit, deels omdat alle stukken huid van zijn wangen die niet werden bedekt door de baard, erg pokdalig waren.

Hij hief een vuist op als van een landarbeider en duwde de anderen uit de weg om bij mij te komen. Zijn ogen brandden zich in de mijne.

Zijn twee kontlikkers lieten zien hoe hard ze waren door Nana te grij-

pen en haar te dwingen te vertalen, terwijl hij weer vreselijk van leer begon te trekken.

'Het moordzuchtige uitvaagsel vertelt jou dat hij even zeker de diena-
ren van de ongelovige kruisvaarders zal doden als wij hun koningen zullen doden... hij zegt dat hij dit doet om de kinderen Gods te wreken die
zij doden.'

Akaki porde me zo hard in mijn schouder dat ik achteruitdeinsde.

'Hij zegt dat Amerika veel beschuldigingen tegen hem heeft geuit; ze
zeggen dat hij een man is met een verborgen fortuin... Dit zijn leugens
van ongelovigen... Hij zegt dat dit is wat hij tegen het volk van Amerika
wil zeggen.'

Terwijl ik mijn evenwicht hervond, zag ik de schermen in de Mercedes
weer tot leven komen.

De twee kerels die als lijfwacht achter Akaki stonden, zagen het ook
en begonnen tegen hun baas te kletsen.

'Uitstekend.' Nana probeerde blij te kijken. 'Charlie en Nick, help me
met de camera en de lampen.'

Ik beantwoordde haar glimlach. Het was hier dus niet allemaal kom-
mer en kwel. Ze begon ons bij onze voornaam aan te spreken.

3

Akaki zat te roken en te piekeren, terwijl wij Nana hielpen bij het verslepen van camera en lampen naar de bank. De lopen van verschillende AK's volgden elke beweging die we maakten.

Het staldak werd niet langer gegeseld door de regen en in de grote rode plas rond Koba's hoofd spetterde het bijna niet meer. De plotselinge stilte in de stal leek het voor Nana alleen maar moeilijker te maken om de lichamen van Eduard en Nato te negeren. Haar ogen bleven die richting uit gaan. Ik wist dat ze zich verantwoordelijk voelde.

Ik wierp zelf ook één of twee keer een blik op hen. Het leek wel alsof ze waren gekruisigd. Als de *Georgian Times* had gedacht dat het lijk van Baz een weerzinwekkende lading was, dan wilde ik wel eens weten wat de koppenzetters hiervan zouden maken.

Ik had me er al bijna bij neergelegd dat wij bij onze ballen aan een staldeur zouden worden opgehangen en gelijk met hen op de binnenpagina's zouden staan, als het zo doorging. Maar er was nog steeds een kans. Er was altijd een kans. Wanneer de cavalerie van Nana verscheen, zou het hier een slachtpartij worden.

Het duurde niet lang of alles was opgesteld, ook al wisten wij tweeën nauwelijks waar we mee bezig waren. Het was niet anders. Er is een grens aan het eindeloos proberen te rekken van een opdracht voordat het duidelijk wordt dat je geen barst uitvoert, en op dat gebied was ik zeker een expert. Ik had tenslotte tien jaar bij de infanterie gezeten.

Akaki fatsoeneerde zijn baard met een plastic kam waaruit nogal wat tanden ontbraken en bereidde zich voor op het tv-sterrendom. Er was een lamp aan elke kant van hem opgesteld en de camera stond recht voor hem. Wat hij zag, stond hem wel aan.

Nana frunnikte nog wat aan de lens en veranderde de hoogte van het statief, maar net als wij wist ze dat ze dit niet veel langer kon uitstellen. Ze deed een oordopje in en verbond dat met de camera.

Akaki overhandigde zijn kam aan een van zijn kontlikkers. Hij zag eruit alsof hij net in ganzenvet was gedoopt. De uitdrukking op zijn gezicht zei dat hij er klaar voor was en dat hij er nu op dit moment klaar voor was.

Maar Nana was dat nog niet, nog niet helemaal tenminste. Ze liep naar hem toe en mompelde zacht iets in zijn oor. Hij keek haar aan en trok nadenkend aan een handvol baard.

Na nog een paar keer trekken, begon hij weer te blaffen, maar dit keer was Nana zijn doelwit niet. Poncho's werden weer aangetrokken. AK's werden aan schouders gehangen.

Charlie en ik waren druk bezig te doen alsof we druk bezig waren met het aanbrengen van nutteloze aanpassingen aan de opstelling. Nana kwam naar ons teruglopen, wees naar de lampen en gaf een reeks bijzonder technische instructies met haar uitgestrekte armen.

'Ik heb hem verteld dat als dit live naar de VS moet worden uitgezonden, ik een serie inleidende gesprekken in het Engels moet doen. Op die manier garanderen we een zo groot mogelijk publiek... Ik heb hem ook voorgesteld een paar van zijn mannen uit te sturen om naar buitenlocaties te zoeken en genoeg plaatselijke bewoners bijeen te trommelen voor een scène met een mensenmenigte. Hij begrijpt dat het erg belangrijk is om dit goed te doen. We komen met hen samen bij het gemeentehuis zodra we de verbinding hebben gesloten.'

Drie van de Taliwagens werden al gestart, terwijl de mannen erin klauterden.

Akaki hield alleen de twee kontlikkers achter. Zij stonden op een paar meter afstand met de AK's op Charlie en mij gericht.

Ik zag de Taliwagens het pad af razen naar de huizen die tussen de bomen lagen.

'Goed gedaan, meisje.' Charlie legde een vaderlijke hand op Nana's schouder.

Ze glimlachte even en nam toen weer het heft in handen. Ze wenkte ons uit de buurt van de uitrusting, zodat Akaki kon zien wat er gebeurde. 'Nick, Charlie, ga in de bestelwagen zitten. Ik wil niet dat hij jullie gezicht ziet als ik live ga. Ga, alsjeblieft.'

Ze vuurde nog wat kletspraatjes op Akaki af en hij slikte het braaf. Naar de blik op zijn gezicht te oordelen stond hij op het punt haar voor te stellen samen een talkshow te beginnen.

De lampen flitsten aan toen wij naar de bestelwagen liepen en de hoek van de stal werd Akaki's stukje Hollywood.

4

Paata zat gebogen voor ons met één koptelefoon op en de andere hoog op zijn hoofd. Hij had nergens anders aandacht voor dan het beeld van Nana's gezicht op de schermen. Wij keken alleen toe en luisterden.

'Ja, dat is prima, Paata. Hoe is de sterkte? Ben je erdoor gekomen? Komen ze? Eén, twee, drie, vier, vijf...'

Ze haalde diep adem en probeerde rustig te worden.

'Vijf seconden!' Paata hield zijn stem beheerst. 'Ja, ze zijn opgestegen. Je moet het rekken.'

Ik ving Charlies blik op en wist dat hij ook dacht dat we onze ballen misschien aan de goede kant van de staldeur konden houden.

Nana keek strak in de camera en knikte toen het aftellen in haar oordopje knetterde.

'Twee... één... *In de lucht...*'

'Hier vlak naast me staat...' Ze wendde zich tot Akaki en maakte een diepe, respectvolle buiging, 'een schandvlek voor de mensheid, de verachtelijkste bandiet die ooit over de gezegende aarde van Georgië heeft gelopen.'

Hij knikte erkentelijk en keek toen weer strak in de camera.

'En de afgelopen paar minuten heb ik gedocumenteerd bewijsmateriaal gezien van zijn tot op heden vreselijkste verraad...'

Haar stem aarzelde en Akaki fronste zijn voorhoofd.

'Een afschuwelijke daad... begaan door de moordenaar die voor u zit...'

Kakaki knikte waarderend, zonder er een woord van te begrijpen. Ik hoopte dat ook geen van zijn kontlikkers een jaar in Princeton had doorgebracht.

Nana glimlachte en knikte terug. 'Bewijsmateriaal dat zo belangrijk is dat ik het nu meteen aan onze geliefde natie moet meedelen, voor het geval dat ik niet lang genoeg leef om het te overhandigen aan de bevoegde autoriteiten...'

Nana zwaaide met haar arm naar de hele vallei, alsof ze Akaki's domein beschreef.

'Vandaag had een parlementslid wiens naam ik niet kan noemen, omdat dit monster naast me die zou herkennen, een verklaring onder ede zullen afleggen...'

Haar hand greep de microfoon zo stevig vast dat ik haar knokkels wit zag worden.

'Maar tragisch genoeg kan hij dat niet meer doen. Hij is dood, vermoord door Akaki's mannen en anderen die niet wilden dat dit bewijsmateriaal aan het licht kwam. Akaki bezit dit document nu, maar ik heb het van voor tot achter gelezen... en zelfs al zou ik het willen, dan nog zou ik het verschrikkelijke dat ik heb gelezen nooit kunnen vergeten...'

Paata mompelde een bevestiging tegen iemand in zijn microfoon en drukte een knop in. 'Vijf minuten, Nana. Blijf doorgaan.'

Ze drukte een vinger tegen haar oordopje en knikte. 'De volksvertegenwoordiger in kwestie, een persoonlijke vriend van velen, die in dit hele land bekendstaat als een man die zich ten doel had gesteld de corruptie te bestrijden die ons land bezoedelt, werd vermoord omdat hij bewijzen had dat zes leden van onze regering waren betrokken bij terroristische activiteiten en dat allemaal samen met de man die u voor u ziet...'

Paata drukte weer op de knop. 'Correctie, Nana. Het is tien, herhaal, tien minuten. Ga door, je doet het prima. Als hij argwanend wordt, stop je met het Engels en schakel je over op het interview. Goed?'

Ze drukte weer met haar vinger tegen het oordopje.

'Ja... deze zes steunpilaren van ons bestel zullen president Bush begroeten wanneer hij deze maand naar ons land komt... en de handen die zij in vriendschap naar hem zullen uitsteken, zijn evenzeer met bloed bevlekt als die van de massamoordenaar, ontvoerder, afperser en drugshandelaar met wie zij een verbond hebben gesloten...'

Charlie tikte op Paata's schouder. 'Dit gaat toch niet echt naar de States, hè?'

Hij schudde zijn hoofd zonder achterom te kijken. De boodschap was duidelijk: houd verdomme je kop.

'De gedachte is nauwelijks te verdragen, maar het doel van deze barbaarsheid is de terroristische dreiging in stand te houden, zodat de VS ons blijven steunen; een steun die niet wordt vertaald in voedsel voor de hongerigen of reparaties van onze ziekenhuizen, maar die zijn weg vindt naar de zakken van dure, westerse maatpakken...'

Nana's stem brak weer bijna. Akaki begon bezorgd te kijken.

'Goed nieuws, Nana. Het is vier minuten, herhaal, vier – misschien minder.'

'Onvoorstelbaar.' Ze knikte. 'Maar nu moet het verteld worden...' Ze draaide haar hoofd naar Akaki en slaagde er op de een of andere manier in te glimlachen. 'Dit... monster... kreeg van deze politici één miljoen Amerikaanse dollars voor het voorbereiden en uitvoeren van het bloedbad dat zestig vrouwen en kinderen afgelopen maand in het dorp Kazbegi...'

Ze besefte meteen dat ze had geblunderd. Akaki's hoofd draaide met een ruk opzij.

'60 Minutes...' Nana deed haar best om te glimlachen, 'heeft de namen van alle zes de politici en de voormalige FBI-agent die erbij betrokken zijn...'

Akaki had iets in de gaten. Hij mompelde wat tegen zijn kontlikkers.

'Drie minuten, Nana. Houd vol.'

'Ik ga die moordzuchtige en corrupte politici nu onthullen aan het Georgische volk...'

Haar ogen gingen even naar de hemel.

Ik had in de bestelwagen niets gehoord, maar de kontlikkers wel; ze renden naar buiten en staarden naar de wolken.

Nana ging ervoor. 'Gogi Shengelia... Mamuka Asly...'

Akaki sprong overeind met een gezicht dat op onweer stond. Hij smeet de camera opzij en rende door de staldeuren.

Nana bleef doorgaan.

'Giorgi Shenoy... Roman Tsereteli...'

Op het moment dat ik uit de bestelwagen stapte, kon ik het gedreun van de rotors horen. De helikopters moesten tot op het allerlaatste moment achter het gebergte zijn gebleven.

Akaki zwaaide met zijn arm en blafte een reeks bevelen. De kontlikkers tuimelden in hun Taliwagen. Akaki bracht zijn AK omhoog.

Nana ging op de automatische piloot verder.

'Kote Zhvania... Irakli Zemularia...'

De Huey's waren vlak boven ons. Akaki probeerde zijn AK te schouderen, maar de neerwaartse luchtstroom gaf hem ervan langs.

De vierde Taliwagen kwam gierend naast hem tot stilstand en de kontlikkers trokken hem naar binnen. De heli liet zijn neus zakken en vloog naar het veld vlak naast de stal.

Nana stond te trillen. 'Binnenkort zal er volledig opening van zaken worden gegeven over alle beschuldigingen die Zurab Bazgadze heeft opgetekend in een speciale uitzending van 60 Minutes. Voor nu terug naar de studio.'

Ze liet de microfoon langs haar zij zakken. Tegen de tijd dat Paata haar in zijn armen had gesloten, schokte haar hele lichaam van het snikken.

'Nana? Wij moeten ervandoor.'

Ze keek me over haar schouder aan. 'Ik zal je helpen, Nick. Ik zal je helpen met de politie.'

Ik schudde mijn hoofd. 'Geen tijd voor al dat gedoe. Ik ga Charlie thuisbrengen; er is iets dat hij moet doen.'

Ze schudde niet-begrijpend haar hoofd. 'Wat kan er belangrijker zijn dan je onschuld willen bewijzen?'

'De kans krijgen om te midden van je gezin te sterven...'

Charlie verscheen naast me. 'Zie je die bomen, knul?' Hij wees naar de helling achter de stal. 'Wie er het laatst is, betaalt de kebabs.'

5

Ik keek door de spleten tussen de planken. Vier Huey's waren op honderd meter afstand aan het landen in het veld. Gedaanten in gevechtskleding sprongen eruit en namen vuurposities in.

Paata sprong uit de bestelwagen, pakte de camera van het statief en maakte alle draden los. Hij trok de kleine antenne uit die de verbinding met de satellietschotel in stand zou houden en daarmee de live-uitzending.

Er klonk geratel van automatisch geweervuur vanaf het hoge terrein rechts van ons. De groep van Akaki vuurde vanuit het dorp.

De motoren van de heli's brulden en ze stegen snel op. De kerels op de grond renden rond als kippen zonder kop. Het was net alsof we weer naar Kazbegi keken. Eén of twee schoten kwamen van het veld toen de troepen begonnen aan te vallen. Ik hoopte dat ze op het dorp en niet op ons waren gericht.

Paata rende naar buiten met de camera op zijn schouder en Nana naast hem.

Ik greep Charlie. 'Nou?'

Hij keek me aan, maar gaf geen antwoord.

Ik rende naar de staldeuren. 'Nana! Nana!'

Ze wees Paata aan wat ze gefilmd wilde hebben.

'Nana!'

Ze draaide zich om en ik maakte het vertrekgebaar met mijn vinger over mijn keel.

De heli's donderden over ons heen om zo snel mogelijk uit de gevechtszone te komen.

'Ga!' schreeuwde ze. 'Ga!'

Ze draaide zich weer om en ging door met haar werk.

Ik liep langs de zijkant van de stal met Charlie hinkend achter me aan.

We kropen onder dekking van het gebouw naar de bomen en keerden toen evenwijdig aan de weg terug naar het dorp. We hadden een goed overzicht van de chaos beneden ons. Soldaten krioelden over het veld, probeerden dekking te zoeken, maar wisten eigenlijk niet waar. Misschien waren ze nog niet aan bladzijde twee van hun handboek.

Amerikaanse stemmen probeerden tevergeefs het bevel te nemen en orde te scheppen, terwijl één-op-vier lichtspoor uit de lichte machinegeweren van de militanten in het gras rond hun studenten plofte.

Eén lang salvo kwam in een boog van de daken en joeg aarde tussen de soldaten op. Ze hadden geen andere keus dan in beweging te blijven en als de bliksem het open terrein te verlaten.

Nana zat gehurkt tegen de houtstapel buiten de stal en praatte tegen de camera, terwijl de strijd achter haar doorging. Paata liet de camera een boog langs de hemel maken toen het geluid van wervelende rotorbladen van het hoge terrein achter de stal klonk.

De Huey was erg dichtbij, kwam laag aanvliegen, schoot over ons hoofd, maakte een schuine steile klim boven het veld en draaide rechts naar het dorp. De bemanning probeerde de plaats van de aanvallers te bepalen.

Een ander lichtspoorsalvo dwong de heli scherp naar links te hellen en weer uit het zicht te verdwijnen.

Charlie ging langzamer lopen. Ik greep zijn arm, haakte die over mijn schouders en sleepte hem mee. Ik gleed weg in de modder waardoor we ten slotte allebei vielen.

Charlie kwam bovenop me terecht. 'Zit er een adempauze in, knul?'

We bleven liggen waar we waren gevallen en probeerden op adem te komen.

Een ander lang salvo van boven ons weergalmde door de vallei. Deze keer werd het vuur beantwoord; de jongens in het veld hadden hun zaakjes eindelijk voor elkaar.

Charlie schudde zijn hoofd. 'Waarom gaan die klootzakken daarboven niet gewoon op de loop? Willen ze het echt tegen het leger opnemen? Zijn ze uit hetzelfde gekkenhuis ontsnapt als Koba?'

Ik sleurde hem overeind. Het duurde niet lang of we begonnen houten huizen langs de weg onder ons te zien.

Charlie bleef staan. 'Luister, knul... Geen heli's. Ze moeten versterkingen zijn gaan halen. Dat is onze kans.'

6

Een tractor en een oude Lada stonden verlaten langs de kant van het pad, maar het zag er niet naar uit dat die onze doorweekte lijven met enige snelheid hier vandaan konden brengen, zelfs als we de militanten rechts van ons en het halve Georgische leger beneden links van ons konden ontlopen.

Het werd plotseling griezelig stil.

'Wat dacht je van de Taliwagens?'

Een salvo automatisch vuur weergalmde door het dorp voordat ik kon antwoorden.

'Verrek, laten we gaan.' Charlie gleed naar beneden, tussen de bomen uit. Ik volgde. Hij ging in de richting van een groepje houten huisjes aan de hoofdweg.

We slopen een niet-afgezette tuin in en drukten ons tegen de achtermuur. Alle luiken waren gesloten. Erachter hoorde ik een angstig kind zacht huilen.

Soldaten onderaan de weg schoten hun AK's af. Van hogerop gaven Akaki's mannen rechts van ons ze van katoen. De lopen van hun lichte machinegeweren moesten zo langzamerhand roodgloeiend zijn.

Een kogel ketste af tegen de muur naast ons en verdween fluitend de lucht in.

Ik trok aan Charlies mouw. 'Wacht hier, ouwe.'

Laag blijvend kroop ik naar de hoek van het huis. Binnen begon een hond te blaffen.

Mijn haren zaten plat op mijn hoofd geplakt. Mijn broek zat onder de aangekoekte modder. Mijn kleren zaten aan me vastgeplakt als huishoudfolie. Ik begon ineens te beseffen dat ik erg veel honger en dorst had.

Ik keek op Baby-G. We hadden iets meer dan een uur tot het laatste licht, misschien minder in verband met het wolkendek.

Ik ging op mijn buik liggen en kroop centimeter voor centimeter langs de muur tot ik de weg af kon kijken. Die was verlaten. De inwoners hielden zich overal buiten. Ik kon het ze niet kwalijk nemen.

De weg liep ongeveer honderd meter heuvelop en verdween dan uit het zicht. De vuurposities van de militanten moesten vlak achter de bocht liggen. Ze waren goed gekozen. Ze hadden een vrij schootsveld tot ver in de vallei waar de heli's waren geland.

Een Amerikaanse stem blafte ongeveer tweehonderd meter links van me instructies en soldaten schoten in reactie daarop overeind. Nana en Paata zouden zich vermoedelijk tussen hen bevinden toen ze de heuvel op gingen, maar wij bleven niet rondhangen om daar achter te komen.

Ik kroop terug naar Charlie. Hij had zijn been hoog tegen de achtermuur gelegd en regen viel op zijn gezicht. 'De soldaten komen in de buurt.' Ik stak een hand uit. Hij greep die en ik trok hem overeind. 'Ik heb Akaki's ploeg niet gezien, maar ze moeten honderd meter verderop achter de bocht zitten. We moeten daarboven zien te komen en dan achter hun linie. We zullen achter de huizen blijven.'

'Goed gedaan, knul. Waar wachten we nog op?'

Ik haakte zijn arm over mijn schouder en we begonnen ons een weg te banen door een reeks niet-omheinde achtertuinen.

We hadden tachtig of negentig meter afgelegd toen de huizen met de weg mee linksaf bogen. Nog twintig of dertig meter en we zouden een eind achter de vuurlinie zitten.

We kwamen bij een omheinde ruimte vol varkens. Het was niet de moeite waard om Charlie daar overheen te krijgen. We kropen de helling op en maakten een omtrekkende beweging. Het kostte wel tijd en ik wist niet hoeveel we daar nog van hadden. De weg was mogelijk niet de enige aanvalsas van de soldaten. Het laatste waar we behoefte aan hadden, was in een kruisvuur terechtkomen.

Terwijl we weer naar beneden kropen, openden de militanten het vuur met hun lichte machinegeweren.

'Arme jochies,' mompelde Charlie. 'Als je het over een vuurdoop hebt...'

'Mond dicht en doorlopen.'

Ik bleef staan en hief mijn hoofd op.

'Luister.'

Het geratel was van achter ons gekomen. We waren de strijd gepasseerd.

Nu hoefden we alleen nog maar het dorp in te lopen en te kijken of we een wagen naar de vrijheid konden jatten.

7

We kwamen uit naast een gebouw dat eruitzag als het gemeentehuis. Er moest het afgelopen jaar een verkiezing zijn geweest, want de muren zaten nog onder verschoten campagneposters. Een rij Zurab Bazgadzes keek stralend op ons neer.

'Onze koets staat klaar, knul.'

Een Taliwagen stond dertig meter verderop midden op straat. Hij was roestig en gedeukt, maar had vier wielen en met wat geluk een motor. Het beste van alles was dat er niemand bij leek te zijn.

'Klaar, maat?'

Hij knikte.

Ik begon te rennen zonder te controleren of hij achter me aan kwam.

Er was geen beweging, maar het dorp was zeker niet verlaten. Geschreeuw en salvo's automatisch vuur klonken van de andere kant van een paar gebouwen links van me in de richting van de weg.

Ik ging naar de bestuurderskant en rukte het portier open.

Geen sleuteltjes.

Ik rommelde in het handschoenenkastje, zocht op de vloer en de vakken in de portieren. Ze lagen onder de stoel.

Ik sprong naar binnen en startte. De warme diesel sprong meteen aan.

Ik hoorde een kreet rechts van me en die was niet van Charlie.

Een evenbeeld van Akaki in een poncho die glinsterde van het regenwater schuilde in een portiek op een afstand van niet meer dan drie meter. Zijn ogen waren groot van de schrik. Hij herstelde zich, liet de handvol medische voorraden vallen die hij had vastgehouden en pakte zijn RPK.

Het wapen zwaaide bijna in slow motion omhoog.

Hij keek langs me heen en schreeuwde opnieuw, maar ik schreeuwde harder. 'Charlie!'

Ik dook naar voren en bad dat hij de man op zijn rug zou springen voordat ik doormidden werd gezaagd.

Er was een wirwar van lichamen en mondingsvuur. Het lichte machinegeweer schokte en spoot een kort salvo de lucht in. Toen verdwenen wapen en eigenaar onder het molenwiekende lichaam van Charlie.

Ik sprong naar buiten en mikte rennend een schop naar het hoofd van de militant.

Mijn laars trof doel en Akaki's makker gilde het uit.

Charlie rolde op een zij en greep het wapen, terwijl ik nog een keer schopte. Charlie strompelde overeind, boog over hem heen en ramde de loop in zijn borst. 'Pak zijn magazijnen, Nick! Pak zijn magazijnen!'

Ik tilde de poncho op. De RPK was in wezen een AK-47 met een langere en zwaardere loop en een inklapbare steun die onder de loop zat gemonteerd. Hij kon zijn patronen krijgen uit een speciale box of uit trommelmagazijnen, maar ook uit het bekende gebogen AK-magazijn met dertig patronen. Deze jongen had er twee in zijn borstzakken. Ik trok ze los en we stapten allebei in.

Ik rukte aan het stuur om de Taliwagen de heuvel op te rijden, van het plein af. De brandstofmeter gaf een ruim halfvolle tank aan.

Charlie trok de grendel van de RPK naar achteren om te controleren of er een patroon in de kamer zat. Toen trok hij het magazijn los en drukte met zijn vinger op de bovenste patroon om te kijken hoeveel er nog in zaten.

'Wat ben je aan het doen, knul?'

'Ons naar Turkije sturen.'

'Nee.' Hij legde een hand op het stuur. 'Eerst Akaki.'

'Daar hebben we geen tijd voor.'

Zijn hand bleef liggen. 'Akaki.'

Verdomme. 'Eén kans, meer krijg je niet.'

Ik smeet de wagen in de vierwielaandrijving, liet de koppeling opkomen en zwaaide ons rond tot we de andere kant op stonden. Ik trapte het gas op de plank.

De poncho was overeind gekrabbeld, maar moest nu de portiek weer in duiken om niet overreden te worden.

Ik reed hard naar de andere kant van het plein voordat ik naar rechts, de heuvel af stuurde. Ik perste de wagen door een steegje en voegde een hele serie nieuwe deuken bij de al indrukwekkende verzameling.

Als een kurk uit een fles schoten we de hoofdweg op. De andere Taliwagens stonden voor de bocht, ongeveer tweehonderd meter voor ons aan de kant van de weg. De militanten namen de soldaten beneden hen angstwekkend zwaar onder vuur. Drie lichamen lagen bewegingloos op het terrein waar de Huey's waren geland. De soldaten probeerden nog steeds te vuren en de heuvel op te manoeuvreren, waarbij ze de gebouwen als dekking gebruikten. Nu ze dichterbij waren, had Akaki betere doelwitten. Een ander lichaam lag op de weg tussen hen in en iets verder weg zag ik een paar soldaten een gewonde man in dekking slepen.

Ik remde tot we stilstonden. Nu we er waren, wist ik dat Charlie gelijk had. Maar dat ging ik hem niet vertellen.

Ik schakelde in de eerste. 'Het blijft bij één keer erlangs, dus maak er het beste van.'

Hij draaide zijn rug naar me toe en stak het wapen uit zijn raampje. Hij liet het steunen op het portier en zette de kolf tegen zijn schouder.

Een paar gezichten werden omgedraaid toen wij de weg af reden en keerden toen weer terug naar de oorlog.

Ik versnelde. Enkele tellen later waren we op dezelfde hoogte als de ploeg van Akaki en vuurde Charlie korte salvo's af op alles dat bewoog.

De herrie in de cabine was zelfs met beide raampjes open oorverdovend en we stikten bijna in het cordiet. Ik probeerde de wagen zo stabiel mogelijk te houden. De kogels moesten doel treffen, anders kregen we een hele lading terug.

De carrosserie kreeg een paar opdonders toen de militanten tot benul begonnen te komen.

Charlie trok de grendel weer naar achteren en vuurde twee korte salvo's af.

'Stop! Stop! *Stop!'*

Ik trapte de rem in en Charlie mikte op een groepje van drie mannen van wie er één onmiskenbaar Akaki was. Hij zette het op een lopen, terwijl de andere twee een schild voor hem probeerden te vormen.

Charlies wapen zweeg.

'Weigering!'

Hij wisselde van magazijn zonder dat zijn ogen het doelwit loslieten dat achterin een Taliwagen klauterde. Akaki's wagen schoot vooruit en raasde terug over de weg die wij waren gekomen.

Ik remde hard en gooide onze Toyota in een haakse bocht.

Toen we dichterbij kwamen versplinterde hun achterruit en sloegen twee kogels door onze voorruit. Het veiligheidsglas barstte, maar viel er niet uit.

'Doorgaan! Door, door, *door!'*

Charlie trapte zijn kant van de versplinterde voorruit naar buiten. Glasscherven werden achteruitgeblazen door de wind en zandstraalden mijn gezicht. Meer kogels sloegen in de wagen. Verdomme, ik kon niets anders doen dan rijden.

Charlie ging anders zitten en stak de loop van de RPK door het gat in de ruit. Het metaal siste in de regen. Charlie spande zich in om het ding op de steun stabiel te houden, mikte zo goed als hij kon en vuurde telkens twee kogels af om ammunitie te sparen.

Akaki's wagen verdween ongeveer vijftig meter voor ons.

'Naar rechts, naar rechts – snijd hem af!'

Ik draaide de Toyota de kant op die Charlie had aangegeven en ontdekte dat ik evenwijdig aan Akaki over een smal modderpad tussen twee schuren reed. Charlie drukte het wapen naar beneden om het in bedwang te houden. 'Gassen! Zorg dat je er voor hem bent!'

Ik worstelde met het stuur toen de achterkant van de wagen bokte als een rodeostier.

Brullend reden we terug naar hoger terrein en passeerden het dorpsplein aan de linkerkant. Ik smeet de Toyota in een bocht, toen aan de andere kant van het plein de wagen van Akaki tevoorschijn schoot. Charlie begon al te vuren voordat ik op de rem trapte. 'Geef me een platform. *Platform!'*

Ik hield de wagen stil, terwijl Charlie met korte stoten bleef vuren.

Weer een salvo.

'Weigering!'

Akaki's wagen botste recht tegen de zijkant van het gemeentehuis en het spatbord scheurde open. Een gedaante sprong er achter uit; een andere viel. De chauffeur bleef over het stuur hangen.

'Vasthouden!'

De versnelling in de eerste rammend, stuurde ik naar de gestalte die langs de rand van het plein rende.

Charlie was koortsachtig bezig met het wisselen van magazijn, terwijl wij hotsend naar de rennende figuur raasden. Er was geen vergissing mogelijk: hij was het.

Hij draaide zich om, hief zijn wapen op en schoot.

Ik wist niet of we geraakt werden en het kon me ook niet schelen. Ik reed recht op hem af. 'Zorg dat je dat verdomde ding geladen krijgt!'

De wind gierde door de voorruit toen Akaki zich omdraaide en weer begon te rennen.

Te laat. Ons spatbord raakte hem onder in zijn rug waardoor hij recht over de weg werd gesmeten.

Ik reed hem voorbij en trapte op de rem.

Charlie probeerde uit te stappen.

'Blijf zitten!'

Ik smeet de Toyota in de achteruit. Het achterwiel kwam omhoog toen het over zijn lichaam reed en viel weer terug op de weg.

Het voorwiel kwam erachteraan.

Ik bleef achteruitrijden tot Charlie kon richten. Twee korte salvo's sloegen in het lichaam op de grond.

We raasden over de top van de heuvel achter het dorp zonder dat mijn voet het pedaal omhoog liet komen.

8

'Eén afgestreept, één te gaan.' Charlie moest schreeuwen om zich boven het geruis van de wind verstaanbaar te maken.

'Ben je nijdig?' Ik hield mijn ogen op de weg. We hadden het dorp nog maar tien minuten achter ons gelaten en hoe hard we ze ook nodig hadden, de lichten aansteken vond ik een te groot risico. Wat er aan mijn kant over was van de voorruit, was gebarsten. Het gebroken glas en de plastic veiligheidslaag beschermden me wel voor een groot deel tegen de wind, maar diepe plassen of kuilen die ons misschien zouden verzwelgen, waren daardoor nog moeilijker te ontdekken.

De dennenbomen die de hoogten rechts van ons bedekten, maakten onze wereld nog donkerder. Het goede nieuws was dat we terug waren bij de pijpleiding en in de richting van Turkije en Crazy Dave reden. Het vijf meter brede litteken liep als een geleiderail links van ons naast de weg.

Ik keek in het spiegeltje. Nog steeds geen achtervolgers. Barst maar; ik deed de koplampen aan en drukte het gaspedaal in.

Ik had de auto net omgeschakeld op tweewielaandrijving om brandstof te sparen toen de koplampen een stilstaande auto langs de kant van de weg in het licht zetten. Het was een roestige, lichtgroene Lada. De motorkap stond open.

'Dank je wel, God.' Charlie bukte en pakte de RPK van de vloer.

Ik greep het stuur stevig vast. 'Kom op, maat, ik moet je thuisbrengen.'

'Vergeet het maar, knul. De eerste klootzak hebben we te pakken gekregen, laten we het karwei nu afmaken.'

'Wat heeft dat voor zin? Hij had minstens een uur voorsprong. Hij kan intussen in een andere auto zitten en al halverwege Turkije zijn.'

'Nou en? We controleren dit hier en halen hem dan in. Ik ga erop af. Doe je mee?'

Alsof ik hem in de steek zou laten en door zou rijden.

Ik stopte de Toyota en zette hem in de eerste versnelling, klaar om hem dekking te geven. Toen hij eruit klom, duwde hij de veiligheidspal links op de RPK naar beneden tot de eerste klik, enkelschots.

Hij liep om de achterkant van de Taliwagen langs met de grote RPK aan de schouder en de steun tegen de loop gevouwen.

Zodra hij naast me stond, waren we klaar voor actie.

'Kom op, laten we gaan.'

Ik liet de ontkoppeling opkomen en kroop vooruit, terwijl hij naast me hinkte en de auto als dekking gebruikte. Ik wist niet waarom hij was uitgestapt. Toen begon er iets te dagen. Hij genoot hiervan. Hij deed het niet alleen om Bastaard te grazen te nemen; hij deed het voor zichzelf. Het was de laatste kans die hij ooit zou krijgen om soldaatje te spelen, om datgene te doen waarvoor hij was geboren.

Hij bleef vlak voor de Lada staan en ik stopte ook. Ik bleef laag zitten. Bastaard had immers nog steeds die Desert Eagle.

Charlies ogen waren strak op de bomen gericht en zochten naar eventuele problemen. 'Blijf hier, ik ga kijken.'

Hij hobbelde naar voren met de RPK in de aanslag.

Hij liep niet meteen op de auto af, maar ging eromheen en zocht in de modder naar sporen.

Hij voelde aan het portier aan de kant van de bestuurder. De Lada was niet afgesloten.

Charlie wierp snel een blik naar binnen en liep toen langzaam de weg op, steeds uitkijkend naar sporen.

Vier of vijf meter voor de Lada draaide hij zich om en stak een duim op.

Ik rolde naar hem toe en stopte.

Hij stak zijn hoofd door het raampje aan de passagierskant. 'Platte schoenen. Lopen naar de bomen.' Hij sprak erg zacht, alsof Bastaard binnen gehoorsafstand was. 'Hij kan niet ver zijn gekomen; je zag hoe waardeloos hij was. We hebben de klootzak.'

Hij hinkte weg zonder te wachten of ik meekwam.

Ik zette de motor uit, pakte de sleuteltjes en stapte uit.

9

We liepen recht het geboomte in en begonnen te klimmen.

Charlie had het algauw te kwaad. Ik kon zijn zware ademhaling horen. Hij hield zijn gekwetste enkel in een heel onnatuurlijke hoek.

Ik kwam naast hem en bracht mijn mond naar zijn oor. 'Laten we hiermee doorgaan tot we niets meer kunnen zien, goed? Hij zou overal kunnen zijn.'

Er waren op de grond geen sporen die we konden volgen, want de bosbodem was bedekt met dennennaalden. Hij bleef staan en luisterde met open mond, zijn hoofd schuin naar links, zodat zijn rechteroor recht naar voren was gericht.

De weg terug naar de wagen zou niet moeilijk te vinden zijn, ook in het donker niet. We hoefden alleen maar de helling af te dalen tot we bij de weg waren.

De regen kletterde door het dak van dennenbomen en de wind huilde.

Charlie begon weer te lopen.

Ik bleef waar ik was. Ik zou zijn oren zijn, terwijl hij ongeveer vijf passen doorliep.

Ik haalde hem in en hij liep weer verder. Ik zou hem niet passeren. Ik had geen wapen. Hij moest de puntman zijn. Zo wilde hij het.

Hij nam er de tijd voor, wapen geschouderd, schuin naar beneden gericht, maar klaar om omhoog te zwaaien, de veiligheidspal helemaal naar beneden tot de tweede klik.

Hij bleef na één pas staan. Het zag ernaar uit dat zijn enkel het eindelijk begon te begeven. Hij kroop tegen een boom en keek de heuvel op.

Ik sprak in zijn oor. 'Ik begin zelf ook afgepeigerd te raken, maat. Die dikke rotzak kan onmogelijk hoger zijn geklommen.'

Charlie wees naar links, evenwijdig aan de weg. Zijn hand trilde. Hij stak een duim naar me op en verplaatste de RPK, klaar om weer in beweging te komen.

Ik greep een arm voordat hij dat kon doen. 'Wil je dat ik de punt neem?'

Hij stak een hand op en we zagen allebei hoe die trilde.

'Nee,' zei hij eenvoudig. 'Hij is me nog wat schuldig, knul. En dat is geen stom broodje ham van drie piek.'

Hij hobbelde vier passen naar links. Met het wapen tegen de schouder volgde hij de contouren van de helling.

Ik liep weer naar hem toe en bleef een beetje op afstand, zodat onze gezamenlijke massa geen gemakkelijk doelwit vormde.

Hij bleef nog een paar tellen stilstaan en liet zich toen in een manshoge holte zakken die stromend water van de top in de loop der jaren had uitgesleten.

Hij bleef bijna onmiddellijk stokstijf staan in reactie op een ritselend geluid.

Er klonk een luide kreet. 'Krijg de kolere!'

Toen een schot uit een zwaar kaliber en een vallend lichaam.

Charlie was neergehaald.

10

Ik rende de holte in.

Charlie bewoog niet, maar Bastaard wel. Hij was niet te zien, maar ik kon hem dieper het dennenbos in horen lopen.

Ik greep de RPK en kneep de poten van de steun bij elkaar om ze los te maken. Toen ik boven aan de helling was, gaf ik er een ruk aan en ze sprongen uit elkaar. Met de steun onder de loop liet ik me op de grond vallen, duwde de veiligheidspal helemaal naar beneden en vuurde een paar korte salvo's af in de richting van het geluid. Mijn oren tuitten, toen ik stopte. Rook kringelde uit de loop.

Geen geschreeuw, geen gesmeek. De klootzak. Ik klauterde terug naar de plaats waar Charlie zo stil op zijn rug in de modder en de dennennaalden lag, dat hij had kunnen slapen. Ik knielde over hem heen, pakte zijn hoofd en voelde meteen warme vloeistof op mijn handen. Hij maakte een onheilspellend, slurpend geluid bij elke ademhaling.

Ik ritste zijn Gore-Tex open en rukte aan het gat in zijn hemd. Bloed druppelde op mijn handen. Hij had een zuigwond. De .357-kogel had vlak onder zijn rechtertepel een gat in zijn borst geslagen. Toen hij inademde, had zuurstof het vacuüm van de borstholte gevuld en door de druk waren zijn longen ingeklapt. Wanneer hij uitademde, werden lucht en bloed naar buiten gedreven als lucht en water uit het blaasgat van een walvis.

'Ik stapte bijna op de rotzak...' Charlie hoestte bloed op. 'Ik kon de trekker niet overhalen, Nick...' Hij probeerde te lachen. 'Vervloekte discohanden...'

Zijn lichaam schokte. Hij had pijn, maar krankzinnig genoeg glimlachte hij.

Maar als hij praatte, ademde hij – dat was het enige dat telde.

Ik pakte zijn hand en legde die op de plaats waar de kogel naar binnen was gegaan. 'Dicht stoppen, maat.'

Hij knikte. Hij was nog niet zover heen; hij begreep wat er gedaan moest worden. Als zijn borst luchtdicht was, zouden zijn longen uitzetten en kon hij weer normaal ademhalen.

'Ik moet naar de uittredewond kijken, maat. Het gaat pijn doen.'

Ik rolde hem op zijn zij, maar zijn rug had geen schrammetje. De kogel moest nog in hem zitten. Zo'n zware kogel kon alleen maar zijn gestopt door een bot – mogelijk zijn schouderblad – maar een botbreuk was slechts een ondergeschikt probleem. We wisten allebei dat hij er ernstig aan toe was.

Charlie begon te kreunen. 'Hoe ziet het eruit? Hoe ziet het eruit?'

Steeds en steeds weer.

Weldra zou hij in een shock raken. Ik moest snel handelen, maar wat kon ik doen? Hij moest een infuus hebben, hij moest een drain voor zijn borst hebben, de wond moest afgedicht worden; hij had verdorie de hele cast van *ER* hier nodig.

Hij kreunde weer.

Nog steeds niet nodig om me zorgen te maken over zijn luchtwegen.

Zijn hand was van zijn borst gevallen. Ik legde de muis van mijn hand op het gat om het dicht te houden. Hij hoestte weer en de inspanning deed hem sidderen van pijn.

'Hoe ziet het eruit? Hoe ziet het eruit?'

Zijn gezicht vertrok – ook een goed teken. Hij kon het nog steeds voelen, zijn zintuigen hadden hem niet in de steek gelaten.

Ik moest hem in de wagen beneden krijgen en tegelijk moest ik de wond dichthouden. Ik zou terug moeten rijden naar het dorp. De kerel van wie we de RPK hadden gejat, had in de deuropening gestaan van een soort medische post – en de soldaten zouden eerstehulppakketten bij zich hebben.

We zouden gearresteerd worden, maar wat maakte dat uit? Ik had gezegd dat ik de oude klootzak thuis zou brengen en dat ging ik doen.

'Hoe ziet het eruit?'

'Mond dicht en concentreer je op leven.'

Er was hierboven niets dat ik kon gebruiken om het gat dicht te houden, afgezien dan van mijn handen. Hoe moest ik dat verdomme doen, terwijl ik met hem van de heuvel afdaalde?

Bastaard zou ook die kant op gaan. Hij wist dat we hier niet met de bus waren gekomen. Maar die ging niet zo snel ergens heen. Ik zou met hem afrekenen zodra Charlie veilig was.

Ik keek naar het gezicht van Charlie. Het was aan het opzwellen als een voetbal.

'Verdomme, verdomme, verdomme!'

Ik hief mijn hand op.

Er klonk een gesis als van lucht die uit het ventiel van een autoband ontsnapt, gevolg door een geiser van bloedige mist.

De kogel was ongetwijfeld door een van zijn longen gegaan en misschien door allebei. Door elke wond stroomde zuurstof de borstholte in. Als ik dit gat dichthield, kon de lucht nergens heen. De druk in zijn borst was zo hoog opgelopen, dat zijn longen en hart niet meer konden uitzetten als hij probeerde in te ademen.

Ik trok hem op zijn rechterzij; bloed dat een plas had gevormd in de long gutste naar buiten als melk uit een omgedraaide fles.

Ik rolde hem terug en sloot het gat weer af.

Hij begon het bewustzijn te verliezen.

11

Ik moest het blijven proberen. 'Het is goed, je kunt weer tegen me praten, maat.'

Er kwam geen reactie. 'Hé, kom op, zeg wat tegen me, oude zak!' Ik trok aan zijn bakkebaarden. Nog steeds geen reactie.

Ik tilde zijn ooglid op.

Zo weinig pupil dat die nauwelijks zichtbaar was.

Zijn ademhaling was erg snel en oppervlakkig geworden. Zijn hart werkte als een razende om de vloeistof die nog in zijn lichaam aanwezig was, rond te pompen. Er zou nu meer bloed in zijn borstholte komen en een plas vormen die zijn dood betekende.

Ik luisterde naar zijn ademhaling. 'Laat me zien dat je me hoort, maat... Laat het me zien...'

Er kwam geen antwoord.

'Ik ga je verplaatsen, maat... het duurt nu niet lang meer voordat we hier uit zijn. Binnenkort zitten we in een vliegtuig op weg naar Brisbane... Goed, goed? Geef me een teken, maat, laat me zien dat je leeft.'

Niets.

Ik tilde een ooglid op, voelde naar een hartslag.

Ook niets.

Ik raakte zijn gezicht aan; de glimlach was er nog. Dat was als teken genoeg voor mij.

'Ik blijf niet lang weg, oude kloothommel. Zo terug.'

Ik pakte de RPK op en stormde de heuvel af. Onder het rennen trok ik het magazijn los en duwde op de bovenste patroon. Nog een stuk of tien. Ik zette de veiligheidspal op de eerste klik. Elke kogel telde nu.

Bij de boomgrens keek ik naar links in de richting van de auto's.

Ongeveer honderd meter ervoor strompelde Bastaard van de ene kant van de weg naar de andere, terwijl hij met zwaaiende armen zijn evenwicht probeerde te bewaren.

Tussen de bomen blijvend volgde ik hem. Hij viel en spartelde even als een op zijn rug gedraaide schildpad.

Ik vertraagde tot bijna een wandeltempo en zocht naar een fatsoenlijke schietpositie.

Eindelijk was hij bij de Taliwagen. Ik zag hoe hij naar de kant van het stuur liep en naar binnen boog.

Ik zette het wapen weer met de steun op de grond en ging er zelf achter liggen.

Het vizier stond op gevechtsinstelling: driehonderd meter.

Ik voelde me verrassend kalm toen ik de kolf tegen mijn schouder drukte, mijn linkeroog sloot en mikte.

Zoals ik al had aangenomen, was hij geen kei in het aan de praat krijgen van auto's. Hij stapte uit en gaf geërgerd een trap tegen de zijkant, voordat hij terugliep naar de Lada. Een paar tellen later hoorde ik de startmotor, maar dat was ook alles.

Natte bougies. Daardoor moest hij om te beginnen tot stilstand zijn gekomen en er was niets veranderd.

Hij bleef volhouden, maar de accu raakte leeg en de startmotor begon steeds langzamer te draaien.

De wind voerde het geluid naar de bomen aan de andere kant, maar ik zag hoe hij het uitschreeuwde en woedend op het stuur sloeg.

Hij stapte uit en begon naar de pijpleiding te lopen.

Het maakte niet uit wat hij van plan was, het ging toch niet gebeuren.

Mijn ogen richtten zich op de massa van zijn lichaam. Met het linkeroog gesloten mikte ik laag in zijn buik.

Ik nam het eerste drukpunt van de trekker, ademde in en hield die adem vast.

De vizierkorrel was scherp en Bastaard was wazig.

Perfect.

Ik drukte door het tweede drukpunt.

Het wapen schokte tegen mijn schouder en Bastaard ging neer.

Aanvankelijk was er geen beweging, toen begonnen zijn benen in de modder te klauwen.

Ik stond op. Het wapen tegen de schouder, steun uitgeklapt, liep ik op hem af.

Hij was bezig over het litteken van de pijpleiding te kruipen, omdat hij instinctief het gevaar wilde ontvluchten. Ik betwijfelde of hij wel wist wat hij deed.

Hij zag me komen.

Hij stopte en draaide zich midden op het litteken op zijn zij.

Donker, zuurstofarm bloed gutste uit zijn buik en liep over het glimmende chroom van de Desert Eagle achter zijn riem.

Wapen tegen de schouder, ogen gericht op die .357.

Ik was nog maar een paar meter van hem verwijderd, toen hij een hand op stak. Hij had zijn adem gespaard tot hij absoluut moest spreken.

'Nick, ik zal mijn halve miljoen met jou delen... Chuck heeft zijn halve mil...'

Ik liet hem de gaten opvullen.

'Het spijt me van die zaak op het kerkhof, maar ik had de helft van zijn poen ingepikt, man... Ik moest schoon schip maken... Losse eindjes...'

Zijn hand was nog opgeheven, maar nu eerder smekend dan beschermend. 'Jij hebt al twee-vijftig, nietwaar? Je zei dat jullie zouden delen. Dan geef ik je nog eens twee-vijftig... Krijg jij van ons tweeën het meest...'

Ik hoorde het geratel van helikopterbladen in de verte. Bastaard hoorde ze ook.

'Hé, Nick, weet je wat – je krijgt alles van me... Breng me terug naar Istanbul, dan regel ik de overdracht. Kom op, man.'

Met zijn hand nog in de lucht wees hij op zijn jaszak. 'Ik zal je zelfs de tape teruggeven. Jij bent niet gek, Nick. Je weet dat het een goede deal is. Denk erover. Chuck is er niet meer. Je moet nu aan jezelf denken.'

Deze kerel gaf het echt nooit op, hè?

Ik hief de RPK op.

'Noem hem geen Chuck.'

Ik zag hoe zijn gezicht zich ontspande.

'Krijg de kolere.' Zijn hand viel naar beneden en ging naar Koba's wapen.

Ik haalde de trekker over.

Het was niet nodig om naar een hartslag te voelen.

Ik liet de RPK vallen en rende terug het geboomte in. Ik moest Charlie vinden voordat het te donker werd.

Dat moest.

Ik had Hazel beloofd dat ik hem thuis zou brengen.

EPILOOG

De boerderij
Drie weken later

Het was een eenvoudige begrafenis geweest.

Hazel en Julie hadden zich beziggehouden met het organiseren van elk detail tot en met het huren van een minigraafmachine, zodat Alan Charlies graf kon uitgraven. Ik vermoedde dat het de demonen even op afstand hield, waardoor ze allebei nog iets langer in hun zeepbel konden blijven.

Er was gisteren geen priester bij geweest en er waren geen plechtige gebeden uitgesproken. We hadden allemaal rond de kist naast de kuil gestaan en iedereen had zijn woordje gezegd. Toen hadden we hem in het graf laten zakken, Hazel en Julie aan het ene stel touwen, Alan en ik aan het andere.

De hele zaak was economisch uitgevoerd, precies zoals een zuinige Yorkshireman het zou hebben gewild. Silky had voor de muziek gezorgd. Een paar van Charlies favoriete Abba-liedjes hadden van dichtbij uit de luidsprekers van de camper geklonken en ik had me afgevraagd of zijn discohanden zich zouden gedragen toen die kort daarna werden gevolgd door Boney M's 'Brown Girl In The Ring'. Dat was het ogenblik geweest waarop Hazel zich eindelijk liet gaan. Haar kleinkinderen hadden er niets van begrepen. Ze hadden gedacht dat dit haar lievelingsliedje was.

Alan had voor het eten gezorgd. Het voedsel was prima geweest, maar zijn kinderen hadden gezegd dat de barbecue van hun vader het niet haalde bij die van opa.

Later die avond had Alan voor hen een dvd in de speler gestopt, maar we hadden er allemaal naar gekeken. We hadden ons te verdoofd gevoeld om veel anders te doen en negentig minuten naar *Shrek* kijken was een even onwerkelijke manier om niet te hoeven piekeren over afwezige vrienden als welke andere ook.

Tegen de tijd dat Alan en Hazel de kinderen in bed hadden gelegd, was ik helemaal leeg. Ik had met Silky zitten kijken naar nietszeggende beelden die over het scherm dreven en had af en toe een zin opgevangen. Het was de tijd van de avond voor de nieuwsbeelden die lieten zien hoe presi-

315

dent Bush op de terugweg van Moskou, waar hij de herdenking van de Duitse capitulatie had bijgewoond, een tussenstop had gemaakt in Georgië. De gebeurtenis was voor CNN verslagen door een plaatselijke journaliste, 'de voor een Emmy genomineerde Nana Onani'.

Voordat we naar bed gingen had ik op Charlies verouderde pc ingelogd op Google en haar naam ingetypt. De speciale uitzending van *60 Minutes* was de lucht in gegaan; namen waren genoemd. Er waren ingrijpende veranderingen beloofd, maar natuurlijk was er nog steeds niets gebeurd. Twee kerels waren aan de kant gezet en de andere vier hadden zich teruggetrokken op hun datsja's om meer tijd aan hun gezin te besteden.

Akaki had een paar resultaten opgeleverd, maar lang niet zoveel als Zurab Bazgadze. Zijn staatsbegrafenis had wel wat meer gekost dan die van Charlie. Ik had overal gezocht, maar Jim D., 'noem me maar Buster', Bastendorf had geen sikkepit opgeleverd.

Nu liep ik met Hazel een laatste keer langs het graf. De plek lag tussen een groepje gombomen en er was een laag wit hek omheen gezet. Ze had het allemaal uitgedacht en ervoor gezorgd dat er op termijn ook plaats voor haar zou zijn.

De dag liep ten einde en de zon stond erg laag. Stof dat werd opgeworpen door de paarden dreef boven een bloedrode horizon.

Ik begon haar te vertellen hoe hij erover had gedacht om naar huis te gaan, toen ik hem vond. 'Maar iets hield hem tegen, Hazel. Ik denk dat ik het begrijp. Ik miste het ook wel. Weet je... als je iets zo lang hebt gedaan, dan voelt het... lekker. Ik voelde me daarbuiten met hem meer thuis dan ik me heel lang had gevoeld. Het spijt me; ik heb niet hard genoeg geprobeerd hem over te halen ermee te kappen. Ik was egoïstisch. Ik wilde meegaan als beschermer.'

Ze keek me glimlachend aan en schudde haar hoofd. 'Ik wist dat de stomme gozer in zijn gevechtslaarzen wilde sterven. We zijn sinds de schooltijd samen geweest. Ik kende hem beter dan hij zichzelf kende. Hij dacht dat hij het voor mij verborgen hield...'

Ze bleef staan en keek naar de donkere silhouetten van de paarden in de paddock.

'Nick, ik begreep altijd precies wat er omging in die dikke kop van hem en ik was bereid daarmee te leven... Als ik hem niet kon tegenhouden, wilde ik dat hij zich concentreerde op datgene waarbij hij betrokken was geraakt in plaats van zich zorgen over mij te maken. Op die manier zou hij een betere kans maken om veilig thuis te komen.' Ze glimlachte weer toen ze naar het huis liep. 'Het is dertig jaar lang aardig goed gegaan.'

Ze stak haar arm door de mijne. 'Ik weet dat hij wilde doen wat goed was – je weet wel, ervoor zorgen dat het goed ging met mij en het gezin.

Maar zal ik je wat zeggen, Nick? Ik zou het allemaal meteen ruilen voor een paar minuten met hem.'

Ik bleef staan en keek op toen haar kleinkinderen een paar honderd meter verderop gillend en giechelend uit het huis renden en onze richting uit kwamen. 'Zal ik je wat zeggen, Hazel? Ik denk dat we allemaal graag wat meer tijd met Charlie hadden gehad... alleen Charlie niet.'

De kinderen sprongen in de armen van hun grootmoeder en omhelsden haar. Ze wisten nog steeds niet wat ze van alles moesten denken. Julie had hun verteld dat opa de engelen was gaan leren hoe ze een vrije val moesten maken en zij vonden dat een geweldig idee. Maar toen vroegen ze wanneer hij weer thuis zou komen.

We kwamen bij het huis. De VW stond helemaal gepakt en klaar om te vertrekken. Nou ja, niet helemaal. De surfplank werd maar met twee elastieken op zijn plaats gehouden.

Silky kwam arm in arm met Julie de veranda op lopen. Ze stapte het trapje af en omhelsde Hazel een laatste keer. Toen sprong ze in de VW. Met een beetje geluk zouden we voor het ontbijt in de Whitsundays zijn.

Hazel hield haar hand op mijn arm en trok eraan om me nog een laatste keer aan te kijken.

'Nick, als je Crazy Dave ziet, vergeet dan niet om hem te bedanken voor wat hij allemaal voor ons heeft gedaan. Het geld, jullie hier terugbrengen – hij is echt geweldig geweest.'

Ik gaf haar een zoen op haar wang. 'Ja, dat was hij, hè?'

Ik klom in de combi. Moeder en dochter zwaaiden van de veranda naar ons toen we het pad afreden.

Ik boog over het stuur, klaar voor een lange nachtelijke rit en dacht aan mijn beste maat Crazy Dave.

Ik had Charlie in de Taliwagen getild en was volgens plan de pijpleiding gevolgd. De hele nacht had ik zonder licht gereden, dus zagen de heli's me niet. Vanaf dat moment had Crazy Dave de touwtjes in handen genomen. Hij had ons laten oppikken aan de Georgische kant van de grens en ons Turkije in gereden. Hij zorgde voor paspoorten, alles.

Hij zette ons op het vliegtuig naar Australië, ik in de club class en Charlie in het laadruim. En hij had ervoor gezorgd dat Hazel haar levenlang geen geldzorgen zou hebben. Maar ja, hij had ook weinig keus gehad...

Toen ik die nacht langs de pijpleiding kroop, had ik nagedacht over wat die dikke klootzak had gezegd. De politieke kameraden van Bastaard hadden hem een miljoen voor de klus gegeven, maar in plaats van die uit te geven had hij vijf ton afgeroomd voor zijn pensioen.

Crazy Dave had niet veel voor hem ondergedaan.

Charlie had maar tweehonderd duizend nodig gehad en waarschijnlijk had de stomme kloothommel gezegd dat hij er alles voor zou doen.

Dus gooide ik het op een akkoordje met meneer Brave Bast uit Bobble-stock, terwijl ik zat te wachten in de Club-lounge in Istanbul. Hij had Hazel de hele vijf ton gegeven en haar verteld dat het de overeengekomen beloning voor de klus was. In ruil daarvoor vertelde ik de kerels die bij hem aanklopten, niet hoeveel hij graag afroomde. En de bedrijven die ge-bruik van hem maakten, kregen van mij niet te horen dat hij problemen had met de kwaliteitscontrole – hij controleerde niet eens of zijn bajo-netten discohanden hadden.

Het gedeelte dat me het meeste plezier had gedaan, was toen ik hem vertelde dat als hij niet in actie kwam en zorgde dat het hele bedrag op de rekening van Hazel stond tegen de tijd dat Charlie en ik in Brisbane aan-kwamen, ik in het volgende vliegtuig naar Bobblestock zou zitten om zijn knokige kont uit zijn rolstoel te schoppen.

Silky legde een hand op mijn arm. 'Waarom de glimlach, Nick Stein?'

Ik haalde mijn ogen een ogenblik van de weg en grinnikte naar haar. 'Ik zat gewoon te denken...'

Ik had een heleboel aan haar gedacht – 20.000 kilometer en een hele-boel tijdzones – en normaal zou dat voor haar de kortste weg naar mijn afscheid hebben betekend. Ik zou haar in Brisbane hebben achtergelaten, ik zou haar de camper hebben gegeven. Ik zou ervandoor zijn gegaan.

Maar deze keer, op ongeveer 36.000 voet boven de Stille Oceaan, her-innerde ik me iets dat iemand ooit tegen me had gezegd in een auto die naar natte honden stonk.

'Het gaat er de hele tijd om te proberen het evenwicht te vinden... Klinkt dat zinnig?'

Ik had in het vliegtuig tegen mezelf geknikt en nu knikte ik weer tegen mezelf.

'Waarover?'

'Over hoezeer jij gelijk had. Wij passen goed bij elkaar, nietwaar?'

Ze lachte en legde haar hoofd tegen mijn schouder. Als deel uitmaken van het menselijk ras hierom draaide, dan deed ik mee.

Iets anders dat ik van de expert had geleerd.

We kwamen langs de paddock waar de oude hengst had staan kniezen, maar nu niet meer. Ik had wat gespeeld met de minigraafmachine en een groot gat gegraven in de hoek van zijn veld. Daarna had ik het jachtge-weer van Charlie tegen zijn hoofd gezet en beide lopen leeggeschoten. Ik had een idee dat de vos nu net zo glimlachte als Charlie.